KB126948

2010 상반기
작가와 비평

contents

김성윤

이경수

이선우

배수아

백지은

이정현

이광진

작가와 비평 11

2010년 상반기

편집동인 이선우·최강민·이경수·고봉준·정은경·김미정·김정남

전자우편 writercritic@chol.com

홈페이지 http://user.chol.com/~writercritic

특집 2 '국경'을 읽다

고봉준

김재영

정은경

김정남

이성혁

정홍수

이 작가를 주목한다 소설가 명지현, 시인 송경동

우리 시대의 이론 읽기 수전 손택

포커스

“지독하고 정교하다”

벽돌 같은 단단한 문장으로 치밀하게 축조된 어두운 인간세의 초상화, 어디에도 빈틈이 없다. 편혜영만의 독보적인 소설 카트는 인간세의 쓰레깃더미와 탐욕의 잔해, 폐허의 연기 사이를 자유롭게 돌아다닌다. 그 바퀴는 부드럽게 구르며 동행자를 불러 모은다. 편혜영의 소설은 지독하고 정교하다. 나는 이 소설에서 젊은날 헌책방에서 느꼈던 클래식한 책 냄새를 맡는다. **성석제** 소설가

편혜영 장편소설

재와 빨강

이효석문학상, 한국일보문학상 수상작가 편혜영 첫 장편

특유의 그로테스크한 상상력에 밀도 높은 문장으로
극단적인 상황에서의 인간성 상실, 소통의 부재로 빚어진 절대고독 등을 통해
현대문명의 이면을 집요하게 파헤친다.

창비 031-955-3333
Changbi Publishers

2010 상반기

작가와 비평

Writer and Criticism

애도의 정국, 그리고 극단적 이분법의 난무

지난 3월 26일, '천안호 침몰 사건'이 발생했다. 구조된 사람은 58명이었고, 끝내 싸늘한 시신이 되어 귀환한 사람은 실종자 포함 46명이었다. 먼저 불의의 사고(?)로 돌아가신 46명의 국군 장병에게 애도의 묵념을 전한다. 그들은 국토를 수호한다는 임무를 수행하다가 다시는 돌아올 수 없는 몸이 되었다. 무사안녕을 기원했던 그들의 가족들이 겪어야 할 상심의 크기를 타인들은 짐작만 할 수 있을 따름이다. 무사히 귀환하라, 무사히 귀환하라! 가족들의 간절한 명령은 결코 실행되지 못한 채 끝나야 했다.

'천안호 침몰 사건' 이후 침몰 원인에 대한 각종 추측이 난무하면서 '천안호 침몰 사건'은 비극적인 '실제 사건'에서 스펙터클한 '소설'로 변신했다. 진실보다 각종 허구적 예측이 난무하는 가운데 TV를 포함한 신문 방송 매체들은 천안호 사건과 관련한 각종 뉴스들을 쏟아내기에 바빴다. TV의 주요 오락프로그램은 애도의 명목으로 결방되었고, 천안호 인양 뉴스는 매시간 방송을 통해 중계되면서 극적 효과를 증폭시켰다. 우파 계열의 인사들은 천안호 침몰 사건의 배후로 북한을 지목했고, 북한에 대해 단호한 응징을 촉구했다. 이명박 대통령은 5월 24일 용산 전쟁기념관에서 천안호 침몰 사건의 가해자로 북한 정권을 공식적으로 명시했다. 그러나 '북한의 적대적 군사도발'이라는 이명박 정권의 최종 결론은 논쟁의 종식이 아니라 새로운 논쟁의 시발점이 될 가능성도 있다. 이명박 정권은 불충분한 조사로 인한 짜맞추기식 결론이라는 일각의 비판을 염두에 둔다면 좀더 많은 객관성을 확보하도록 노력해야 한다. 이 사건에서 중요한 것은 성급한 결론보다 역사와 민족이라는 명제 앞에서 무엇이 좀 더 최선의 판단과 선택이었는지에 대한 진지한 성찰이다.

나는 군사 전문가도, 정치가도 아니다. 그럼에도 불구하고 내가 '천안호 침몰 사건'을 언급하게 된 것은 이 사건이 만들어낸 '애도의 정국'이 끼치는 전방위적 파장의 효과 때문이다. 이명박 정권은 애도의 정국을 정권의 무능력과 군 위기 관리 시스템의 결함, 대북 정책의 실패를 은폐시키면서 동시에 북풍을 활용한 지방선거 활용이라는 다목적 카드로 활용하고 있다. 과거 선례에서 보듯 중요한 사회적, 역사적 사건에는 그것을 이용하는 세력이 언제나 있기 마련이다. 노무현 전대통령 자살 사건에서도 이것은 확인될 수 있다. 따라서 나는 애도 정국을 활용하려는 이명박 정권의 잔머리를 비판할 생각은 없다.

그렇다면 내가 이 글에서 애도의 정국에 대해 문제를 제기한 근본적 이유는 무엇일까. 애도의 정국은 극단적 이분법을 확대 재생산시키는 거대한 진앙지이다. 천안호 사건 이후 네이버 메인 타이틀을 자주 장식하게 된 것은 우익 신문들의 공격적 논조들이다. 특히 극우적 인터넷 신문인 뉴데일리(http://www.newdaily.co.kr/)는 북한 응징론을 공공연히 표출한 바 있다. 이 사건에서 '북한 비판=애국=우파, 철저한 원인 규명=친북=좌파 빨갱이'라는 극단적 이분법이 자명한 진리처럼 일각에서 유통되고 있다. 이명박 보수 정권은 사태를 차분하게 풀어가려는 합리적 이성의 노력보다 북한 응징이라는 신냉전의 담론을 통해 우익의 세를 결집해 지배권력을 확고히 하려는 것으로 보인다. 한나라당 조전혁 의원이 법원 결정을 무시한 채 전교조 명단을 자신의 홈페이지에 계속 올려놓을 수 있었던 것도 이런 상황에서 나온 것이다. 조금만 진보적이고 합리적인 발언만 나오면 무조건 좌파 빨갱이이고 친북이라고 매도하는 인터넷 게시판의 폭력적 담론은 지금 여기에서 벌어지고 있는 이분법적 이데올로기의 부작용과 이념 전쟁의 상처를 적나라하게 보여주고 있다. 적과 아군을 신속하게 갈라서 말싸움을 벌이는 인터넷 게시판은 사이버 공간이라기보다 사이버 전쟁터이다.

이명박 정권이 애도의 정국 속에 살포하는 애국주의는 이념의 극단화를 통한 한국 사회의 분열과 대립을 더욱 증폭시키고 있다. 일부의 극우 세력이 보여주는 극단적 이분법은 일종의 파시즘적 광기로 보여진다. 집단적 광기는 합리적인 이성을 무력화시키고 고립화시킨다. 김대중 정권과 노무현 정권에서 그나마 성장해왔던 이 사회의 민주주의는 이명박 정권이 들어서면서부터 퇴행의 늪으로 거듭 빠져들고 있다. 이런 상황에서 이 땅의 지식인들은 무엇을 하고 있을까? 아니, 삶의 진정성을 추구한다는 문인들은 어떤 포즈로서 존재하는가? 2009년에 69작가선언이라는 일과성의 행사만으로 작가의 책임을 다했다고 결코 말할 수는 없을 것이다. 맹목적인 집단의 광기는 커다란 비극을 초래한다. 제2차 세계대전에서 독일의 히틀러와 독일 국민들이 보여준 집단적 광기를 떠올려보라!

나는 살기를 띤 채 종횡무진하고 있는 극우적 담론의 광기를 접하면서 매번 오싹해지는 공포와 불안을 체감한다. 나는 유인촌 문화부 장관에 의해 좌파 인사로 낙인 찍혀 자리에서 강제로 물러나야 했던 여러 명의 문화부 인사들 사건에서도 합리성이 통용되지 않은 극우적 광기를 목격한 바 있다. 올해 3월에 이명박 정권은 문화예술위원회를 통해 문예지 지원금을 주는 조건으로 시위 금지를 한국작가회의에 요구한 바 있다. 한국작가회의는 문인들의 자유로운 활동을 제약하는 조치를 단호하게 거부하고 기관지 《내일을 여는 작가》를 정간하는 것으로 대응했다. 사법부는 이명박 정권 들어 벌어지는 비합리적, 불법적 조치를 원천무효화 시키는 판결을 통해 민주주의의 승리를 보여주기도 했다. 나는 이런 움직임들에서 작은 희망을 발견한다. 그동안 우리가 키워왔던 민주주의의 내공은 극우적 파시즘의 광기를 제어하는 건설적 역할을 수행하고 있는 것이다.

혹시 이 글을 본 극우적 우파주의자들이 나를 친북 좌파로 매도할지도 모르겠다. 나는 김일성, 김정일로 이어지는 북한의 세습 독재정권에 대해서도 똑같은 집단적 광기의 파시즘을 목격했다는 것으로 내 입장을 분명히 밝힌다. 만일 '천안호 침몰사건'의 배후가 북한이라는 것이 충분한 조사를 통한 객관적 증거로 확인된다면, 김정일 정권은 이것에 대해 충분한 사과와 재발 방지를 위한 성의를 보여주어야 한다. 김정일 정권이 적대적 냉전 구도를 통한 체제 연장의 노림수로 천안호를 공격했다면, 이것은 시대착오적인 구태의 극치이다. 핵위협에서도 보여주었던 북한 정권의 극단적 모험주의는 민족의 운명을 번영이 아니라 파멸로 이끄는 지름길이다. 나는 한반도의 시계를 거꾸로 돌리려는 모든 세력들을 향해 준엄한 비판의 칼날을 던진다.

내가 열망하는 세계는 다양한 입장들이 합리적인 소통을 통해 공존하는 다원성의 세계이다. 하나의 주체만을 획일적으로 강조하고 다양한 타자들을 배제하고 억압하는 정권은 필연적으로 집단적 광기를 생산한다. 나는 그러한 집단적 광기를 혐오한다, 단호히 배격한다. 발터 벤야민은 파시즘의 광기를 피해 탈출하다가 붙잡히자 끝내 자살을 통해 자신의 자유를 지키고자 했다. 발터 벤야민의 비극적 죽음 앞에서 우리들은 무엇을 교훈으로 얻어야 할까? 나는 이명박 정권이 성공적인 정권으로 역사에 남기를 희망한다. 이것을 위해 이명박 정권은 이제라도 소외된 타자들의 견해를 경청하고 정책에 적극 반영해야 한다. 그렇지 못하면 이명박 정권은 역사의 준엄한 심판 앞에서 보수 반동의 퇴행적 정권으로 기록될지도 모른다.

신자유주의를 신봉하는 이명박 정권의 세계에서는 1등만 살아남는 세상이 아니다. 1등도 그 1등을 유지하기 위해 끊임없이 불안할 수밖에 없는 적자생존의 세계이다. 1등도 살아남기 힘든 어려운 세상. 이것이 현재 우리가 직면하고 있는 세계의 자화상이 아닐까? 문제는 이 관성이 붙어 미쳐 돌아가고 있는 이 비인간적 체제를 무너뜨릴 묘안이 쉽게 발견되지 않는다는 점이다. 그래서 우리들은 여전히 이 세계에 포로로 잡힌 채 신자유주의 체제의 무한경쟁이라는 광기의 질주에 무력하게 포박된다. 살아남으려는 존재의 몸부림이 심해지면 심해질수록 우리의 삶은 더 더욱 살아남기 어려운 세상이 되어 가는 이 기묘한 역설의 진리 앞에서 과연 이 시대의 문학은 무엇을 해야 할까. 아니, 할 수나 있을까. 미시적 텍스트주의와 출판 자본에 감금

된 문학이 할 수 있는 것은 별로 없다. 이 시점에서 무엇보다 필요한 것은 시대를 고민하는 문인들의 자성일 것이다. 대다수의 문인들은 문학의, 삶의 진정성을 자주 이야기하거나 공감을 표시한다. 하지만 나는 그러한 말들에서 진실된 실체보다 공허한 유령을 자주 발견한다. 화려한 수사학을 동반한 습관적인 자아반성보다 뼈저린 각성과 자괴감, 그리고 행동이 더욱 필요한 때이다.

11호를 발간하며

삶이 갈수록 힘들어져가는 이 시점에서 《작가와비평》은 2010년 상반기호를 준비했다. 〈특집 1〉은 이 시대 20대의 정체성을 묻는 작업이었다. 세대론은 구세대와의 차별을 통해 새로운 세대의 특성을 알려주는 장점을 갖고 있다. 하지만 이러한 세대론은 귀납법적 방법을 통해 세대의 특성을 추출하다 보니 보편성 확보에 어려움이 있다. 또한 세대론은 보통 신세대가 구세대를 몰아내고 새로운 권력을 잡기 위한 헤게모니 담론으로 이용되어 왔던 것이 사실이다. 매스미디어와 자본은 주기적으로 새로운 세대를 새로운 신상품처럼 호명하여 유행을 창조하기도 한다. 이처럼 세대론은 세대론을 호명하는 주체의 여부에 따라 다양한 색깔을 띤다. 세대론이 말하는 세대론적 특성은 자명한 보편성이 아니다. 따라서 세대론이 말하는 세대의 특성은 일종의 허구적 담론이기도 하다. 그럼에도 불구하고 우리들이 세대론을 언급하는 것은 새로운 세대의 특성을 통해 새로운 변화를 포착하고 선도하기 위함이다. 세대론이 새것 콤플렉스에 빠지거나 새로운 권력 욕망에 중독되지 않는 한 세대론은 여전히 의미 있는 작업일 수 있다.

이번 11호에서는 2010년대 문단에서 새로운 세대로 불리울 수 있는 20대 문인을 중심으로 20대의 정체성을 탐색했다. 우석훈은 요 근래의 20대를 88만원 세대라고 호명하기도 했다. 《작가와비평》에서는 새로운 세대의 목소리를 청취하기 위해 최근에 등단한 신인 소설가와 시인, 그리고 문학평론가들의 발언을 앙케이트로 모아보았다. 소설가로 김금희·김기홍·이반장·임세화·정용준, 시인으로 민구·유희경·이은규·정영효·한세정, 문학평론가로 김나영·송종원이 앙케이트 설문에 답해준 분들이다. 문화평론가 김성윤은 「다양한 20대 세대론을 다시 호명하다」를 통해 2000년대에 등장한 세대론에 대해 비판적 접근을 시도한다. 김성윤은 자본 권력과 주류 미디어가 주도해온 세대론의 난점을 해소하기 위해 역설적으로 세대라는 프레임에서 벗어날 것을 권고한다. 문학평론가 이선우는 「청춘의 종언과 선언 사이」에서 20대 소설가의 소설에서 종말론적 상상력이 강하게 나타나 있다고 말한다. 이러한 종말론적 상상력은 세계의 구조적 모순 속에서 출구를 발견하지 못한 20대 소설가의 절망적 포즈가 반영된 것이다. 문학평론가 이경수는 「우리는 아직 진행 중」에서 20대 시인들의 시가 미래파 시인들의 영향권에서 성장해왔음을 지적한다. 이경수는 20대 시인들이 새로움을 추구하고 기성의 것에 도전적인 태도를 보이는 특징을 보이고 있다고 진단하면서도 아직까지 뚜렷한 정체성을 보이지 못한다고 말한다.

〈우리 시대의 상상력〉 코너에서 초대한 작가는 최근 『북쪽 거실』이라는 장편을 낸 소설가 배수아이다. 1993년에 등단한 배수아는 줄기차게 소설을 써왔다. 이국적 글쓰기에서 발원한 배수아의 글쓰기는 2000년대 들어 철학적 깊이와 실험적 글쓰기를 결합시켜 독특한 아우라를 생산하는 글쓰기를 해오고 있다. 문학평론가 백지은이 소설가 배수아를 만나 소설에서 접할 수 없었던 작가의 생생한 숨결을 듣는 시간을 가졌다. 문학평론가 이정현은 배수아 등단작에서부터 시작해 최근작까지를 총체적으로 점검하면서 배수아의 작품세계를 이야기—상품의 메커니즘을 철저하게 거부하는 작가라고 평한다. 이정현에 따르면 배수아의 전면적인 거부는 소수의 독자와 교감하는 '마니아적 소통'을 꿈꾸는 글쓰기이다. 문학평론가 이광진은 최근작인 『북쪽 거실』을 심층적으로 살펴보는 작품론을 통해 배수아의 작품 세계에 접근한다. 이광진은 배수아의 문학적 내공을 태곳적 물음(세상의 모든 완료형 예언들)을 무모하고도 전략적으로 파헤치는 가공할 '글발'에 있다고 높게 평가한다. 독자 여러분들은 인터뷰, 작가론과 작품론을 통해 배수아의 작품 세계에 좀더 다가갈 수 있을 것이다.

〈특집 2〉는 〈'국경'을 읽다〉이다. 세계는 신자유주의 체제와 인터넷의 활성화, 전지구적 환경문제 속에 민족국가를 기반으로 한 기존의 국경선 체제에 변화가 생겨나고 있다. 자본은 국경을 초월하여 자유롭게 넘나들면서 대규모의 이주노동자를 생산하고 있다. 인터넷은 각국의 검열을 무력화시키며 이쪽과 저쪽을 동시에 연결한다. 또한 환경의 문제는 어느 일국의 문제가 아니라 인근 국가나 전세계의 문제로 확대되고 있다. 이런 상황에서 국경의 문제를 통해 세계를 바라보는 작가들의 작업이 활발하게 이루어지고 있다. 국경의 문제는 단순하게 공간적 구획만이 아니라 인종, 민족, 성별, 계급, 지역 등 다양한 분야의 문제가 복합적으로 얽혀 있는 것이다. 고봉준은 「고향 상실과 멜랑콜리」에서 W. G. 제발트의 『이민자들』이라는 장편소설을 통해 국경의 문제를 다룬다. 국경과 이민 문제에 지속적 관심을 표출해온 소설가 김재영은 에릭 엠마뉴엘 슈미트의 장편 『바그다드의 오디세우스』가 전쟁과 테러, 차별과 착취가 난무하는 야만의 역사로부터 벗어나기 위해 좀 더 '이성'을 발휘하는 일종의 호소문이라고 파악한다. 문학평론가 정은경은 「근대 '이후'의 서사시」에서 코맥 맥카시의 작품이 모더니즘의 협소함과 난해함을 빗겨간, 보기 드문 본격 소설의 성취라고 평한다.

비교적 젊은 작가를 조명하는 〈이 작가를 주목한다〉 코너에 선정된 소설가는 명지현과 시인 송경동이다. 문학평론가 김정남은 「소설에 바침」에서 명지현의 소설 세계를 탐문한다. 작가 명지현이 소설과 소설가에 대한 통찰로 빚어낸 은유의 서사는, 이야기의 본질적 의미를 내재한 뛰어난 소설론이라고 할 수 있다. 김정남은 명지현의 소설이 우리에게 확고한 서사의 지침이자 지렛대가 될 것이라고 말한다. 문학평론가 이성혁은 「직설의 미학과 그 너머」에서 송경동의 작품 세계를 직설의 미학으로 규정한다. 이성혁은 연대와 희망을 끊임없이 주창하면서도 이것을 실존적 나와 연결하는 송경동의 시 쓰기를 긍정적으로 평가한다.

연속기획인 〈우리 시대의 이론 읽기〉에서 선정된 사람은 수전 손택이다. 한국의 대표적 페미니스트인 임옥희는 페미니스트이자 사회운동가였던 수전 손택의 사상과 이론을 심층적으로 접근한다. 임옥희는 지금은 비록 고인이 되었지만 이론과 사회적 실천을 끊임없이 연결시켰던 수전 손택의 선구자적 업적을 높게 평가한다. 〈포커스〉에 실린 「비인간의 세상, 끝나지 않은 기다림」은 문학평론가 정홍수의 권여선론이다. 권여선은 2000년대에 들어 주목할 만한 글쓰기를 보여준 중견작가이다. 정홍수는 권여선의 최근작을 중심으로 그녀의 작품 세계를 개성적으로 읽어낸다.

《작가와비평》은 2004년에 창간되었다. 횟수로 보면 7년째이다. 소장평론가들의 비판적 목소리를 대변하겠다는 《작가와비평》의 초발심이 계속 지켜졌는지 여전히 의문이다. 나름대로 하느라고 몸부림치면서 버둥거렸는데 가만히 생각해 보면 그다지 한 일이 없다는 자괴감을 씻을 수 없다. 기존 주류의 문예지와 다른 목소리를 얼마만큼 생산해왔는가라는 비판적 질문 앞에 우리 《작가와비평》 동인들은 당당하게 대꾸할 수 없다는 것이 솔직한 심정이다. 그래서 우리들은 다시 초발심으로 돌아가 과연 《작가와비평》이 지금, 여기에서 과연 할 수 있는 몫들이 무엇인가에 대한 뼈저린 성찰을 시도한다. 동인들의 자아성찰 속에 최종적 결론은 아직 도달하지 못했지만 《작가와비평》이 주류 문예지가 하지 못하는 비판적 대안 담론의 창출에 좀더 역량을 집중할 때라는 것이다. 하반기호에서는 이러한 편집동인들의 고민에 걸맞은 형식과 내용의 변화를 꾀하고자 한다.

새로운 목소리를 창출하기 위해 무엇보다 인적 쇄신이 필요하다. 그런데 새로운 편집동인을 영입하는 작업이 쉽지만은 않다. 학진의 논문중심주의 강화와 비평의 논쟁성 상실 속에 현장평론이 위축되면서 문학평론을 천직으로 알고 열정을 바치는 문학평론가의 숫자도 급격하게 줄어들고 있다. 문예지의 침체 속에 더욱 강화되는 주류 문예지와 출판 자본의 헤게모니 속에 문단 주류와 대립각을 세우면서 차별적인 목소리를 드러낼 문학평론가의 숫자도 급감하고 있다. 이것은 문단의 보수화와 새로운 전망의 부재를 의미한다. 《작가와비평》은 기존 문단의 문제점을 비판하면서 새로운 패러다임을 제시할 수 있는 젊은 문학평론가들의 동참을 적극 열망한다. 《작가와비평》은 문학 중심지로서 문학에 가급적 초점을 맞추어왔다. 하지만 이제 문학만에 집중하지는 않을 것이다. 당대 사회와 역사를 바라보는 인문학적, 사회학적 평론도 적극 끌어안고자 한다. 많은 평자들과 독자들의 관심을 부탁드린다.

2010년 뜨거운 봄날에

편집동인들을 대신해 최강민 쓰다

편집동인 최강민·이경수·고봉준·정은경·김정남·김미정·이선우

'황해'는 서해, 동아시아 문명의 바다, 나아가 세계인이 더불어 살아가는 세상을 의미합니다.

| 주 소 | 400-712 인천광역시 중구 신흥동 3가 7-241 정석빌딩 A-609
| 전 화 | (032)885-3611~4 | 팩 스 | (032)885-3424
| 홈페이지 | http://www.saeul.org

새/얼/문/화/재/단

각권 9,000원 정기구독료 1년분 20,000원/2년분 40,000원

실종된 자,
부재하는 자들을 위한 알리바이

280쪽 | 값9,800원

어느 순간 아무도 아빠에 대해 말하지 않았다. 아빠가 떠나도 집들은 부서지고, 꽃들은 벽 속에서 튀어나오고, 그 자리에 새 집들이 차곡차곡 층을 올리며 높이 높이 섰다. _「미스터 택시 드라이버」

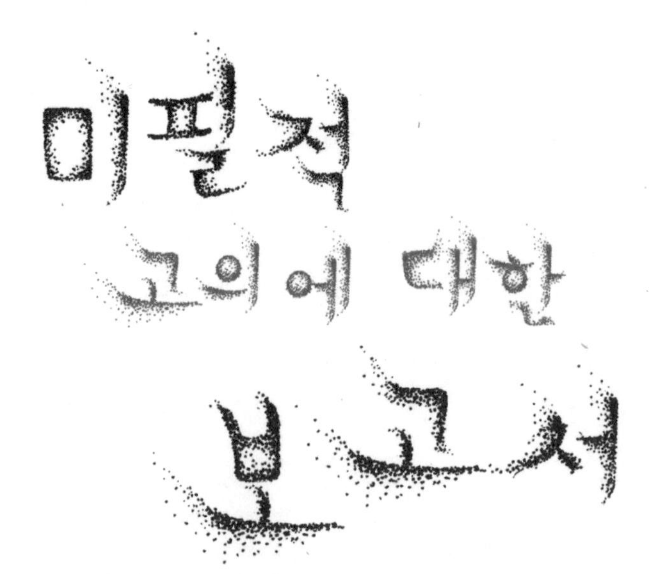

한지혜 소설집

전화 322-2161~5 www.silcheon.com 실천문학사

특집 1

'88만원 세대'의 상상력

작가들이 말하는 우리 세대

김금희

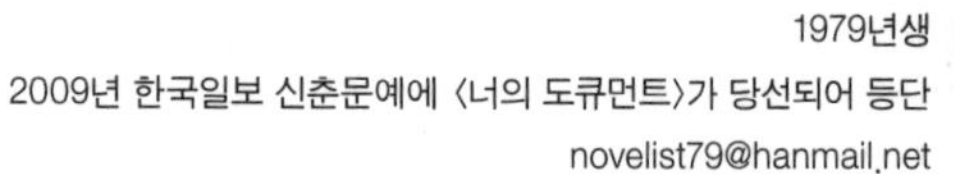

1979년생
2009년 한국일보 신춘문예에 〈너의 도큐먼트〉가 당선되어 등단
novelist79@hanmail.net

▸▸**설문1** '88만원 세대'라는 용어가 강력한 지시력을 발휘하면서 70년대 후반~80년대 초반에 태어난 작가들의 문학적인 경향을 그 단어와 연관시켜 설명하려는 움직임이 있습니다. 이러한 세대 관련 논의에 대한 선생님의 생각은 어떠합니까?

'88만원 세대'라는 용어에 대해 제가 가지고 있는 양가적인 감정을 어떻게 설명해야 할지 모르겠습니다. 일단 '88만원 세대'라는 용어가 등장해서 이십 대, 혹은 최근 이십 대를 건너온 삼십 대들을 사회적, 경제적, 정치적으로 분석하려는 시도가 일어난 것이 반갑습니다. 이전 세대론들은 '우리'를 다양한 방식으로 소외시켜왔거든요. 신세대, X세대, N세대 등등의 말들이 있었지만 그건 기성세대들의 평가나 자본의 마케팅 전략에 가까웠지요. 이전 세대의 무거움을 털어낸 발랄하고 진취적인, 당연하게도 탈정치성을 띤 '젊은이'로 치켜세웠고 사실 은근히 강요하기도 했습니다. '88만원 세대'라는 용어 등장이 반가웠던 건 그것을 아주 간단히 그리고 비극적으로 끝내버렸다는 데 있었음을 고백합니다. 하지만 달갑지 않은 면도 있습니다. 현실을 상징적이고 간결하게 표현하기는 하지만 일면적입니다. 싱거운 농담을 하자면 제 주위에는 66만원 세대 친구도 있고 220만원 세대인 친구도 있으니까요. 물론 88만원이 그러한 차이들의 평균값이라는 점을 잘 압니다. 하지만 적어도 문학은 그 차이들을 세심히 배려해야 하지 않을까 생각합니다. '88만원 세대'라는 결과값이 아니라 원데이터나 산출 과정에 주목하는 것, 문학이 이 용어를 선택한다면 그러한 측면이었으면 합니다.

제가 이 용어를 두고 갈등하는 것도 바로 그 지점입니다. 언제부터인가 소설에서 이십 대 등장인물들이 전형성을 띠었던 것이지요. 비정규직, 백수, 고학력, 탈정치성, 박탈감, 무기력, 소비지향, 뭐 이런 키워드들로 구성된 인물들 말입니다. 그래야 현실을 '의미 있게 다룬 것'이라 오해하고 있는 건 아닐까, 위험하게 말하자면 그것이 젊은(!) 작가의 사명감이라 착각하는 건 아닐까, 종종 자신이 없어집니다. 그리고 또 하나, 88만원 세대가 '배제'의 담론이라는 점도 저를 걱정스럽게 합니다. 세대담론이야 일단 선 긋기를 한 뒤 시작하는 것이지만 그것이 과연 얼마나 의미 있는 것일까, 생각하는 것이죠. 모든 세대는—당신이 먼 우주에서 온 외계인이 아닌 이상—상호작용을 하며 공존할 수밖에 없는데 거기서 유독 차이를 강조한다는 것, 더 나아가 착취와 지배의 구조로 말한다는 것이, 과연 현실을 얼마나 제대로 반영하고 있는 것일까요? 그러한 담론을 문학으로 빌려온다면 그것이 구별 짓기 너머의 '무언가'를 포착해낼 수 있을까요?

▸▸ **설문2** 한국문학사에서 선생님(또는 비슷한 시기에 등단한 작가들)의 위치는 어디라고 생각합니까?

저, 또는 제 작품이 한국문학사에서 어떤 위치를 점할 수 있다니! 오래간

만에 광대한 상상력을 펼쳐보게 하네요. 염상섭, 이상, 채만식, 김동인, 이광수 같은 선배 작가님들이 앉아 계신 거대한 광장의 말석, 서성이는 대기자들의 콧김이 목덜미에 닿을 듯 가까운 출입문 바로 안쪽에, 제가 서 있는 겁니다. 그런데 요란한 호루라기 소리가 들리면서 문학사적 위치에 따라 그룹을 지으라는 주문이 떨어집니다. 통성명을 하느라 한바탕 소란이 일고, 나는 '—주의자'가 아니라고 항변하는 사람들을 설득하느라 모두들 분주한 사이, 저를 비롯한 신인작가들만 갈 곳 없이 방황합니다.

문학사라고 하면 역사적 계기든 문예사조이든, 각 시대를 규정하는 특정한 기준이 있게 마련입니다. 동시대 작가들에게서 발견되는 어떤 공통된 경향들이 문학사를 구성하는 근거가 되겠죠. 그런데 문제는 그러한 경향이 문학적으로 '유의미'한 것이어야 한다는 것이죠. 단순히 등단 시기가 비슷하거나 출신학교가 같다며 손 붙들고 '둥글게 둥글게' 할 순 없다는 것.

그러면 이미 있는 그룹에 끼어들려 하지만 쉽지 않습니다. '새로움', '발랄함', '발칙한 상상력' 등등의 수식어를 들어보기는 했지만 이렇듯 많은 그룹들 가운데 무엇을 계승하고 부정했는지, 확장하거나 심화해나갔는지 생각해보지 못했고 말하지 않았기 때문이죠. 그때 우리 중 누군가가 손바닥 낙서를 펼쳐 보이며 말합니다. "혹시 이런 사람 알아?" 프란츠 카프카, 레이몬드 카버, 무라카미 하루키, 오쿠다 히데오 등등. 그제야 어렵사리 짝이 지어집니다. 하지만 썩 즐겁지는 않네요. "너희야 신인작가니까!" 누군가 응원하지만 여전히 쓸쓸합니다. 언젠가 손바닥 낙서는 지워질 것이고 수식어는 우리 정체성이 될 수 없을 겁니다. 둥글게 둥글게, 점점 더 빠른 속도로 돌아보지만 기분이 나아지지는 않네요. 문간을 이제 막 넘어오는 이들은 과연 우리와 변별될 자신들만의 위치를 찾을 수 있을까요? 사실, 극복이나 계승이나 그 대상이 자명하고 단단할 때에야 가능한 것인데 말입니다.

▸▸ **설문3** 글쓰기(시, 소설, 비평)에서 선생님이 가장 중시하는 가치는 무엇입니까?

이 질문은 이렇게 바꿔서 생각해볼 수 있을 것 같습니다. 소설을 쓰면서 언제 가장 갈등하는가, 머뭇거리는가? 생각해보면 '균형감'을 잃었다는 느낌이 들 때인 것 같습니다. 균형감을 잘 잡고 있을 때 쓰고 잃었다 싶을 때 멈춥니다. 그 균형감이란 이런 것이지요. 뉴스에서는 믿을 수 없을 정도로 끔찍하거나 감동적이거나 슬픈 이야기들이 쏟아집니다. 뉴스는 있었던 일을 전하는 것이니 리얼리티 농도는 백퍼센트죠. 하지만 소설은 꾸며낸 것이니 농도 백퍼센트는 어림없고 가감이 있을 수밖에 없습니다. 그렇다면 소설가는 어떤 기준으로 그것을 가감해야 하는가?

르포문학처럼 기록의 정신에 충실할 수도 있을 겁니다. 주제의식의 강력한 자장 아래 '있을 법하게' 재구성할 수도 있습니다. 문학적 상상력을 십분 발휘해 농도 단위를 아예 전복시킬 수도 있겠죠. 뜨거운 감자로 저글링하는 것처럼 리얼리티는 언제나 제 손바닥을 화끈거리게 합니다. 글을 쓰는 동안 부지런히 띄워보지만 균형이 맞지 않으면 와르르 무너져버리죠. 그런데 여기 또 다른 문제가 있습니다. 저글링의 최종 목표가 '무가당 뉴스'는 아니라는 것이죠. 소설은 농도 백퍼센트는 아니지만 아이러니하게도 그 이상일 수는 있습니다.

그 지점에 닿기 위해 공을 어디까지 던져야 할지, 아직 잘은 모르겠습니다. 깜짝 놀랄 만한 이야기를 들려주겠다는 비장한 각오가 서는 순간 글은 멈춥니다. 누구나 아는 '빤한' 이야기다 싶을 때 오히려 비틀비틀 나아가지요. 자칫 식상할 수 있다는 걸 알지만 그것이 제 몸에 맞는 균형감이라면 저글링 하는 두 손을 멈출 생각은 없습니다.

▸▸ **설문4** 선생님은 비교적 이른 시기에 등단을 했다고 평가되고 있습니다. 선생님(혹은 당신과 비슷한 연령의 세대)에게 있어서 '문학'의 의미는 무엇이며, 선배들과 어떻게 다르다고 생각합니까?

좀 유치한 이야기지만 작가 연보를 들여다보다가 놀랄 때가 있습니다. 염상섭이 '폐허' 동인을 창간한 건 스물세 살 때입니다. 박태원은 스물다섯 살 때『소설가 구보 씨의 일일』을 썼습니다. 최인훈은 스물네 살 때『광장』을, 황석영은 서른한 살 때 대하소설『장길산』을 쓰기 시작했군요. 물론 여기에 비추어 지금 제 자리를 가늠하는 건 말도 안 되는 일입니다. 시대가 바뀌어, 사회로 진출하는 연령이 좀 더 늦어졌으니까요.

얼마 전, 비슷한 시기에 등단한 작가들과 만난 적이 있는데 저를 포함해 모두들 불안과 싸우고 있는 듯 보였습니다. 그 불안은 생계 문제에서 오는 것도 있었지만 그게 다는 아니었죠. 우리는 더 단단한 무언가를 쓰고 싶다고 이야기했습니다. 대학원을 가야 할까, 학문의 세계로 뛰어들까, 동서고금의 고전들을 열독할까, 몇몇 방안들이 나왔지만 저마다 한계가 있었죠. 막 등단한 우리에 대한 반짝 관심이 금세 사라질 거라는 우울한 전망도 나왔습니다. 그 자리 내내 오가던, 나이듦에 대한 탄식과, 이십대 중반을 갓 넘은 작가에 대한 부러움이 단순한 농담은 아니었죠. 1990년대 작가들이 부럽다는 이야기도 나왔습니다. 좀 위험한 발언이기는 하지만 어쨌든 그들은 자기 정체성을 확실히 챙기지 않았느냐는 것이죠.

그러자 이런 생각이 들었습니다. 시대적 흐름이 미성년의 기간을 단순히 양적으로 늘려놓은 것만은 아니라는 것. 한 존재에 대해 사회가 갖는 기대나 책임, 당위까지도 유예시키거나 축소했다는 것 말입니다. 그건 그 존재가 지니는 권리나 영향력도 함께 사라졌다는 뜻이겠지요. 문제는 작가가 한 작품을 탄생시키는 것은—개인의 능력이기도 하지만—사회적 요구이기도 하다는 데 있습니다. 결국 우리 세대의 문학이란 아무것도 요구하지 않는 사회에 부러 맞서, 스스로 의미를 찾는 과정 아닐까요? 물론 이 아이들은 어디로 가야 할지 모르는 채 골목을 마냥 질주하고 있긴 하지만 말입니다.

▸▸ **설문5** 지금, 한국문학에서 '극복'되어야 할 것이 있다면 무엇이라고 생각합니까?

헌 책방 문학 코너에 서보면 낯선 이름의 작가들을 수없이 발견합니다. 때론 이미 알고 있는 작가의 낯선 작품을 찾아내기도 하죠. 이제는 출판사마저 사라져버린, 절판돼 버린, 이곳이 아니라면 도서관엘 가서야 읽을 수 있는 작품들입니다. 인생은 짧고 예술은 길다는데 왜 한국문학은 그렇듯 쉽게 잊히는 걸까요?

내가 멀리 볼 수 있었던 건 거인의 어깨에 올라섰기 때문이라는 뉴턴의 말을 얼마 전 책에서 읽었습니다. 한국작가들에게는 한국문학이야말로 더할 나위 없이 든든한 거인이겠지요. 하지만 떠올려보면 거인들이 몇 안 된다는 사실을 알게 됩니다. 몸집의 크기를 따지는 것이 아니라 수 자체가 그렇습니다. 한 작품, 한 작가가 피고 지는 것이 운명이라면 할 수 없습니다. 작품성이 문제가 돼 사라졌다면 매정하다 싶긴 하지만 그것도 할 수 없지요. 하지만 '다이내믹한' 한국문학사를 들여다보면 우리 사회가 추구했던 고속성장의 욕망이 엿보일 때가 있습니다. 1980년대 문학과 1990년대 문학의 결절이 보여주듯 그것은 앞 세대 문학을 서둘러 청산하거나 아예 부정하기도 하죠. 거인들의 집을 밀어내고 만든 뉴타운에서 우리는 과연 올라탈 수 있는 어깨를 만날 수 있을까요?

다시 세대론으로 돌아가 말하자면 우리 세대에 관한 관심은 반가운 일입니다. 하지만 텅 빈 골목에 우리만 덜렁 옮겨다놓는 일은 사양합니다. 광장으로 나오면 골목은 사라지고 마니까요. 오늘 우리가 나눈 이야기들이 그러한 한국문학의 세대론을 '극복'하고 새 시야를 여는 데 도움이 되었으면 합니다. 問

김기홍

1981년생
2009년 『피리 부는 사나이』로 〈문학동네 소설상〉을 수상하며 등단
touch26@naver.com

▸▸**설문1** '88만원 세대'라는 용어가 강력한 지시력을 발휘하면서 70년대 후반~80년대 초반에 태어난 작가들의 문학적인 경향을 그 단어와 연관시켜 설명하려는 움직임이 있습니다. 이러한 세대 관련 논의에 대한 선생님의 생각은 어떠합니까?

모든 〈론〉내지 〈논〉에 대한 기본적인 나의 생각은 이렇다. 그 또한 하나의 읽기이며 쓰기라는 것. 즉 세계를, 혹은 텍스트를 바라보는 하나의 시각으로서 나름의 가치를 가지고 있지만 어떠한 〈논〉도 불변의 진리를 함유하는 것은 불가능하다. 세대론 역시 마찬가지이다. 우리는 필연적으로 우리에게 주어진 정치·경제·사회·역사적 조건 속에서 살아간다. 88만원 세대라는 용어는 생물학적 출생 시기와 사회경제적 조건에 의해 특정 세대를 규정하는 단어다. 그것이 그 세대 혹은 그 세대의 특정 활동에 대한 나름의 독법이 될 수도 있으리라 생각하지만, 가장 촘촘한 그물로도 건져낼 수 없는 무엇인가가 있는 것처럼 한 개인, 한 작가의 근원에 다가가기에는 한계가 있다고 생각한다. 그리고 작가에게는 어떤 그물로도 건져낼 수 없는 자신만의 무엇인가가 더 중요하다고 생각한다. 범주화하고 체계화하는 일은 학문을 세우기 위해 불가결한 일이지만 학문으로서의 문학 이전에 영감과 상상과 창조의 영역에서 바라보았을 때는 그러한 시도가 마치 바닷물 속에 울타리를 치는 일처럼 무의미한 행위가 아닐까도 생각해 본다.

'88만원 세대'라는 용어는 확실히 문학적 세대론을 이야기할 때 이전 세대를 지칭하던 용어들과는 차이가 있다. 그만큼 경제적 조건에 큰 영향을 받는 세대라는 뜻이 되겠지만, 동시에 경제적 통계 자료를 지표로 삼아 한 세대나 개인을 설명하려는 작업이 과연 얼마만큼의 의미가 있을까하는 의구심도 든다. 통계, 평균 이런 단어들은 인간에 대해서 이야기하고자 하는 자라면 가장 조심해야할 단어가 아닐까. 또 한 가지, 우리 세대를 88만원 세대라는 용어를 통해 호명하는 주체는 분명 우리 자신이 아니다. 그렇다면 우리는 누가 왜 우리를 그렇게 규정하고 싶어 하는가, 혹은 누가 왜 그러한 규정에 대해서 반대하고 싶어 하는가에 대해서 보다 주목하고 고민해야 할 필요가 있으리라고 생각한다.

▸▸**설문2** 한국문학사에서 선생님(또는 비슷한 시기에 등단한 작가들)의 위치는 어디라고 생각합니까?

나 자신에 국한시켜서 이야기하자면, 아직 위치를 가질 수 있는 입장이 아니라고 생각한다. 다른 작가들에 대해서는, 내가 뭐라고 이야기할 수 있는 부분이 아니다.

▸▸**설문3** 글쓰기(시, 소설, 비평)에서 선생님이 가장 중시하는 가치는 무엇입니까?

글쓰기는 기본적으로 반성적인 행위라고 생각한다. 무엇을 반성하는가? 삶을, 세계를, 그리고 글쓰기 자체를. 이 세계를 어떻게 바라볼 것인가, 나는 어떻게 살아야하는가라는 고민은, 나는 왜 쓰는가라는 고민과 통한다. 자본이 모든 것을 집어삼켜버린 세계, 어떠한 진단도 처방도 무의미해져 버린 이 시대에 나는 왜 글을 쓰는가. 소설을 통해 내가 추구하는 바는 과연 무엇인가. 그것은 어떠한 의미를 가질 수 있는가. 이러한 질문과 반성은 글쓰기에 있어서 중요한지, 덜 중요한지의 문제를 넘어서 필연적인 것이라고 생각한다. 그리고 한 걸음 더 나아가, 과연 이러한 윤리성에 대한 고민이 인간에게 정말로 필수불가결한 것인가에 대해서까지도 질문을 던져볼 수 있어야 한다고 생각한다. 문학은 그 어떤 윤리나 이데올로기에도 구속되지 않아야 하기 때문이다. 모든 고정관념과 상식과 믿음에서 자유로워지는 것, 심지어 선과 미와 진리라고 여겨지는 것들에 대해서까지도 거리낌 없이 도전하려는 자세를 잃지 않는 것이 무엇보다 중요하다고 믿는다.

▸▸ **설문4** 선생님은 비교적 이른 시기에 등단을 했다고 평가되고 있습니다. 선생님(혹은 당신과 비슷한 연령의 세대)에게 있어서 '문학'의 의미는 무엇이며, 선배들과 어떻게 다르다고 생각합니까?

3개월여 전에 첫 소설책이 나왔다. 내 친구들 중 삼분의 일 정도는 고등학교 졸업 이후 소설책이라는 물건을 구경조차 해보지 않은 사람들이다. 그 중 하나가 어느 날 술자리에서 내게 물었다.

"소설이란 게 대체 뭐냐?"

"글쎄."

"그럼 문학은 대체 뭐냐?"

"……나도 잘 모르겠는데."

"그럼 넌 네가 하는 일이 뭔지도 모르면서 하고 있다는 말이야?"

정확한 표현이었다. 나는 내가 하는 일이 뭔지도 모르면서 하고 있다. 나는 내게 있어서 문학이 어떤 의미인지 알지 못한다. 당연히 나는 '나와 비슷한 연령의 세대'에게 문학의 의미가 무엇인지도 알지 못하며, 선배들이 생각하는 문학의 의미는 아득하기만 하다. 나는 그들이 쓴 몇몇 작품의 의미만을, 내가 읽은 범위 안에서, 내 멋대로 이해하고 있을 뿐이다. 그러므로 질문이 요구하는 대로 그들과 나의 생각이 어떻게 다른지를 비교하기는 불가능하다. 무책임해 보일지도 모르지만 이것이 지금 내가 할 수 있는 최선의 대답이다.

불필요하다고 느끼면서도 두 개의 문장을 덧붙인다.

"어쩌면, 내가 쓰는 것은 그 '의미'라는 것을 찾기 위해서인지도 모른다."

"어쩌면, 내가 만약 이미 문학의 의미를 알고 있다면 나는 더 이상 소설을 쓸 필요가 없을지도 모른다."

▸▸**설문5** 지금, 한국문학에서 '극복'되어야 할 것이 있다면 무엇이라고 생각합니까?

극복이라는 단어는 장애, 또는 장애물을 전제로 한다. 과연 지금, 한국 문학에는 극복되어야 할 장애물이 존재하는가? 나는 잘 모르겠다.

등단 제도에 대해서 이야기할 수도 있을 것이다. 상업화된 출판 자본, 미디어가 미치는 영향에 대해서 이야기할 수도 있을 것이다. 여전히 남아 있는 순수 문학주의의 폐해에 대해서 이야기할 수도, 국가의 문학 지원 정책에 대해서 이야기할 수도 있을 것이다. 독자들의 문화 수용 태도나 경향에 대해서 이야기할 수도 있을 것이다. 작가들의 자세나 노력에 대해서 이야기할 수 있을 것이다.

이야기할 거리는 수없이 많다. 그러나 이것들이 정말 '극복되어야 할 장애'인가? 우리는 장애가 극복된 이후, 혹은 장애가 생기기 이전의 '정상' 상태에 대해서 정말로 알고 있는가? 그저 그런 것이 있다고 믿고 싶은 것 아닐까?

우리가 알고 있는 19세기 유럽 소설들 중 적지 않은 수는 작가의 사치와 향락, 혹은 도박빚 때문에 시간에 쫓기며 쓰였고, 문학성보다는 흥행을 중시하는 신문사와 출판사에 의해 태어났으며, 이 작가들은 그다지 책을 많이 읽은 사람도 아니었고 쓸데없이 자존심만 강해서 자신의 작품을 비판하는 다른 작가들과 싸움을 벌이기 일쑤였다. 당시 대부분의 독자들은 같은 돈을 주고 산다면 분량이 긴 책이 당연히 더 좋은 책이라고 믿었고, 작가들이 원고료를 더 받기 위해 작품을 늘여 쓰는 경우도 많았다. 그런데 그렇게 쓰인 소설들 가운데 몇몇 작품은 오늘날 문학사에 길이 남을 걸작으로 평가받는다. 그렇다면 당시 유럽 사회의 소설을 둘러싼 환경들을 어떻게 바라보아야 할까? 그것들은 극복되어야 할 장애였을까, 아니면 걸작이 태어날 수 있는 천혜의 조건이었을까? 좋은 문학 작품은 과연 어떠한 환경에서 태어나는 것일까? 나는 잘 모르겠다. 정말로 모르겠어서 하는 이야기다. 鬪

김나영

2009년 《문학과사회》 신인문학상 평론 부문 당선
고려대학교 대학원 문예창작학과 박사 과정 중
kfbs4@naver.com

▸▸ **설문1** '88만원 세대'라는 용어가 강력한 지시력을 발휘하면서 70년대 후반~80년대 초반에 태어난 작가들의 문학적인 경향을 그 단어와 연관시켜 설명하려는 움직임이 있습니다. 이러한 세대 관련 논의에 대한 선생님의 생각은 어떠합니까?

'88만원 세대'는 20대가 처한 경제적 혹은 사회적인 상황을 적실하게 설명하는 신조어인 만큼, 무엇보다도 지금의 20대가 처한 '위기'를 가시적인 현상과 통계를 통해 강조한다. 그렇지만 평균적으로 한 달을 88만원 정도로 살아야 하는 그 사실 자체는 말 그대로 세대론일 뿐, 20대 개인의 위기 상황을 지시할 수는 없다. 그런 관점에서 이 세대가 처한 위기는 개인들의 빈 주머니가 아니라, 개인의 능력을 연봉으로 평가하는 세태에서 비롯되는 게 아닐까. 나의 삶이 익명의 누군가를 통해 끊임없이 평가절하 된다. 수많은 '나'들이 방살이와 아르바이트를 견뎌내면서도 삶의 질이 나아지기는커녕 점점 자신이 원하는 것에서 멀어짐을 느낀다. 혹자는 그 원인을 사소한 고통을 견뎌낼 힘이 '나'들에게 부족하기 때문이라고도 말한다. 허나 노력의 정당한 대가를 기대하거나 축적할 수 없는 불가해한 상황들은 '나'의 능력이나 노력의 부족함이 아니라 어딘가 구멍이 뚫린 이 세태의 반증이 아닐까.

'나'로서는 구멍을 직시할 수 없다는 사실 또한 '나'의 위기를 가중시킨다. '나는 열심히 살아왔고, 앞으로는 더 열심히 살고 싶어. 그런데 왜 자꾸만 나를 밀어내는 거야?'라고 생각하는 '나'들의 대부분이 불안과 의심에 시달리고 있다는 진단은 이제 특별하지도 않은 것이 되었다. 그리하여 '나'들은 넘쳐나는 포부와 패기를, 충만한 자기애적인 감성을 개인의 불안을 해소하는

데 투자한다. 그 방식은 주로 스펙과 스킬을 습득하고 이기를 세련으로 포장하는 것이다. 그것이 불안의 원인을 제거해주는 방법이 아님을 알지만, '나'들은 다만 일시적인 안정감을 위해서라도 그렇게 한다.

불안을 삶의 조건으로 당연히 여기고 기꺼이 그것과 함께 살아가는 젊음이 아니라, 애써 자기의 불안을 감추고 태연한 척 세련된 삶을 연기(演技)하는 '나'들이 있다. 불안정한 생활을 오로지 자기의 꿈에 대한 갈망으로 견디며 부유하는 시기를 더 이상 '눈물겹도록 아름다운 고통'의 시기라고 말할 수 없을 것 같다. 비록 가난하고 불안했지만 그랬기에 미래의 불투명함을 일종의 가능성으로 삼을 수 있었던 시기가 있었다면, 역시 가난하고 불안하지만 그렇기에 미래 역시 암울한 지금이 있다. 어느 때보다 지금의 '나'들이 외롭고 고통스럽다면 '나'들이 '88만원 세대'여서가 아니라 겉으로 드러내어 놓고 함께 고민할 수 없는 문제가 '나'들의 내면을 잠식하고 일상을 메우고 있기 때문이다.

불안을 안정으로 연기해야 하는 '나'들의 이중생활은 문학에도 역시 영향을 미칠 것이다. 하지만 '88만원 세대'와 같은 세대론으로는 그 영향 관계를 짐작할 수 없다. 어떤 세대론도 그 세대를 이루는 개인의 삶까지를 아우르지 못한다는 점에서, 그것은 오히려 문학이 그리고자 하는 삶의 세부에 폭력을 가하는 것처럼 보인다. 최근에 '88만원 세대'라는 용어를 만든 이의 책을 다시 읽어 본 적이 있는데, 그 책의 어느 부분에서 작가는 20대를 대상으로 한 설문조사 결과를 소개한다. 자세히 기억나지는 않지만, 대강 이런 내용의 질문과 대답이었던 것 같다. '최근에 들었던 말 중에 가장 가슴 아팠던 말은? 88만원 세대'. '나'는 '나'들이 왜 저 질문에 저 대답을 했는지, 저 세대론 때문에 왜 가슴이 아픈지 잘 모른다. 하지만 '나' 역시 저 설문 결과를 보고 마음이 아팠던 것은 또한 왜일까.

88만원 세대와 같은 세대론에 걸맞은 세태는 아직 '나'들에게 문학의 대상이 되지는 않는다. 다만 '나'들은 이 세태의 문법을 자기도 모르는 새 체화하기도 하므로, 어떤 포즈들은 그 자체로 진심을 드러내는 것이기도 할 테다.

▸▸**설문2** 한국문학사에서 선생님(또는 비슷한 시기에 등단한 작가들)의 위치는 어디라고 생각합니까?

어느 경우에나 나의 위치를 스스로 가늠하는 것은 어려운 일인 것 같다. 다만 한국문학사라는 거대한 장에서라면 나를 '비슷한 시기에 등단한 작가들'이라는 부류에 스스로 포함시키는 것만으로도 지금의 입지는 충분히 표명된 게 아닐까. '문학사'라는 흐름 속에서 이 모호한 집단은 일단 한 배를 탄 사람들일 테다. 나는 이 배의 이름과 크기와 성능을, 혹은 강점과 약점을 파악하기에는 너무 지극히 이 배의 내부에 있다.

▸▸**설문3** 글쓰기(시, 소설, 비평)에서 선생님이 가장 중시하는 가치는 무엇입니까?

말하는 이의 말투와 표정과 몸짓 같은 것들은 글 속에서 활자의 배치를 통해 구현되는 게 아닐까. 특정 단어를 선택하고, 그 단어들을 특정한 순서로 배치하고, 그렇게 만들어진 문장을 특정한 방식으로 나열하고, 문단을 특정한 방식으로 구성하는 것은 글을 쓰는 사람의 마음이 수반된 행위이다. 이 때문에 음성이든 문자든 기호화되어 전달되는 것 이상으로 전해지는 것들이 있다. 그것은 아마도 말을 하거나 글을 쓰는 사람의 진실한 마음 같은 게 아닐까 한다.

그 진심은 그러나, 존재 여부가 의심스러울 정도로 만나기 어려운 것이다. 그럼에도 불구하고 문학은 진심의 존재를 전제하고 끊임없이 그것을 사람과 세상으로부터 불러내려 한다. 그러니까 언제라도 문학은 세상을 살아가며 쉽게 볼 수 없는 진실을 추구하는 것, 그럼으로써 삶에 모종의 희망과 위안을 건네는 것이다. 비평 역시 그러한 문학의 역할에서 자유로울 수는 없다고 믿는다. 그러므로 필요한 비평적 감식안은 활자 아래에 감춰져 있는 것을 보는 눈이다. 흔히 볼 수 없는 것을 먼저 보고 그것의 존재를 설득력 있게 밝혀내는 것에는 조금의 억지스러움도 개입해서는 안 될 것이다. 불가능한 것을 가능하게 하는 진심이 있다. 이 어리석은 믿음이 나의 글쓰기를 추동한다.

▸▸**설문4** 선생님은 비교적 이른 시기에 등단을 했다고 평가되고 있습니다. 선생님(혹은 당신과 비슷한 연령의 세대)에게 있어서 '문학'의 의미는 무엇이며, 선배들과 어떻게 다르다고 생각합니까?

20대라고 지칭되는 우리 세대에게 '문학의 의미'가 무엇인지를 '나'는 결코 규정할 수 없다. 질문지가 전제하는 대로 이 세대에게 있어서의 문학이 선배들의 그것과 다른 점이 있다면 아마도 이 규정 불가능성이 아닐까. 문학에 대한 공통된 신념과 기대치가 있었다는 이야기는, 적어도 지금 '나'에게 있어서는 실감하기 어려운 전설과 같다. 같은 행동을 하더라도 다른 옷을 입으려는, 같은 옷을 입더라도 다른 행동을 하려는 우리 세대의 욕구는 문학을 대하는 경우에도 예외는 아닐 것이다. 예정된 하나의 상황, 누군가가 우리 세대의 문학을 규정하면 즉각 이 세대의 다른 누군가는 그에 반하는 것을 자신의 문학이라 고백한다.

'나'의 경우라면 문학은 거침없는 고백과 같다. 어느 경우에서나 고백은 감상을 넘어서는 미적 판단의 실천이다. 감상이 무엇에 대한 나의 단순한 감각과 느낌의 발현이라면, 고백은 그 무엇을 극복하고자 하는 나의 투신과 같다. 이렇게 나를 버리고 그 무엇을 나로서 획득하는 것이 고백이라면, 문학을 접하는 나의 태도는 계속해서 나를 갱신하는 행위와 다르지 않다.

문학은 일종의 고백이고, 문학을 '하는 것'은 고백에 대한 고백이다. 이렇게 동어반복으로밖에는 설명할 수 없는, 문학에 대한 나의 상상력의 근원은 슬픈 환희로 경험한 카타르시스일 것 같다. 그것은 문학에 대한 나의 첫인상이었는지도 모르겠다. 나는 소설을 읽고 처음으로 울었던 때의 야릇한 흥분을 잊지 못한다. 무엇이 나로 하여금 마지막 페이지를 그토록 천천히 읽어 내리게 했으며, 마지막으로 찍힌 점을 보며 마치 한 세상을 만난 기분을 느끼게 했을까. 이후로 문학은 나에게 중단 없는 고백처럼 여겨진다. 고백하는 자는 답을 얻지 못할까봐 전전긍긍하지 않는다. 대부분의 응답은 고백 내부에 이미 들어있기 때문이기도 하거니와, 간절한 진심이 그러하듯 고백은 발설되는 것만으로도 이미 제 역할에 충실했다고 여겨지기 때문이다. 즉, 좋은 작품을 읽으면 응당 그에 답하고 싶은 마음, 그것이 고백하는 자의 마음이다.

▸▸ **설문5** 지금, 한국문학에서 '극복'되어야 할 것이 있다면 무엇이라고 생각합니까?

언젠가부터 무엇을 할 수 있냐는 질문이 무엇을 하고 있냐는 질책으로 들리기도 한다. 이상한 자책감이자 피해의식이다. 같은 맥락에서 나는 한국문학의 한 지점을 본다. 한국문학이란 말이 이미 항상 포기하지 못하는 어떤 경계가 있고, 그 경계로 인해 지금 여기의 한국문학을 상상하게 된다. 그 경계가 만들어진 이후에 단 한 번도 훼손된 적이 없다는 것은 그것이 허깨비임을 증명하는 분명한 사실이다. 그럼에도 불구하고 글을 읽고 쓸 때마다 만나게 되는, 모든 문학은 세계문학이라는 명제는 여러 종류의 가치 판단에서 나를 망설이게 한다. 그러고 보니 극복할 주체(한국문학)와 극복될 대상(역시 한국문학)을 엄밀하게 구분하지 못했다는 점에서, 이 질문은 재고되어야 할 것 같다.

민구

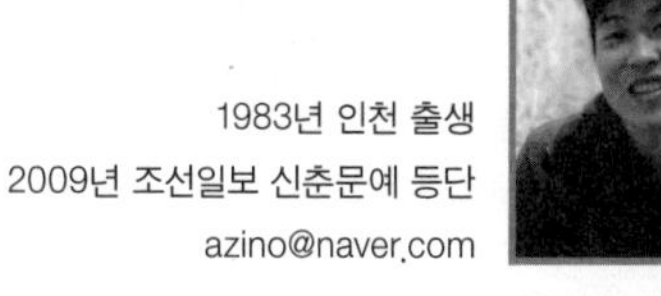

1983년 인천 출생
2009년 조선일보 신춘문예 등단
azino@naver.com

▸▸**설문1** '88만원 세대'라는 용어가 강력한 지시력을 발휘하면서 70년대 후반~80년대 초반에 태어난 작가들의 문학적인 경향을 그 단어와 연관시켜 설명하려는 움직임이 있습니다. 이러한 세대 관련 논의에 대한 선생님의 생각은 어떠합니까?

최근 '88만원 세대'와 맞물려 문학도 자연스럽게 이 부분을 주제로 삼고 있는 걸 본다. 언제나 그렇듯 희생을 강요받고 제자리를 걷는 것 같다. '88만원 세대'는 애초에 그들이 추구하던 청춘이나 열망과는 철저하게 단절된 채 유신 세대와 386의 수뇌부 밑에서 총알받이로 전락한 세대다. 문학도 이 문제로부터 자유로울 순 없다. 문학에는 항상 기득권층이 있고, 소수의 작가들만이 그들에게 조명을 받는다. 말없이 떠밀려가고 지체 없이 하강하는 세대의 단면을 문학에서 찾아내려는 노력은 젊은 작가들을 통해 최근에 이르기까지 계속되었다. 다만 그들의 행보가 지속적으로 전위적인 게 아닌, 화두랍시고 자멸을 강요받는 것 같아서 안타까울 따름이다.

우리 젊은 세대들은 문학을 빌어 주장하고 목소리를 키울 수 있는 층위에서 멀어질 수밖에 없다. 또 다른 문제겠지만 우리는 절대로 스스로 밑줄 그은 텍스트에서 빠져나갈 생각을 하지 않는다. 88만원 세대들이 스스로의 역량과 주장만으로 밖에서 잠근 문을 부수고 나가기란 어렵다. 실로 엄청난 경쟁을 뚫고 등단한 젊은 작가들 가운데서도 소수만이 마이크를 잡을 수 있으며, 필요한 전기를 공급받을 수 있는 게 현실이고 대다수의 이들이 이를 의식한다. 세대 논의를 떠나 젊은 작가들의 신선한 작품을 문학의 한 경향으로서 대우해주는 건 상당히 고마운 일이다. 다만 누구를 위하여 종을 울리는가가, 시도 때도 없이 부여받던 문학의 근본적인 질문임을 놓고 볼 때, 많은 작가들이 그저 종소리를 듣고 날아가는 새떼에 주목한다는 이유로 사라지고, 구름의 소매를 지푸라기 잡듯 잡다가 낙사하고 있다는 사실을 기억해야 한다.

▸▸**설문2** 한국문학사에서 선생님(또는 비슷한 시기에 등단한 작가들)의 위치는 어디라고 생각합니까?

현재로선 가장 높은 지점에 와있다고 해야겠다. 작년에 등단해서 반짝 스포트라이트를 받고 아직도 빛의 잔영이 가시지 않은 높다란 가설무대에 와있다고 해야 할까. 나는 가만히 있는데 누군가 와서 자꾸 들쳐 메고 가는 기분이다. 신춘문예 특성상 신인작가에게 주어지는 위치란 건 애초부터 없다. 신인의 무대는 늘 어정쩡하다. 불붙은 볏짚 같고, 밑이 새는 항아리 같다. 같은 해에 함께 데뷔한 다른 신문사나 문예지 출신 작가들이 어떻게 활동하는지 잘 모르지만, 그들을 지면상으로 만나기란 역시 쉽지 않은 일이다. 자조적이지만 틀린 얘기는 아니다. 아직 들떠 있고, 때문에 나는 헬륨 풍선처럼 높이 떠올라서 시야에 들어온 것들을 그래도 부지런히 써내려가는 중이다.

적어도 시는 오랜 기간 애정을 갖고 대할수록 정상에서 시작해서 스스로 가라앉는다고 믿는다. 처음엔 단단한 돌처럼. 시간이 지나면 바위 밑에 웅크린 이끼처럼. 어쩌면 지금 내가 바라보고 의식하는 모든 부분이 자리 잡지 못한 채 떠돌고 있는 게 당연할지도 모른다. 나는 항상 내게 이름을 붙이지 못했음에도 더 낮은 곳으로 가길 원한다. 또한 그것을 강력하게 주문하기도 한다. 많은 작가들이 스스로의 개성과 인내를 살려 자기만의 세계를 구축하는 동안 본인은 서두르지 않고 시 한 편을 더 잘 써내야겠다는 생각만 한다. 늘 뭔가를 반성하고 생산하는 게 내 위치고 앞으로도 변하지 않을 것이다.

▸▸**설문3** 글쓰기(시, 소설, 비평)에서 선생님이 가장 중시하는 가치는 무엇입니까?

누가 그랬더라. 시인은 커다란 담론을 다루는 부류가 있는가 하면 추억에 대한 변용, 그러니까 '왜 그때 내게 그런 일이 있었나' 하는 문제를 다루는 사람이 있다고.

내 경우 역시 후자다. 뒤가 잘 완성되어 앞의 것을 얼싸안으면 좋겠지만 그건 내 의지와는 별개의 문제다. 나는 시가 항상 인간적이길 기대한다. 직설적인 순간과 찰나의 움직임을 잘 담아내길 바란다. 그리고 그것들이 튀지 않고 스스로 자리를 잡을 수 있도록 돕는 글쓰기를 하고 싶다. 그건 하루아침에 이루어지지 않는다. 애정을 쏟는다고 해서 시가 맘대로 밀도를 유지해 주는 건 아니다. 그것들은 내 뒤통수를 치길 즐긴다. 그런 일에 익숙해져야 한다.

스스로에게 당부하는 것이 하나 있다면 백지와 내가 일 대 일로 마주쳤을 때의 태도다. 백지의 바다에서 범람하는 해일을 당당하게 받아들이고 자주 긴장하며 살고 싶다. 어떤 사람은 시를 쓰면서 어느 날 안식이 찾아온다고 했는데 지금은 그런 게 더 무섭다. 나는 스스로 함몰되지 않도록 시와 거리를 유지할 수밖에 없고, 그러기 위해선 전투적이어야 한다. 외롭다는 건 그런 것 같다. 혼자 있을 때가 아닌, 늘 곁에 시를 두고 살아야 한다는 강박. 하지만 그런 강박이 없다면 어떻게 스스로 발전을 기대할 수가 있을까. 물론 문학을 하는 재미도 금방 사라질 것이다.

▸▸**설문4** 선생님은 비교적 이른 시기에 등단을 했다고 평가되고 있습니다. 선생님(혹은 당신과 비슷한 연령의 세대)에게 있어서 '문학'의 의미는 무엇이며, 선배들과 어떻게 다르다고 생각합니까?

그럴 듯한 말을 하고 싶은데, 나는 문학론이 따로 없다. 나는 나만의 문학론이 없는 대신, 금방 긴장하고 잘 적응한다. 그때그때 잘 써야지 하는 생각 말고는 별로 해본 적이 없다. 위의 답변에 언급되는 부분도 많고 시종일관 결심 위주로만 적어놨더니 너무 과장된 게 아닌가 하는 우려가 된다.

적어도 내 문학이 빨랐으면 좋겠다. 주위에 흥건한 찰나들을 잘 잡아낼 수 있도록 스스로를 민첩한 상태로 잘 조여 두고 싶다. 내가 제일 재밌어 하는 부분은 '나'에서 시작하는 인칭이 내가 보고 있는 것들과 위치가 바뀔 때다. 그렇게 되면 지금까지 내가 어디서 듣고, 배우고, 사고했던 부분들이 입을 열고 신기한 이야기를 해준다. 그럼 나는 그냥 옆에 앉아서 가만히 얘길 듣곤 한다. 누군가에게 자극을 주는 경로는 그렇게 만들어지는 것 같다. 영감을 주고 자극을 주는 길을 부지런히 만들어가는 것도 충분히 가치 있다고 본다. 자신이 믿는 가치에 살을 붙이고 운동을 시키는 게 얼마나 귀한 일인가.

생각해보면 내가 선배들과 다른 게 하나 있다. 선배들은 나를 한 번도 경쟁상대로 생각해본 적이 없지만 나는 그들이 모두 라이벌이라는 것이다. 이건 모든 신인의 자세가 아닐까. 내가 선배라면 나는 후배들에게 이 점을 가장 바랄 것이다. 손에 뭘 쥐고 있는지도 모르면서 무작정 휘두르기만 하는 애들이 원래 더 무섭다.

▸▸ **설문5** 지금, 한국문학에서 '극복'되어야 할 것이 있다면 무엇이라고 생각합니까?

한국문학은 여전히 획일화되어 있다. 가부장적이고 똑같은 피부색이 아니면 배타적이다. 남의 얘길 경청하길 두려워한다. 좋은 신인을 발굴한답시고 내거는 공모나 슬로건도 사실은 자기 세력을 키우는 데에 힘을 보태는 공약에 불과하다. 모든 발굴 경로가 다 비슷하겠지만, 현재 한국문학은 새로움을 추구하고 지도에는 없는 영역을 참신하게 발견해내는 것을 암묵적으로 동의한 채 유지된다. 처음엔 신선했다. 하지만 가만히 들여다보면 앞서 언급한 사실로부터 크게 다르지 않다는 걸 알 수 있다. 칼을 숨긴다고 해서 전쟁이 끝나는 건 아니니다.

선부른 얘기일지 모르지만 문학에도 엄연한 식민지가 있는 것 같다. 대중과 소통하려고 이런저런 프로그램을 만드는 것에 많은 시간을 할애하는데 왜 그런 프로그램에 참여하는 독자의 다수가 작가 지망생이거나 현직 작가들이어야 하는가. 독자의 부족한 안목만큼 중요한 문제는 현재 문단을 이끌어가고 있는 작가들의 인식이다. 그들은 평수가 넓은 자기 집 밖을 나가길 두려워하면서도 아이러니하게 항상 추위에 몸서리친다.

세계 어디를 가도 마찬가지겠지만 개성 있는 사람들이 주목받을 수 있는 무대는 극히 좁다. 작가도 마찬가지다. 문학을 하는 사람이라면 누구나 무엇이 배타적이고, 무엇이 현 시점에서 인정받을 수 있는가 하는 문제를 순식간에 간파한다. 그리곤 때가 되면 입을 모아서 모른 척한다.

젊은 작가들의 활약이 필요한 건 사실이다. 하지만 나는 그들이 많은 말을 하기보다 작품을 써내려가길 바란다.

송종원

1980년 생
2009 경향신문 신춘문예 평론 당선
고려대 국문학과 박사과정 수료
renton13@hanmail.net

▸▸**설문1** '88만원 세대'라는 용어가 강력한 지시력을 발휘하면서 70년대 후반~80년대 초반에 태어난 작가들의 문학적인 경향을 그 단어와 연관시켜 설명하려는 움직임이 있습니다. 이러한 세대 관련 논의에 대한 선생님의 생각은 어떠합니까?

'88만원 세대'라는 용어에 합의된 바가 있는 것처럼 보이지만 실상은 그렇지 않다고 봅니다. 누가 발화하느냐에 따라 저 용어의 함의는 달라지니까요. 처음 88만원 세대에 관한 책을 쓴 저자 우석훈에 따르면 한국의 20대가 처한 불합리한 상황을 극복하기 위해서는 '세대 간 불균형'이라는 틀을 가져올 필요가 있었고, 그래서 그 세대 간의 연대를 목표로 하자는 뜻에서 88만원 세대라는 용어를 사용하게 되었다고 합니다. '세대'에 방점이 찍힌 표현이었다고 볼 수 있을 겁니다. 그런데 이후 이 용어는 보수 진영을 통해 너희의 미래가 이렇게 암울하니 정치에 대한 관심을 끄고 스펙 쌓기에 더욱 몰두해야 할 것이라는 등의 불안조장용 수사로 사용되기도 합니다. '88'에 방점을 찍은 수사였던 거죠. '88만원 세대'를 자신의 구미에 맞추어 가공하여 사용하는 발화주체들 간의 소통도 문제지만, 사실 더 큰 문제는 그것이 외부에 의한 규정이라는 점에 있습니다. '88만원 세대'는 자신을 규정하는 88만원 세대라는 의미에 동의하고 있을까요. 아마도 아닐 것입니다. 그들의 목소리를 직접 들어보지 않고 단지 그들을 세대론이라는 재현틀 속에 가둘 때 은폐되는 목소리들이 더 많을 것이라고 생각합니다. 작가들을 범주화하는 일보다 작가 개개인의 목소리에 더 귀를 기울이는 일이 필요하지 않을까요.

▸▸**설문2** 한국문학사에서 선생님(또는 비슷한 시기에 등단한 작가들)의 위치는 어디라고 생각합니까?

상당히 어려운 질문이네요. 자신의 자리에서 한국문학사에 보탬이 될 만한 어떤 일을 하고 싶은가라는 물음으로 받아들이고 답하겠습니다. 비평가의 시각에서 볼 때, 텍스트의 다양한 산출과 변화에 비해 비평적 언어의 성장 속도는 다소 느린 편이 아닌가 여겨집니다. 텍스트의 새로움만을 요구하는 비평이 아니라 자신의 새로움까지도 동반할 수 있는 비평이 필요하다고 봅니다. 단지 작품을 분석하거나 해설하는 비평이 아니라 그 텍스트 안에 담긴 에너지를 작가(독자)와 함께 어떻게 나누고, 그를 통해 때론 문학에 대한 또는 때론 문화나 우리가 몸담고 있는 공동체에 대한 문제틀을 새롭게 설정할 수 있는 비평이 필요한 시점이라고 생각합니다. 그런데 아마도 이런 생각은 비평이 늘 강박적으로 해오던 질문이 아닐까 싶네요. 그러고 보면 저는 비평이 해오던 질문을 충실히 이어받아 견지하겠다는 말을 하고 있는 것인지도 모르겠습니다. 그러니까 비평의 반복적인 질문을 충실히 이어가면서 텍스트의 변화 속도를 따라 잡기 위해 애써야 하는 자리가 제가 있는 현 위치가 아닐까 생각해봅니다.

▸▸**설문3** 글쓰기(시, 소설, 비평)에서 선생님이 가장 중시하는 가치는 무엇입니까?

시, 소설, 비평이라는 장르 구분과 무관하게 글쓰기에서 중요한 일은 누구도 흉내 내지 않는 것이라고 생각합니다. 글쓰기의 장에서 맞닥뜨려지게 되는 선택과 고민의 순간에 작가가 자기의 힘으로 그 난관을 뚫지 못할 때 택하는 손쉬운 방법은 다른 누구의 방식을 따라가는 일일 것입니다. 저 스스로도 지난 1년간 글을 써오면서 선배들의 글에 기대고 이론에 기대어 손쉬운 결론으로 글을 봉합하던 순간들이 있었습니다. 아마도 글을 쓰는 분들이라면 굳이 이 부분을 자세히 설명하지 않더라도 잘 알 것입니다. 자신을 지키는 일이 결국에는 가장 마지막의 일이고 얼마나 어려운 일인지를 말입니다. 혹 우리는 자신의 글에 이름을 걸면서도 어쩌면 가끔은 너무 익명적인 글을 쓰고 있는 것이 아닌가를 의심해 보곤 합니다.

▸▸ **설문4** 선생님은 비교적 이른 시기에 등단을 했다고 평가되고 있습니다. 선생님(혹은 당신과 비슷한 연령의 세대)에게 있어서 '문학'의 의미는 무엇이며, 선배들과 어떻게 다르다고 생각합니까?

다른 것은 선배들과의 다름이 아니라 글 쓰는 사람 각각의 다름이라고 생각합니다. 글을 쓰는 자들이 가장 혐오해야 할 일 중 하나가 집단화라고 생각하기에, 또한 집합은 늘 집합을 무너뜨리려는 방황하는 공백을 품고 있다는 점을 알기에, 이 질문은 저에게 문학이 어떤 의미인가 정도만을 답하면 될 것 같네요. 저의 문학관은 소박합니다. 저는 문학이 꿈이라고 생각합니다. 꿈이긴 꿈이되 꿈을 꾼 자 스스로도 알지 못하는 내용의 꿈. 그래서 그 꿈에 대해서 저는 다시 꿈꿉니다. 그 꿈 안에 우리의 정체성을 해명해줄 뿐 아니라 사회변혁의 가능성까지 내장하고 있는 어떤 에너지 같은 것이 있다고 말입니다. 그런 꿈은 문학의 가능성과 한계에 대해 거리를 두고 생각하는 비평적 사고가 아니라 단지 당신의 믿음에 불과하지 않느냐고 누군가 되묻는다 해도 어쩔 수 없을 것 같습니다. 이 믿음이 저를 여기까지 밀고 왔고, 앞으로도 밀고 갈 것이라고 생각하기 때문입니다.

▸▸ **설문5** 지금, 한국문학에서 '극복'되어야 할 것이 있다면 무엇이라고 생각합니까?

문학연구와 문학비평 사이의 소원한 관계가 문제라고 생각합니다. 현장비평이 종종 문학사적 시각이나 역사성을 결여한 것처럼 보이는 이유가, 그리고 문학연구가 텍스트를 대하는 방식이 유연하지 못하다고 느껴지는 까닭이 여기에 있는지도 모르겠습니다. 비평이 문학연구의 성취를 바탕으로 문학사적 시각을 보충할 때, 현장에 쏟아지는 텍스트들의 모(母)사건이 될 만한 역사적 국면을 파악하게 됨으로써 텍스트의 새로움에 대해 과잉해석을 하지 않을 가능성이 생길 것입니다. 또한 문학비평이 지닌 직관력은 문학연구의 장이 폐쇄적인 담론공간에 머무르는 것을 저지하며 색다른 방식들로 텍스트에 접근하는 길을 열어줄 것입니다. 우리 문단이 더 풍요로워지기 위해 문학연구자들과 문학 비평가들 사이에 소통의 노력이 필요하다고 생각합니다.

유희경

1980년 생
서울예술대학 문예창작과 및 한국예술종합학교 연극원 극작과 졸업
2008년 조선일보 신춘문예 시 부문으로 등단
mortebleue@naver.com

▸▸**설문1** '88만원 세대'라는 용어가 강력한 지시력을 발휘하면서 70년대 후반~80년대 초반에 태어난 작가들의 문학적인 경향을 그 단어와 연관시켜 설명하려는 움직임이 있습니다. 이러한 세대 관련 논의에 대한 선생님의 생각은 어떠합니까?

우선 저는 '세대'라는 단어를 그리 좋아하지 않습니다. 경계 짓는 것이 구분의 편의를 도와주기는 하나 적극적 칸막이가 되어 단절을 상정하는 것처럼 느껴지는 까닭입니다. 한 세대를 규정하는 방법이 더구나 경제적 환경·여건·지위에 따른 구분이라면 더욱 불만스럽습니다. 하지만, 저의 호오를 떠나 자유시장경제 '정책'의 수혜와 폐해를 동시에 번갈아 입으며 살고 있는 시대를 통과하고 있다는 점에서 (그러한 경계 지음을) 무시할 수는 없는 것도 사실이겠지요. 그 사실 안에서 제 또래의 시인, 작가들은 독버섯처럼 자라났다는 생각을 해봅니다. 물론 시대를 불문하고 글쟁이들은 경제적인 시각 안에서는 독버섯 같은 존재들이라는 생각과 함께입니다. 시대에 대한 적극적인 부정이 문학의 한 요소임이 분명하다면, 그것이 어떠한 형태의 '의지'이든 분명 의식하고 있다는 것이 사실일 것입니다. 그러므로 '88만원 세대'라는 규정을 부정하는 것 역시 그것이 적극적이든 그렇지 않든(저는 후자임에 분명한데) 그 논의를 피할 수는 없겠지요. 그러나 동시대를 살아가는 (어떤 차이에서 살아가던 사람이건) 그 누구도 마찬가지라는 입장 아래에서는 그것이 강력한 지시력만을 갖는 것은 아니라는 것이 제 생각입니다.

▸▸**설문2** 한국문학사에서 선생님(또는 비슷한 시기에 등단한 작가들)의 위치는 어디라고 생각합니까?

개인적으로, 예외적인 위치이면 좋겠지만 그렇지는 못하다고 생각합니다. 하지만, 기존 세대 혹은 앞 세대와 차별화된 '우리 세대'에 기준이 마련될 수 있다면, 그리고 그 범주에 제가 쓰고 있는 시가 들어갈 수 있다면, 저는 그 '차이'는 언어에 대한 감각에 있다고 생각합니다. 지금의 젊은 세대에 의해 다뤄지고 있는 언어들은 별도의 연결 통로(혹은 고리)를 가지고 있다고 생각합니다. 이는 여러 가지 의미를 내포합니다. 기본적으로 언어는 학습되지만, 그 내적 상상구조는 (답습되는 것이 아니라) 전복되는 것이라는 생각에 근거합니다. 이는 (상상력이든 현실이든) 세계관과도 밀접한 관계를 맺는 것으로 보입니다. 이것의 결과물로서 많은 것들이 이동하고 있습니다. 가령, 그러니까 삶의 통점을 예로 들자면 (일상의) 아픔, 아픈 곳이 이동하고 해체되고 재구성되는 과정에서 '차이'가 발생한다고 봅니다. 기존의 심각함과 비심각함의 '기준' 사이에 균열이 생기고 진동이 발생하면서 생기는 오해는 언어라는 전체 틀에서 보았을 때 극복될 수 있습니다. 이 변화를 저는 새로운 언어 혹은 새로운 사유 체계에서 발생된 결과물로 바라보지는 않습니다. 다시 말해 예외적인 위치가 아닌 기존 시언어와의 차별인 동시에 계승이기도 한 것입니다. 그렇다면 저는 지금의 젊은 세대를 기존 시언어의 출구를 빠져나와 새로운 시언어의 입구에 막 들어선 세대라고 규정지어보고 싶습니다. 소위 '미래파'로 불리는 저희의 선배들이 무수한 오해의 폭발 속에서 열어놓은 가능성입니다. '다른' 서정, '다른' 전위가 이 젊은 세대에게는 현실이 되는 것이 아닌가 생각해봅니다. 그러므로 전위인 동시에 답습이고, 보편적 감각에 준거하는 첫 세대로 기억될 수도 있겠지요.

▸▸ **설문3** 글쓰기(시, 소설, 비평)에서 선생님이 가장 중시하는 가치는 무엇입니까?(자신의 글쓰기가 속한 장르를 중심으로 쓰시면 됩니다.)

언어가 내포하고 있는 지시적, 감각적, 공간적 상상력입니다. 언어가 가지고 있는 폭발력은 위대하다 이를 수밖에 없다고 생각합니다. 언어가 내포하고 있는 도덕적 판단들은 물론이고, 불규칙적으로 튀어나가는 생동력에, 저는 늘 매료되고 있습니다. 그것은 사적(私的)인 역사이며 우주이고 연산인데요. 그와 동시에 절대 타협할 수 없는 틀이기도 합니다. 저는 개인적 상상력이 보편적 상상력의 틀로 편입하면서 불러일으키는 감정, 이를테면 놀라움, 경악, 감동이 문학이라고 생각합니다. 그 안에는 완벽하지는 않지만 치밀한 논리가 숨겨져 있습니다('우주'인 까닭입니다). 좀 더 구체적으로 이야기한다면, 상상력의 약동이 없는 문학은 문학이 아니라고 생각합니다. 이는 세대를 불문한 것이겠지요. 완벽한 단어와 완벽한 문장을 찾는 일로부터는 어떤 시인, 소설가도 자유롭지 못할 테니까요. 그런 의미에서라면 지금 젊은 세대들은 축복과 저주의 한 시대를 살아내고 있는 자들이기도 합니다. 모든 방면에서 상상할 수 있는 것들의 무한한 가능성이 확보되고 있지만, 동시에 더 남은 것이 없는, 하여 어쩔 땐 작위적으로 행동할 수밖에 없는 빈곤의 때이기도 하니까요.

▸▸**설문4** 선생님은 비교적 이른 시기에 등단을 했다고 평가되고 있습니다. 선생님(혹은 당신과 비슷한 연령의 세대)에게 있어서 '문학'의 의미는 무엇이며, 선배들과 어떻게 다르다고 생각합니까?

"이른 시기"가 지시하는 것이 '나이'라면, 이른 시기는 아닌 것 같습니다. 오히려 저는 제가 늦게 등단했다고 생각하는데요. 물론 더 빨리 등단해야했을 실력이었다는 의미는 결코 아니고요.

제 또래 시인, 소설가들과 (적게나마) 대화를 하고 얻은 생각은 두 가지입니다. 하나는 (저를 포함한) 그들이 대단히 진지하다는 것입니다. 자신들의 문학에 대해 어떤 결론을 내렸든, 그 방법적 접근이 어떻든 간에 자신들이 하고 있는 그 '문학'이라는 것에 대해 심각하게 그리고 적극적으로 고민을 하고 신중히 결론을 내린다는 것입니다. 그것의 수단이 말장난 류의 유희이든, 지극히 현학적인 발화이든 관계없이 자신만의 계산과 감각을 소중히 여기고 있습니다. 언어의 차원이동이 시작되고 있다면 '그들'이 규정하고 있는 '심각'과 '진정' 역시 이전의 개념으로부터 차원이동이 가능할 것입니다.

다른 하나는 소통의 불가능성에 대해 지나칠 정도로 의식하고 있다는 점입니다. 그 가능성을 배제하고 있다는 것은 아닙니다. 내밀함에 대한 이야기인데요, 개인의 거대한 폭을 따라잡기보다는 자기 안으로 집요할 정도로 파고들어감으로써 가능성을 확보하고 있습니다. 일례로 '그들'은 서로의 '문학'에 대해 잘 간섭하려들지 않습니다. 한 세계라는 것이 함부로 폄하할 수 없는 것이라는 것을 자신의 '문학'에서 발견하고 있는 것이지요. 골방 (책상) 문학, 시대성의 상실이라는 비아냥은 이를 통해 형성되는 것으로 보입니다. 그리고 저 역시 이러한 소통의 불가지론 혹은 불가능성은 지금보다 지양되어야 할 현상이라고 생각하고 있습니다.

▸▸**설문5** 지금, 한국문학에서 '극복'되어야 할 것이 있다면 무엇이라고 생각합니까?

정말 곤란한 질문인데요…… 고정되어 있는 어떤 것이라고 생각합니다. 넓은 맥락에서 봤을 때 판의 해체입니다. 포스트모던에 대한 이야기는 아니고요…… 언어의 상상적 배치와 그 방법에는 무한한 가능성이 있다고 생각합니다. 그 가능성의 허용과 불허용을 논의하는 것보다는 그 가능성을 가능성 그 자체로 인지했으면 좋겠다는 것이 저의 바람입니다. 기존의 비문은 더 이상 비문이 아닐 수 있습니다. 언어 사이의 반목은 화해를 해도 괜찮을 수 있을 거라고 믿습니다. 알 수 없는 잣대가 생긴 것이 요즈음의 현실인 것 같습니다. 문학은 그 자체로 자생합니다. 그 자생력이야말로 문학의 힘입니다. 삶의 약동성입니다. 불가능한 것들, 그것만으로 존재하는 것들은 그게 무엇이든 그것만으로 좀 더 지켜보고 또, 열어둘 필요가 있지 않을까요. 모호한 말이지만, 제 바람입니다.

이반장

1982년생
2009 창비 신인문학상으로 등단
경희대학교 디자인학부 디지털컨텐츠 학과 재학중
libanjang@gmail.com

▸▸**설문1** '88만원 세대'라는 용어가 강력한 지시력을 발휘하면서 70년대 후반~80년대 초반에 태어난 작가들의 문학적인 경향을 그 단어와 연관시켜 설명하려는 움직임이 있습니다. 이러한 세대 관련 논의에 대한 선생님의 생각은 어떠합니까?

'88만원 세대'라는 용어가 지시하는(또는 그 저서에서 문제제기 되었던) 요소들과 그 세대에 속한 작가들의 작품 사이에 굳이 연결고리를 설정해야 할 만큼 (아직) 그들만의 밀접함이 보인다고 생각지는 않습니다. 한편으론 88만원 세대의 문제라는 것이 사회적으로 굳이 이 세대에만 국한된, 그런 문제는 아닌 듯 보이기 때문이기도 하며(단, 현재로서는 88만원 세대에 속하는 세대에 있어 가장 확장되어 나타나는 결로는 보입니다), 또 한편으로는 다른 세대에 속한 작가들도 그간 꾸준히 88만원 세대의 문제라 할 만한 것들에 대해 다루어왔다고 생각하기 때문입니다. (예를 들어 아주 멀리까지 가보면, 최근 88만원 세대와 자주 엮이는 소위 '루저'들의 생활상이라든지, 취직 못하고 안착할 곳 없어 급기야 도시 빈민화되어 가는 젊은이들의 이야기 및 그 속에 담긴 감성은, 이상의 「날개」 같은 작품들처럼 머나먼 예부터 다루어져 왔다는 느낌인 것이지요.)

결론을 말하자면 '88만원 세대의 문학'이란 말은 결국 그 세대에 속한 작가들의 문학적 경향에 대한 것보다는, 그들을 뭔가로 뭉뚱그려야 할 편의에 의해 그저 시기적절하게 임시적으로 설정된 것, 이라고 생각합니다.

그리고 솔직히 88만원 세대에 속하는 작가들 사이에 어떤 특정 '경향'을 찾을 수 있을 만큼 아직 해당 작가의 수가 많지 않다고 생각합니다.

▸▸**설문2** 한국문학사에서 선생님(또는 비슷한 시기에 등단한 작가들)의 위치는 어디라고 생각합니까?

좀 더 시간을 두고 지켜봐야 할 듯합니다. 다만 여러 매체의 다양한 이야기들을 어려서부터, 가장 많이, 편견 없이 접하며 자라온 세대일 거라는 생각이 들기는 합니다. 그래서 어쩌면 취향이 더욱 세분화된 결과로 종래의 기성세대 작가들에 비해 좀 더 파편화되고, 하나의 굴레로 묶이기 힘들 수도 있다는 생각이 듭니다. 하지만 그러한 파편화, 인위적으로 통제되지 않은 각각의 제멋대로 창작이야말로 자연스러운 건지도 모르겠습니다.

물론, 작금의 세대가 과연 정말로 그러한 자유로운 창작을 하고 있느냐, 기성세대의 작가들이 그와 대비될 만큼 하나의 굴레로 쉬이 묶일 만한 작품 활동을 했는가, 에 대해서는 좀 더 고민이 필요하겠지만, 확실한 건 소설로 쓰일 수 있는/없는 소재에 대한 경계가 (전에 비하면) 많이 사라지고 있다는 것일 겁니다. 그리고 그것은 두말없이 받아들여야 태도라고 생각합니다.

▸▸**설문3** 글쓰기(시, 소설, 비평)에서 선생님이 가장 중시하는 가치는 무엇입니까?

소설쓰기/창작은 제가 제 자신에게 쥐어줄 수 있는 최대한의 자유입니다. 또 한편으로는, 세상에서 누릴 수 있는 가장 큰 자유이기도 할 겁니다.

▸▸**설문4** 선생님은 비교적 이른 시기에 등단을 했다고 평가되고 있습니다. 선생님(혹은 당신과 비슷한 연령의 세대)에게 있어서 '문학'의 의미는 무엇이며, 선배들과 어떻게 다르다고 생각합니까?

문학(소설)은 제 눈에 비친 세상을 가장 효과적으로 타인들과 공유할 수 있는 매체라고 생각했기에 택하게 되었습니다. 선배 작가 분들도 각기 나름

한 분 한 분 다른 의미를 부여하며 문학을 하고 계실 테니 당연히 저와 생각이 다르시겠고, 그 다름이야말로 어쩌면 문학을 하는 모두가 보편적으로 추구해야 할 가치가 아닐까 싶습니다.

▸▸ **설문5** 지금, 한국문학에서 '극복'되어야 할 것이 있다면 무엇이라고 생각합니까?

1. 각종 문학상들 서로간의 분별력 및 개성 상실: 온갖 문학상이 차고 넘치고 매해 우후죽순 새롭게 돋아나는 가운데, 그들 문학상 각각을 확연히 구분시켜 줄 만한 특질이 점점 사라지는(혹은 처음부터 존재하지 않았던) 것이 아닌가, 하는 생각이 듭니다.
2. 장르문학과 순수문학 사이의(애당초 둘 사이에 이토록 서슬 퍼런 구분이 필요한가의 문제는 차치하고서라도) 불필요한 긴장과 서로에 대한 무관심, 혹은 오해: 자연스레 서로 공존해야 할 소설 생태계에 어느 시점부터 이토록 교란이 생긴 것인지, 혹은 애당초 그러한 소설 생태계가 제대로 정착한 적이 있기는 한 건지, 그저 착잡할 따름입니다. 그렇다고 최근 곳곳에서 보이는 인위적인 장르소설 배양(?) 움직임과 같은 프로젝트들이 과연 얼마나 성공적일지에 대해서는 조금 회의감이 듭니다. 그리고 한국 문학 평론계에도 영화 평론가들이 대개 그렇듯 대중/예술 가리지 않고 두루 포용해줄 평론가(전문가)가 언젠가 출현해주었으면 하는 바람입니다.
3. 대중성이란 것에 대한 환상: 최대 다수의 대중에게 호응을 받을 만한 문화상품의 인위적 기획이란 것이 얼마나 효용성을 지닐지, 소위 대중성이란 것에 대해 너무 맹신을 하고 있는 건 아닌지, 요즘 추세를 보면 회의감이 안 들래야 안 들 수가 없습니다. 매스(Mass) 마켓이 있다면 니치 마켓(Niche Market: 틈새 시장)도 있는 것이겠죠. 굳이 대중이라는 환영을 인위적으로 좇기보단, 창작자들이 그저 각자 취향대로 자기 위치에서 충실하면 개개인의 개성에 알맞은 만큼의, 수준의, 수용자가 자연히 따르지 않을까 싶습니다. 恩

이은규

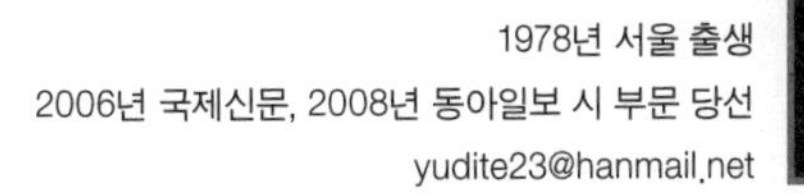
1978년 서울 출생
2006년 국제신문, 2008년 동아일보 시 부문 당선
yudite23@hanmail.net

▸▸**설문1** '88만원 세대'라는 용어가 강력한 지시력을 발휘하면서 70년대 후반~80년대 초반에 태어난 작가들의 문학적인 경향을 그 단어와 연관시켜 설명하려는 움직임이 있습니다. 이러한 세대 관련 논의에 대한 선생님의 생각은 어떠합니까?

안토니오 인코르바이아와 알레산드로 리마싸의 공동 저작인 『천유로 세대』가 2006년 이탈리아에서 출간된 이후 유럽 사회의 이슈가 되고 있다. 이 소설은 비정규직이며 월 천유로의 월급을 받고 궁핍하게 생활하는 유럽의 25~35세 젊은 세대를 조명한다. 시대적 상황에 대한 날카로운 인식을 문학적 상상력으로 풀어낸 소설을 읽으며 미국의 '빈털터리 세대', 일본의 '하류사회'가 떠올랐다. 모두 경제위기 속에서 흔들리는 젊은이들을 지칭하는 말. 하물며 '88만원 세대'는 어떠했을까.

시대를 반영하는 거울로서의 소설을 말할 때 반영 그 자체가 아니라 반영된 상황에 대한 집중이 필요하다. 맑스가 「독일 이데올로기」라는 글에서 이데올로기를 '카메라 옵스큐라(빛을 가린 방)'에 비유한 것과 같은 맥락일 것이다. 핵심은 이미지 자체가 아니라 그에 해당하는 상황이므로, 시와 소설을 이란성 쌍생아로 볼 때 세대와 예술과 시대는 각각 삼각형의 꼭짓점을 이루게 된다. 그런 의미에서 1970년대 후반~1980년대 초반 출생 작가들의 문학을 '88만원 세대'와 연관시켜 설명하려는 움직임은 자연스러운 현상이라 볼 수 있다. 다만 그들의 문학 일반을 특정 세대라는 틀로 분석하고 수렴하려는 방식은 바람직하지 않다고 본다.

▸▸**설문2** 한국문학사에서 선생님(또는 비슷한 시기에 등단한 작가들)의 위치는 어디라고 생각합니까?

동시대 작가들의 위치는 그들이 실천하는 문학의 위치일 것이다. 이번에는 이란성 쌍생아 중 시라는 장르를 요청해보려고 한다. 어느 웹진에서 지난 1월 진행되었던 '우리 문학의 이전과 이후: 2000년대 이전과 이후의 시'라는 좌담 내용을 읽게 되었다. 논의는 2000년대 이후의 시가 보여준 미학적 핵심과 성취 그리고 문학적 의미에 집중된 듯 보였다. 거칠게 옮겨보자면 일종의 감수성 조류의 변화, 비유기적인 양식의 출현, 익명적인 주체의 표출 등을 핵심으로 꼽고 있다. 내용은 초보수적인 정부 출범 이후 활발하게 대두되고 있는 '문학과 정치'에 대한 논의로 이어지는데, 사회자는 그러한 흐름이 시의 딜레마이자 가능성이 될 것이라고 말한다. 딜레마를 언제나 가능성으로 보고 싶다는 그의 전망에서, 이 시대 작가들에게 실린 책임과 기대에 대한 얼마간의 인정과 격려의 메시지를 조심스럽게 읽을 수 있었다.

루카치는 별이 빛나는 창공을 보고, 갈 수가 있고 또 가야만 하는 길의 지도를 읽을 수 있던 시대는 얼마나 행복했던가를 물었다. 다시 혹은 처음처럼, 숨은 별빛 아래 읽기 힘든 지도를 손에 쥐고 걸을 수밖에 없는 시대이다. 닿아야 할 곳을 향해 오직 걷는 것으로 도달해야 하는 발걸음들.

▸▸**설문3** 글쓰기(시, 소설, 비평)에서 선생님이 가장 중시하는 가치는 무엇입니까?(자신의 글쓰기가 속한 장르를 중심으로 쓰시면 됩니다.)

존재와 시대의 자장을 떠날 수 없는 시……. 리얼리스트가 아닌 시인은 죽은 시인이다. 그러나 리얼리스트에 불과한 시인도 죽은 시인이라고 네루다는 말했다. 모든 경계에서 마주치는 아포리아는 가장 중시해야 할 가치에 대한 문학적 고민을 안겨준다.

▸▸**설문4** 선생님은 비교적 이른 시기에 등단을 했다고 평가되고 있습니다. 선생님(혹은 당신과 비슷한 연령의 세대)에게 있어서 '문학'의 의미는 무엇이며, 선배들과 어떻게 다르다고 생각합니까?

지금까지 논의의 방향이 문학을 '시대적·재현적 체제'로 보는 관점으로 흐른 것 같다. 그러나 최근 어느 시인의 언급에 기대지 않는다하더라도 문학은 어디까지나 '미학적·감성적 체제'이다. 이와 함께 랑시에르가 주장하는 새로운 '예술의 민주적 성격'에 대해 조심스럽게 떠올려본다.

궁극적으로 주체로서의 모든 작가는 전무후무한 문학을 꿈꾼다는 점에서 별이며, 결코 전무후무하지 않다는 점에서 별과 별 사이의 거리를 갖고 있지 않을까. 다분히 계보학적 관점으로 묶을 수밖에 없는 선대의 문학과 같은 방식으로 묶일 가능성이 많은 후대의 문학에서 변별점을 찾는 것이 유의미한 작업일까. 세대적 분절이 분절 자체로 귀결되지 않기 위해서는, 그 목적에 대한 재탐구와 분절들의 동반에 대해 귀 기울여야 할 것이다.

▸▸**설문5** 지금, 한국문학에서 '극복'되어야 할 것이 있다면 무엇이라고 생각합니까?

정치위기론과 함께 풀어보려고 한다. 문학을 정치위기론의 주요 모형에 중첩시켜 보면 다음과 같다.

① **분석모형**: 사회경제적 근대화가 진행되면 투입초과라는 무게를 견디지 못하고 문학위기와 퇴보의 국면을 맞을 수 있다.
② **기대상승이론**: 빠른 도시화 진행, 매스미디어 발달, 높은 문자해독력 등으로 인해 기대심리가 올라갔지만 실질적인 성취와는 거리가 있어 이것이 문학적인 불안정의 중요한 요인이 된다.
③ **J커브이론**: 갑작스런 불황기에 접어들면 호황일 때의 기대 및 만족감이 좌절로 급격하게 변화되어 반체제적인 성향으로 나타난다.

④ **관료적 권위주의적 관점**: 급격한 산업화는 필연적인 문학위기를 동반하고 관료적 권위주의체제를 출범시킨다.

그렇다면 대안은 있는가. 우리가 문학에게 요구할 수 있는 최선은 총체적인 아포리아를 견뎌내면서 그것의 경계들을 더욱 확장시키는 일이다. 이는 예술에는 한계가 있다는 것, 즉 예술은 항상 자신안의 타자 그리고 자신의 타자(비문학)와의 대결 속에 처해 있다는 점에 닿아있다. 문학의 일차적인 임무는 자신의 '한계의 한계'를 인식하는 것에서 출발해야 한다. 그리고 이미 출발한다. 문학의 위기와 종언이 문제가 아니라, 수많은 내면적 타자와 정치와 과학이라는 타자 속에서 문학 자신의 진화를 모색하는 것이 관건이다. 이것이 바로 우리가 우리에게 제시할 수 있는 가장 반성적인 대안이 아닐까.

임세화

1984년 대전 출생
2007년 창비신인문학상에 소설이 당선되어 등단
동국대 국문과 석사과정 재학 중
farewell_i@hanmail.net

▸▸ **설문1** '88만원 세대'라는 용어가 강력한 지시력을 발휘하면서 70년대 후반~80년대 초반에 태어난 작가들의 문학적인 경향을 그 단어와 연관시켜 설명하려는 움직임이 있습니다. 이러한 세대 관련 논의에 대한 선생님의 생각은 어떠합니까?

나와 내 또래들을 묶어 설명해주는 말이 '88만원 세대'라는 것을 잘 이해할 수 없었다. 항상 의아했다. 그 용어 자체가 낯설고 불가해한 것인지, 내 스스로가 딛고 선 세계를 제대로 바라보지 못하고 있는 것인지 알 수 없었다. 언제라도 그 말은 물음표 같았다.

얼마 전 출퇴근을 하는 사무직 아르바이트를 경험했다. 개인적인 편견이었겠지만 나도 직장에 다닐 수 있는 사람이었구나, 라는 생각에 놀랐다. 그리고 정확히 한 달을 일하고 입금된 월급이 879,800원이어서 더욱 놀랐다. 농담처럼 '88만원 세대'라는 말을 떠올리자마자, 가슴 한가운데가 묵직해져왔다. 스스로는 내려놓을 수 없는 돌이 얹어진 것처럼.

나를 포함한 내 친구들의 절반은 '취업준비생+백수'이고 나머지 반은 비정규직 직장인이다. 그렇지만 우리는 스스로를 '88만원 세대'라고 말하지 않는다. "우리는 88만원 세대"라고 말하는 것은 쉽다. 만약 그렇게 단언한다면 각자의 꿈과 현재에 덜 가책 받을 수도 있었을 것이다. 그런데 왜였을까. 우리는 단 한 번도 스스로를 그렇게 명명하지 않았다.

가끔은 상상을 한다. 내 부모와 내 부모의 부모와 그보다 더 오래 전의 시간을 살아냈던 사람들의 젊음에 대해서. 그들의 젊음, 그 서툴고 뜨거웠을 시간들이 지금과 같았을 것이라는 상상과 지금과는 같지 않았을 것이라는 상상이 뒤섞여 결국엔 가슴에 커다란 물음표 하나만 각인처럼 남는다.

너무도 자명한 상황들이 있다. 아마 '88만원 세대'의 상황도 그럴 것이다. 나 자신도 그것을 부정할 수는 없다. 그러나 그 자명함이 문학과 관계된다면 차라리 나는 그것을 미로 속에 던져 넣고 싶다. 우리는 아직도 '젊음'을 살아가고 있는 중이고, 스스로의 답조차 내지 않고 있는 중이다. 너무나 커다랗게 보이는 어떤 것이 그 주위의 수많은 것들을 시야에서 흐릿해지게 만드는 순간들이 있을 것이다. 나는 언제라도 그때가 두렵다.

▸▸**설문2** 한국문학사에서 선생님(또는 비슷한 시기에 등단한 작가들)의 위치는 어디라고 생각합니까?

지금은 이미 죽고 없는 한국 작가들의 소설을 아껴 읽어가던 날들이 있었다. 아마도 필명인 듯한 작가의 이름만 붙여진 채로 문학사에 기록 한 줄이나 사진 한 장 남기지 않고 도서관 구석에서 먼지와 시간만을 오롯이 견뎌내고 있던 소설들을. 누렇게 변해 바스락거리는 종이에서는 오래된 시간의 냄새가 났지만, 여린 물줄기가 흐르듯 세로쓰기로 인쇄된 문장 사이사이에서는 금방이라도 땀방울이 튀어 오를 것만 같은 뜨거움이 느껴졌다.

만약 내가 나의 어떤 위치를 상상하고 정의해야 한다면, 감히 그 옛날의 그들처럼 가슴 뜨겁게 소설을 사랑하고 있을 뿐이라고밖에 말할 수 없을 것 같다. 그것보다 더 진실한 고백이 아직 나에게는 없다.

다만 지금 내 눈앞에 멈춰 있는 시간들……. 매체를 통해 전해지는 지구 반대편의 전쟁과 테러, 풍문 같은 혁명들, 천안호의 침몰 이후, 용산참사, 가난한 누군가의 자살 그리고 그것들이 다시 재생되고 반복되는 순간의 참을 수 없는 이물감과 죄의식……. 어쩌면 고개를 돌리거나 어느 한 편으로 확신하는 일은 좀 더 쉬울 수 있을 것이다. 그러나 문학과 동시에 나는 아직 나의 이십대를 살아가고 있다. 나는 내가 인식하고 목도하는 모든 것들에 예민하고 양심적이고 싶어 하는 시기를 살아내고 있는 중이라는 것을 부정할 수 없다. 죄와 양심 따위를 거론하는 일조차 스스로를 기만하는 것이라는 걸 안다. 그렇기 때문에 더 조심스럽고 고통스럽다. 그러나 그 모든 것들을 온몸으로 껴안고 가야하는 것 또한 온전히 지금 나의 몫이며 위치일 것이다.

▸▸ **설문3** 글쓰기(시, 소설, 비평)에서 선생님이 가장 중시하는 가치는 무엇입니까?

문장을 써내려갈 때마다 한참을 망설이곤 한다. 내가 나를 속이고 있는 것은 아닌지 자꾸만 뒤돌아보게 된다. 내가 가진 언어를 신뢰하지 못하는 것이다. 그리고 아직 능숙하지 못한 것이다.

적어도 내가 확신하지 못하는 것에 대해서는 쓰고 싶지 않다. 그리고 동시에 내가 완전히 확신하는 것에 대해서도 쓰고 싶지 않다. 아마도 그것은 기억의 문제이고 시간의 문제일 것이다. 나 또한 간사한 인간임을 망각하고 싶지 않은 것이다. 내 좁디좁은 세계 안에서 혹시라도 무의식이 내 윤리의 바깥으로 튀어나가는 순간이 나는 두렵다.

가장 강한 것은 시간이라는 말을 믿는다. 어쩌면 그것은 내가 신뢰하는 단 하나의 것이다. 소설 안에서의 시간, 그 바깥에서의 시간, 별의 시간, 인간의 시간, 모든 죽음 이후의 긴긴 시간들……. 아주 많은 시간이 지나 내가 나의 글을 다시 읽었을 때, 그때 나는 거짓말을 하고 있었다고 생각하지 않을 수 있도록 노력하고 싶다. 무언가를 단정 짓거나 강요하거나 타인들의 소중한 시간과 호의를 우습게 만들어버리고 싶지 않은 것이다.

▸▸ **설문4** 선생님은 비교적 이른 시기에 등단을 했다고 평가되고 있습니다. 선생님(혹은 당신과 비슷한 연령의 세대)에게 있어서 '문학'의 의미는 무엇이며, 선배들과 어떻게 다르다고 생각합니까?

서울에 처음 올라오던 날을 기억한다. 바람이 시리게 불어왔고 너무 많은 사람들이 한 량의 지하철 안에서 한꺼번에 이리저리 흔들리고 있었다. 그들은 모두 같은 곳으로 가고 있는 것처럼 보였지만 어느 순간 눈을 떠보니 내 주위에 있던 사람들은 다 사라지고 새로운 사람들이 서서 이리저리 흔들리고 있었다. 그날은 아빠에게 '지하철 타는 법'을 처음 배운 날이었다. 나는 아빠 손을 꼭 붙잡고 과천에서 충무로까지 가는 지하철을 타는 방법과 도중에 지하철을 갈아타는 방법 따위를 배웠다. 그리고 아빠는 학교 안까지 들어가 건물의 출입구와 계단의 동선을 찾아주고 강의실 문 앞에서 호수를 거듭 확인시켜주었다. 지금 생각해보면 아마 그 정도가 서울에서 아빠가 내게 해줄 수 있는 최대치였을 것이다. 아빠는 집에 돌아가는 내내 헷갈리는 부분들을 여러 번 설명했지만, 다음날 나는 화살표를 구분하지 못하고 반대 방향으로 가는 지하철에 몸을 실었다. 나는 장애가 있는 병아리 같았다.

스무 살, 처음 소설을 썼을 때 그것은 내 손으로 그리는 지도처럼 느껴졌다. 신기하고 놀라웠다. 진짜 어른이 된 듯한 느낌이었다. 소설과 시를 읽고 쓰면서 처음으로 내 스스로 기꺼이 하는 것들이 생겨나기 시작했다. 한 번쯤 지하철을 잘못 타도 상관없다고 생각할 수 있게 되었고, 맞은편에 앉아 같은 방향으로 가고 있는 사람의 거친 손가락을 찬찬히 들여다볼 수도 있게 되었다. 혼자서도 잘 할 수 있을 것 같은 것들의 목록이 점점 늘어났다. 소설과 함께 나는 정말 어른이 되어가고 있었다.

아마도 첫사랑 같은 것이었다고 말해도 될까. 나와 내 학과 친구들은 아예 취업을 하지 않거나 잘 다니던 회사를 그만두면서까지 소설을 썼다. 소설이 아니라면 모든 게 무의미한 것처럼 느껴졌다. 우린 모두 지독한 사랑에 빠져 있었다. 그로 인해 우리는 정규직 직장인이 될 수 있는 기회를 영영 놓쳐버렸지만, 그 대신 우리는 더 많은 것들을 생각하고 고민하고 꿈꿀 수 있었다. 우리가 가장 살아 있는 어떤 순간.

현재의 문학에 대한 담론들을 접할 때마다 나는 심한 부끄러움과 무력감을 느낀다. 동시에 지금은 죽고 없는 사람들의 논쟁이나 사상, 소설들을 대할 때에도 나는 어떤 죄책감에서 자유롭지 못하다.

나에게 문학은 여전히 신성한 어떤 것이다. 그것의 권위와는 별개로 나는 내가 문학 안에서 숨 쉬고 있다는 것만으로도 감사와 행복을 느낀다. 인간의 삶 안에서 문학의 몫이 있음을 나는 의심하지 않는다. 때로 그것이 경멸과 번민과 회의를 가져다준대도, 혹은 그것이 거의 전부일지라도. 그런 점에서 문학의 의미는 조금도 달라지지 않았다. 그것은 여전히 끝나지 않은 연애이다.

▸▸ **설문5** 지금, 한국문학에서 '극복'되어야 할 것이 있다면 무엇이라고 생각합니까?

'한국문학'에서 '극복'되어야 할 것이 무엇인지 사실은 잘 모르겠다. 그렇지만 내가 질문을 내 식대로 이해한다면, 그것의 방점은 언제라도 '문학'에 찍혀 있어야 한다고 생각한다. '한국'의 문학에 방점을 찍은 질문이나 과제로는 결국엔 어떠한 답이나 유익한 방향도 찾지 못할 것만 같다. 그것은 단지 한때 불어오는 바람처럼 무상하게만 느껴진다. 그리고 '문학'+'극복'은 아직 내게는 동시에 이해하기 조금 버거운 단어들이다. 만약 극복이라기보다 두고두고 풀어나가야 할 숙제 같은 것이 있다면 그것은 한국어에는 존재하지 않는 특수한 형태의 언어나 화법들에 대한 고민이 아닐까 생각한다.

정영효

1979년 7월 29일생
2009년 서울신문 신춘문예로 등단
동국대 대학원 박사과정 재학 중
05ji@naver.com

▸▸**설문1** '88만원 세대'라는 용어가 강력한 지시력을 발휘하면서 70년대 후반~80년대 초반에 태어난 작가들의 문학적인 경향을 그 단어와 연관시켜 설명하려는 움직임이 있습니다. 이러한 세대 관련 논의에 대한 선생님의 생각은 어떠합니까?

세대와 관련한 논의, 즉 세대론은 우리 문단사에서 매번 반복적으로 대두되는 논의 같습니다. 아무래도 이런 논의들의 요점을 기성세대들과 새롭게 등장한 세대들의 차이를 모색하거나 이를 통해 경쟁을 유발시키는 것으로 오인하기보다 새로운 세대들에 대한 기대감의 표출로 생각하고 싶습니다. 그러나 최근에 '88만원 세대'라는 용어가 등장하는 것은 일정 부분 기성세대들에 의해 좌우되는 세대의 불운함으로 초점이 맞춰지고 있는 것은 인정해야 할 것입니다. 물론 이런 점들을 부인할 수는 없지만 결국 중요한 것은 이 논의를 수용자들이 '인정투쟁'으로 여기지 말고 일정 부분 '88만원 세대'의 고충에 대한 이해로 이어졌으면 합니다.

▸▸**설문2** 한국문학사에서 선생님(또는 비슷한 시기에 등단한 작가들)의 위치는 어디라고 생각합니까?

여전히 가능성은 있지만 확인되지 않은, 많은 요구들을 몸에 안고 있지만 그 요구들에 대한 구체적 방향성을 확신하지 못하는, 그래서 경계를 지울 수 없는 위치에 있다고 생각합니다. 물론 기발하거나 새로운 의식이 투여된 작품을 창작하는 작가들도 자주 목격되지만, 결국 그런 판단들의 상층에는 이전의 상황이 자리하고 있고 그들에게 우선 인정을 받아야 한다는 일종의 강박관념도 지니고 있습니다. 결국 자신이 쓰고 싶은 것과 남들이 요구하는 '사이'에서 방황하고 있으면서 두려움과 희망을 동시에 지닌, 아직 확실하지 않은 잠재적 위치에서 부유하고 있습니다.

▸▸ **설문3** 글쓰기(시, 소설, 비평)에서 선생님이 가장 중시하는 가치는 무엇입니까?(자신의 글쓰기가 속한 장르를 중심으로 쓰시면 됩니다.)

글을 쓸 때마다 늘 다가오는 질문 중의 하나가 과연 '시'란 무엇일까라는 본질적인 물음입니다. 여전히 습작생으로 제 자신을 위치시키고 많은 조언들을 경청하지만, 시를 처음 접했을 때의 상황과 시를 쓰겠다고 다짐했던 상황, 그리고 등단 후 현재 시를 쓰고 있는 상황 사이에 많은 변화들이 있었고 그 변화의 가치를 떠나서 그 변화 자체가 가끔은 부담스럽게 다가오는 것도 사실입니다. 그래서 시를 쓸 때마다 과연 '시'가 무엇인지에 대해 자문하고 그것이 지향해야 하는 점들에 대해서 고민하는 편입니다. 이런 것들은 결국 산문이 아닌 '시'가 가진 잠재력과 고유성을 살리고 싶다는 생각으로 이어지고 스스로 장르의 특성에서 벗어나지 않는 것이 제가 가진 직분이라고 생각합니다. 무엇보다 그것을 표출하기 위해서는 주위의 시선보다는 제 자신에게 솔직해야 할 것 같습니다. 환언하자면 시쓰기에서 제가 가장 중시하는 가치는 주변의 시선에 흔들리지 않고 시 속에서 내 자신에게 얼마나 충실할 수 있느냐는 믿음인 것 같습니다.

▸▸ **설문4** 선생님은 비교적 이른 시기에 등단을 했다고 평가되고 있습니다. 선생님(혹은 당신과 비슷한 연령의 세대)에게 있어서 '문학'의 의미는 무엇이며, 선배들과 어떻게 다르다고 생각합니까?

참 어렵고 난감한 질문입니다. 개인적으로 문학은 가장 가까이에 있는 유희 공간입니다. 더 범박하게 말하자면 놀이터이기도 하고 침실이기도 합니다. 물론 문학이 사회적으로 또는 역사적으로 어떤 역할을 할 것인가도 중요할 수 있겠지만 저에게는 여전히 문학은 동경의 대상이고 아직 올라가야 할 무수한 계단과도 같습니다. 사실 선배들이 시대적 상황을 통해 문학에서 많은 의미들을 도출했지만 저는 그것들에서 어느 정도 자유로운 시대에 살고 있다는 것이 한편으로는 행복하고 다른 한편으로는 혼란스럽기도 합니다. 그러나 저에게 있어 문학은 우선은 개인적인 영역이고 그곳에서 나타나는 어떤 요소들이 누군가와 소통한다면 더 없이 즐거울 뿐입니다. 물론 이것들은 제가 글을 쓸 때 가지는 문학의 의미일 것입니다. 거시적인 문학의 의미를 묻는 것이라면 그에 대한 대답은 보류하겠습니다.

▸▸ **설문5** 지금, 한국문학에서 '극복'되어야 할 것이 있다면 무엇이라고 생각합니까?

자신의 신념이나 믿음을 타인에게 강요하지 않았으면 합니다. 가치는 변할 수 있고 개개인이 가지는 생각은 무한대이기 때문에 그것들을 남에게 주입하고 다시 그것들에 종속시키지 않았으면 합니다. 이걸 어떻게 한마디로 표현해야 하는지 모르겠지만, 이기심 혹은 자만심이라는 말로 대신할 수 있을까요? 鬪

정용준

1981년 광주 출생
2009년 현대문학 신인상 단편「굿나잇, 오블로」로 등단
조선대학교 러시아어과 졸업 및 동대학원 문예창작학과 석사과정 수료
sfcyjlove@naver.com

▸▸**설문1** '88만원 세대'라는 용어가 강력한 지시력을 발휘하면서 70년대 후반~80년대 초반에 태어난 작가들의 문학적인 경향을 그 단어와 연관시켜 설명하려는 움직임이 있습니다. 이러한 세대 관련 논의에 대한 선생님의 생각은 어떠합니까?

1999년 12월의 마지막 날이 생각난다. 세계는 2000이라는 비현실적인 완전한 숫자 앞에서 긴장했다. 기쁨과 설렘 속에서도 밀레니엄 버그라는 모종의 공포가 페스트처럼 언론을 감염시키며 사람들을 두렵게 만들었다. 드디어 2000년이 오셨다. 난 아직도 첫 날의 풍경을 생생히 기억하고 있다. 세상은 버려진 냉장고 속처럼 텅 비고 황량했다. 생각보다(생각처럼) 별로였던 2000년의 허망한 도래를 수습하느라 모두가 머쓱한 표정으로 '새해 복 많이 받으세요.'라는 인사를 주고받았던 것 같다. 그렇다. 우려했던 대란은 일어나지 않았고, 자동차는 하늘을 날지 않았으며, 봄도 서둘러 오지 않았다. 아무 일도 일어나지 않은 것이 더 이상한, 참으로 이상한 날이었던 것 같다. 나는 99학번과는 느낌부터 다른 싱싱하고 파릇한 00학번으로 당당히 대학에 들어갔다. 세기말적인 99학번과 아직 발아도 안 된 단단한 씨앗 같은 00학번이 다정하게 손잡은 세대가 바로 '88만원 세대'다. 그 후로 십년이 흘렀다. 대다수의 학과는 쿨 하게 '공무원 시험 준비 학과' 라는 이름으로 명칭을 바꿔 통폐합해야 할 지경에 이르렀고 '도전' '꿈' '비전' '희망' 같은 긍정적인 단어들은 결국 '안정'이라는 종착역으로 향하는 간이역으로 전락했다. 이런 현실 가운데 글을 써보겠다고 힘쓰고 애쓰는 것을 뭐라고 표현하면 좋을까. 모두가 가난해져 버린 이상한 세계 앞에 서서 바통을 이어받기 위해 기다리고 있는 달리기 선수 같은 마음이랄까. 누구와 경쟁하는지도 모르면서 이미 뒤

처져 있다는 자각과 절망감에 사로잡혀 아무도 응원해주지 않는 텅 빈 스탠드를 쳐다보고 있는 기분이랄까. 이 세대가 갖고 있는 참담함은 그 전 세대가 겪은 다이나믹한 긴장과 화려한 몰락과는 차원이 다른 것이다. 심심하고 재미없고 소소하다. 재처럼 고요하게 내려앉은 폐허 사이를 산책하는 것 같다. 세대가 달라지면 경향이 달라지고 소재가 달라지며 문학성이라고 부르는 정신 같은 것들도 달라진다고 믿는다. 단지, 바라기는 이토록 매력 없는 세대를 바라보고 또 그 중심에서 살고 있는 우리들의 회의와 글이 어떤 방식으로든지 의미가 있기를 바랄 뿐이다. 하지만 나는 막연하게 낙관하는 성격은 아니며, 때문에 종종 슬프다.

▸▸**설문2** 한국문학사에서 선생님(또는 비슷한 시기에 등단한 작가들)의 위치는 어디라고 생각합니까?

역사적 의미와 가치는 후대에서 결정하는 것이기 때문에 결론적으로 말하면 잘 모르겠다. 다만 위치라는 단어와 의미에 대해서는 좀 복잡한 생각이 든다. 자문해봤다. 우리(나)는 어디에 위치하고 있는가? 그곳에서 무엇을 하고 있는가? 격동의 사건(전쟁, 분단, 산업화)의 경험이 부재한 우리의 소소한 삶의 조건들은 과거 아웃사이더들의 불꽃같은 삶의 태도와는 다르다. 아주 가끔 촛불을 들기도 하지만 주로 실내에서 키보드를 두드리고 모니터로 세상을 감상하거나 관찰한다. 키보드를 이용해 가상의 공간에 텍스트를 박아 넣으며 세상에 회의하고 저항하기도 하고, 정신과 취향이 비슷한 사람들끼리 교제하기도 한다. 정도의 차이는 있겠지만 나를 비롯한 젊은 작가들의 보편적 문화와 정서는 인터넷이라는 가상의 공간에 랜선처럼 단단하게 뿌리 박혀 있다. 나는 우리가 지금 피시방에 위치해 있다고 답하고 싶다. 제로에 가까운 행동력과 무표정한 얼굴로 한데 모여 헤드폰을 통해 취향에 맞는 음악을 듣고 각각의 모니터를 응시하고 있는 피시방의 풍경. 이미 많은 이론가들과 선배들이 해체에 대해, 거대담론의 소멸에 대해, 문학의 종언에 대해 말해왔다. 이런 전망 가운데 우리를 어떠한 경향으로 묶는다는 것은 무리가 있어 보인다. 혹, 묶는다 할지라도 힘 빠지는 결과만 나올 것이다. 중요한 것은 우리들은 모니터 앞에서 여전히 쓸 것이라는 점이다. 포스트 후의 명명을 포스트 포스트로밖에 할 수 없는 문학의 실존을 충분히 알고 있다. 동시에 크게 신경 쓰지도 않는다. 그것이 우리들의 힘이고 한계라고 생각한다. 비참한 전망 가운데서도 여전히 쓴다는 것과 크게 휘둘리지 않는다면 늘 그래왔듯 문학사는 어떤 방식으로든 전진한다고 믿고 싶다.

▸▸**설문3** 글쓰기(시, 소설, 비평)에서 선생님이 가장 중시하는 가치는 무엇입니까?

작가가 자기의 눈을 통해 본 현실적 인생을 구성적(構成的)으로 서술한 창조적 이야기. 이 문장은 한 포털사이트를 통해 검색한 소설의 정의다. 이 정의는 아주 허약하고 편협한 정의라고 생각한다. 어떤 소설들은 자기의 눈, 현실적 인생, 구성적, 이야기, 같은 정의의 요소들이 완전하게 결여된 소설도 있다고 생각하기 때문이다. 그럼에도 불구하고 나는 이 문장의 마지막 부분에는 어느 정도 동의한다. '창조적'. 조금 더 적확하게 표현하면 '창조적'을 '상상력'으로 바꾸면 좋겠다. 상상력에 대해서는 언제나 절실함을 느낀다. 상상력은 서사만을 만들어내기 위한 능력이라고 생각하지 않는다. 문장과 단어 그리고 글에서 느껴지는 온도와 모종의 정서. 이 모든 것들을 잘 드러내기 위해서는 상상력이 필요하다. 신이 아닌 이상 나에게 있어 창조란 상상이다. 나는 지금도 상상하고 있다. 그리고 그 상상이 가능하면 나만의 것이기를 바라는 것이다.

▸▸**설문4** 선생님은 비교적 이른 시기에 등단을 했다고 평가되고 있습니다. 선생님(혹은 당신과 비슷한 연령의 세대)에게 있어서 '문학'의 의미는 무엇이며, 선배들과 어떻게 다르다고 생각합니까?

문학은 삶이다. 아주 촌스러운 의미 같지만 이 정의가 내게는 가장 정확하다. 겨우, 등단을 했다. 그리고 계속 글을 쓸 생각이다. 그것은 문학 이외에 다른 것들을 함께 하는 것이 매우 곤란함을 의미한다. 나는 등단 후 이것을 절실하게 느꼈다. 다른 것을 겸하면 글을 쓰기 힘들었고, 글만 쓰면 생활에 필요한 많은 것들이 근심스러웠다. 즉, 나는 삶에 필요한 소소한 생활의 조건들과 취미생활과 특기, 또한 만나는 사람들까지 문학을 통해 해결해야 한다. 하지만 나는 그것을 원했고 그것이 좋다. 꼬리를 물고 생길 여러 문제들과 주눅 들게 만들 비교까지 감수하기로 마음먹을 만큼 맘에 드는 삶이라고 생각한다. 이런 의미라면 선배들도 비슷하지 않을까? 단지 선배들의 문학은 세계와 사회적 상황 가운데 만들어졌다면(사회가 선배들을 개인의 삶으로 살 수 있도록 가만두지 않았을 것이다) 나는 문학이 내 삶과 가까운 자리에서 탄생되고 만들어진다고 생각한다. (심지어 사회에 어떤 상황과 유행들에 휘둘리지 않아야 문학에 더 가깝다고 생각될 때도 있다.) 결과적으로는 큰 차이가 없다. 다만 세상이 많이 바뀌었다.

▸▸ **설문5** 지금, 한국문학에서 '극복'되어야 할 것이 있다면 무엇이라고 생각합니까?

최근에 쟁점이 되었던 몇 가지 것들이 생각난다. 장편소설의 갑작스런 성장이랄지, 2차 텍스트에 대한 논의랄지, 인터넷으로의 지평을 넓힌 카페나 웹진의 등장이랄지. 나는 이러한 이슈의 중심에 미디어가 있다고 생각된다. 미디어를 극복하자! 라는 주장이 아니다. 문학과 미디어가 만나고 있는 방식에 대한 약간의 우려와 회의감이 든다. 조금 더 분명하게 말하면 문학이 미디어를 만나 미디어적인 문학이 되어가고 있는 것에 대한 우려다. 가독성이 좋은 글, 대중적인 글, 영화로 만들어지고 있는 글, 이러한 글을 폄훼하고 싶은 생각은 조금도 없다. 또 그런 평가를 받아서도 안 된다. 다만, 문학이 만들어지는 순간을 미디어가 위협하고 있다는 생각 때문에 걱정이 된다. 문학이 가지고 있는 본질적인 어떤 점이 가독이 쉬워지고 대중적으로 되고 영화로 만들어진다면 좋겠지만 최근의 대다수의 글들이 미디어 텍스트로 바뀌기 쉽게 처음부터 생산되고 있다는 인상을 받는다. 고유한 문학작품의 최종 단계가 미디어가 되기 위한 일종의 또 다른 모티프나 소스가 되면 절대로 안 되겠지만 어쩐지 요즘에는 조금은 그런 것 같아 마음이 답답할 때가 있다. 왜 이런 현상이 일어날까? 하나마나한 소리지만 돈 때문이다. 작가들이 돈 때문에 어떤 글을 의도적으로(작가적 정신에 맞지 않음에도 불구하고) 쓰고 있다면 이것은 작가의 문제일까? 작가들이 그럴 수밖에 없도록 만든 사회의 문제일까? 등단도 하나의 시험이라고 치자. 이 시험은 웬만한 시험들의 경쟁률과 비교할 수 없을 만큼 어렵고 힘든 것이다. 그런데 이 시험을 통과한 사람들에게 주어진 현실적 효용은 개인적 성취감과 약간의 상금, 그리고 막막한(청탁이 올지 안 올지 장담할 수 없이 그저 기다려야 하는) 미래다. 이런 상황에서 막연히 극복해야 한다고 주장하는 것이 무책임하지만, 그렇다고 안 할 수도 없는 지금의 현실. 이제 막 등단한 신인인 나는 가끔 혼란스럽다. 鬪

한세정

1978년 서울 출생
2008년 『현대문학』으로 등단
고려대 국문과 박사과정, 현 안양과학대 강사
hsj0324@hanmail.net

▸▸**설문1** '88만원 세대'라는 용어가 강력한 지시력을 발휘하면서 70년대 후반~80년대 초반에 태어난 작가들의 문학적인 경향을 그 단어와 연관시켜 설명하려는 움직임이 있습니다. 이러한 세대 관련 논의에 대한 선생님의 생각은 어떠합니까?

연역적 논법으로 탄생된 지시어는 어느 정도 무리수를 두고 있다고 생각합니다. 새로운 용어의 탄생은 또 다른 문학의 가능성을 보여주는 것일 수도 있지만, 한정된 용어로 여러 작가들을 봉합함으로써 오히려 다양한 문학의 가능성을 차단하는 문제점을 낳을 수도 있습니다. 세대 논의는 바로 그 지점에서 폭력성을 지닙니다. 이는 해당 논의에 포섭되는 작가나 그렇지 않은 작가 모두에게 부정적으로 작용할 수 있습니다.

왜 한정된 담론 속에 작가들의 목소리를 함몰해야 할까요? 세대 담론은 작가들의 다채로운 결을 뭉뚱그려 놓습니다. 이는 거시적 관점 아래, 결코 간과해서는 안 될 작가들의 미세한 촉수들을 놓치는 결과를 초래합니다. 따라서 '88만원 세대'라는 획일적 논법보다는 좀 더 다양한 방식으로 작가들을 이해해야 할 것입니다. 명명하고 호명하는 데 집중하기보다는, 명명하는 순간 휘발되고 거세되는 것들을 신중하게 살펴볼 필요가 있죠. 같은 맥락에서 출생년도나 등단년도가 비슷하다고 해서, 혹은 동시대를 관통했다고 해서 같은 세대나 부류로 엮는 잣대 역시 재고돼야 하지 않을까요? 더욱이 문학의 진정성이 동일성의 확인이 아니라 다르게 생성된 차이를 발견하는 것이라면, 우리는 이런 질문으로부터 보다 자유로워져야 한다고 생각합니다.

▸▸**설문2** 한국문학사에서 선생님(또는 비슷한 시기에 등단한 작가들)의 위치는 어디라고 생각합니까?

사적(史的) 관점으로 한국문학이 기술될 때는 〈과거–현재–미래〉라는 선형적 시간이 기본 전제가 됩니다. 이때 시간의 의미는 물리학적 개념을 초월합니다. 사적(史的) 의미로서의 시간은 오랜 기간 누적되어온 역사적 권위로부터 자유롭지 못합니다. 〈과거–현재–미래〉의 역사적 의미를 감당해야 하는 문학의 장(場)은 이런 경향이 더욱 강합니다. 저를 비롯한 많은 작가들은 과거로부터 지금까지 이어진 견고한 미학적 규준의 압력과 더불어 미래를 이끄는 다른 문학에로의 전진이란 이중의 하중을 받고 있습니다. 어떤 이들은 뒤를 보라고 하고 어떤 이들은 앞을 봐야 한다고 말합니다. 이런 과부하적 상황 속에서 저는 어리둥절할 때가 많습니다. 아직 실체가 명확히 잡히지 않는 상태에서 구심력과 원심력을 동시에 작동시켜야 하니까요.

전 문학사는 그것이 형성될 때나 기술될 때, 모두 귀납적 방식으로 이뤄져야 한다고 생각합니다. 저는 연역적 방식의 폐해에서 벗어나 좀 더 자유롭게 제 자리를 마련하고 싶습니다. 효율적이지 못하겠지만 제 살갗을 부딪치며 고민할 때 비로소 제 위치가 마련될 수 있겠지요. 귀납적인 방식으로 천천히, 하지만 정직하게 말입니다.

▸▸**설문3** 글쓰기(시, 소설, 비평)에서 선생님이 가장 중시하는 가치는 무엇입니까?

시를 쓸 때 제가 가장 중시하는 것은 스스로에 대한 윤리를 지키는 것입니다. 제 자신의 윤리를 지키기 위해서 제가 느낀 감정을 당당하게 있는 그대로 이를 전사(轉寫)하려고 노력합니다. '나'라는 개별적 존재의 윤리가 바깥과 공명하는 윤리로 나아가는 것, 이것이 제 시쓰기입니다. 이처럼 저로부터 발견된 윤리의 외연을 확장할 때 저는 저를 넘어서는 시란 황홀한 괄호와 조우합니다.

이밖에도 저는 오직 시의 형식으로 감내해야 할 감정과 목소리가 있다고 생각합니다. 그래서 다른 형식으로는 발설될 수 없는 이 감정들을 시의 형식에 담아내기 위해 긴장합니다. 제 안에서 작동한 감정들이 시의 형식적 탄력을 받아 탄생되고, 여러 사람들에게 음미될 수 있다는 사실은 저를 항상 떨리고 서늘하게 만듭니다. 이 같은 선율 없는 노래의 존재 방식이 제가 중요하게 생각하는 시의 가치 중 하나입니다.

▸▸**설문4** 선생님은 비교적 이른 시기에 등단을 했다고 평가되고 있습니다. 선생님(혹은 당신과 비슷한 연령의 세대)에게 있어서 '문학'의 의미는 무엇이며, 선배들과 어떻게 다르다고 생각합니까?

제 세대의 문학은 무엇이라고 명확하게 규정하기 어렵습니다. 상대적으로 젊은 세대에 속하는 이 작가들은 각기 다른 목소리로 여러 다양한 것들을 자유롭게 말하고 있기 때문입니다. 이들의 방들은 너무 다채로워서 어떤 담론이나 용어로 쉽게 봉합되지 않습니다.

그런 측면에서 제가 속한 세대에게 있어 '문학', 즉 글쓰기의 의미는 '일기'를 쓰는 행위와 유사합니다. 일기는 지극히 개인적 영역의 글쓰기입니다. 작가의 관심에 따라 정치, 사회, 경제 등의 여러 국면들이 거세되기도 하고, 동의될 수 없는 혼자만의 감정들이 쓰이기도 합니다. 그러나 일기를 쓰는 순간 직관적 감정들이 발산하는 '독백'들은 어떤 장르보다 자유롭게 외부에 대한 자기를 발설하는 글쓰기라는 점에서 중요합니다.

젊은 작가의 이러한 개별적 감정과 감각의 작동방식은 선배들과는 변별됩니다. 제 세대는 무엇보다도 '나'의 감각과 감정에 집중합니다. 나의 감각과 맞닿은 바깥의 이야기를 '나만의 어법'으로 풀어내는 것이지요. 자신의 얼굴이 보이지 않을 때까지 자신의 얼굴을 응시하고 이에 대해 말하는 것, 이것이야말로 문학을 체현하는 방식, 제가 생각하는 문학입니다.

▸▸**설문5** 지금, 한국문학에서 '극복'되어야 할 것이 있다면 무엇이라고 생각합니까?

무엇보다도 지금 한국문학에서 필요한 것은 문학의 목소리가 다양해지는 것입니다. 이것은 작가나 비평가, 독자들 모두에게 해당되는 것인데요, 우리는 좀 더 자유롭게 문학을 즐길 눈과 귀와 입이 필요합니다. 단일한 귀와 목소리를 근거로 했을 때 낯선 문학은 자칫하면 난해하고 이해할 수 없는 문학으로 전락하고 맙니다. 그렇기 때문에 저는 요즘 문학은 '이해할 수 없다'는 진술이 내포한 위악성을 경계합니다. 텍스트의 미학적 가치 판단을 배제한 채 작품을 난해하다고 규정하는 행위는 결국 작가에게 모든 잘못을 떠넘기는 결과로 이어질 수 있기 때문입니다.

한국문학이 다양한 목소리를 가지기 위해서는 타 장르 간의 대화를 통한 문학의 지평 역시 확대되어야 할 것입니다. 이밖에도 각기 다른 영역에서 군림하는 미학적 권위의식도 경계해야 합니다. 당위로서의 문학을 벗어날 때 문학은 여러 방식으로 변형·생성될 수 있을 것입니다. 그러기 위해서는 문학을 창작하고 향유하는 사람들 모두 그들을 옥죄는 것들로부터 자유로워질 필요가 있습니다. 問

30대와 너무 닮아가는 20대

20대 세대론 메타비평

김 성 윤

1. 세대론의 과잉

지겨울 정도로 세대론이 넘쳐나고 있다. 세대론이 지겨우면서도 그로부터 쉽게 벗어날 수 없다는 상황은 결국 세대라는 프레임이 현재 대중정치의 문제설정에 그만큼 강력하게 착근되어 있다는 사실을 방증하는 것일지도 모르겠다. 돌이켜보면 1990년대 신세대 담론이 출현한 이래로 세대론이 이렇게 민감한 문제가 된 적이 있나 싶기도 하다. 당시에야 신세대라는 말 자체를 제도언론이 발명했기에 어느 정도 거리 두는 것이 가능했지만, 지금은 88만원 세대론 등이 시민사회로부터 제창됐다는 점, 그리고 담론 자체에 적실성이 작지 않다는 점 때문에 쉽게 물리치기가 어렵다.

이렇게 담론이 넘친다는 것은 그만큼 삶을 지시해줄 좌표가 넘친다는 이야기인데, 이것은 역설적으로 담론의 풍요 내지는 과잉으로 인해 20대들의 존재론적인 동요 또한 증폭될 수밖에 없음을 함축한다. 확실히 오늘날 20대는 놀랍고도 역설적인 상황을 맞고 있다. 그들은 때때로 동정을 받고 빈축을 사며 구설수에 오른다. 88만원 세대론은 20대가 경제적으로 궁핍하고 전망이 불투명하다는 현실을 상기시키고, 이들을 '개새끼'나 '잉여', '쓰레기' 등으로 묘사하는 담론들은 정치적으로나 문화적으로 체계에 순응할뿐더러 오히려 공모하는 풍경을 지적하고 있다. 반면 촛불세대론(이나 최근의 G세대론) 등은 일말이라도 희망의 가능성을 탐지하면서 기존의 피해자 관점이나 공모자 관점을 극복하고자 한다.

나는 지금의 20대가 피해자라면 얼마나 피해자인지 그리고 가해자라면 어떻게 가해에 공모하고 있는지 등등을 논하기에 앞서 일종의 윤리적이고 또한 인식론적인 반성이 앞서야 한다고 생각한다. 주지하다시피 오늘날 20대 청년에 관해 논한다는 것은 까다로운 일이 아닐 수 없지만 종종 우리는 그들을 논의의 대상으로 삼을 때 별다른 윤리적 책임감을 느끼지 못하곤 한다. 나는 정말로 세대정치라는 통념이 유효하다면 형식적(인 자유주의적) 민주화를 성취했던 386세대와 문화적 탈권위주의(와 소비자본주의)를 강조했던 (나를 포함한) 신세대가 각자의 실천들을 통해 오늘날의 신자유주의적 정치 형식을 견인했다는 점에서 먼저 머리 숙여 반성해야 한다고 생각한다. 88만원짜리 인생이 신자유주의 경제 질서와 정치적 합리성에 의해 탄생한 것이라면, 지금의 조건을 마련하거나 혹은 막아내지 못했던 데 대해 적어도 도의적 자책감을 느껴야 한다는 이야기이다. 물론 386세대와 신세대가 신자유주의 질서와 공모해왔던 역사를 분석하는 작업은 이 글의 범위를 벗어나는 것이지만, 나는 이들 세대의 입에서(혹은 지금의 20대의 입에서) 언젠가는 지난 과거에 대한 고백(내지는 폭로)이 제출돼야 한다고 생각한다. 최근의 담론 지형에서 20대는 필요 이상으로 너무나 많은 부담을 지고 있기 때문이다.

그에 덧붙여 20대 청년을 인식하고자 하는 기획 자체에 대해서도 어떤 곤란함을 확인할 필요가 있겠다. 그들이 어떤 주체인지를 확신한다는 것은 불가능한 일에 가깝다. 우리는 어떤 통계적 경향성을 참조할 수 있을지언정 '요즘 20대는 다 그래'라는 식으로 단언할 수는 없다. 이 문제는 존재론적인 문제이면서도 궁극적으로는 그 어떤 분석 주체도 자신의 대상을 추상화시킬 수 없다는 인식론적 난점과도 연결되어 있다. 그런데도 지금 우리 주변에서 20대를 묘사하는 담론들은 너무나 많은 주체의 형태들을 마치 일종의 스펙터클처럼 뿜어내고 있지 않은가. 절망에 빠진 20대와 희망에 찬 20대, 그리고 지금 우리의 위기를 구원할 20대와 그 위기를 오히려 가속화하는 20대.

물론 이 글을 쓰는 나로서도 오늘날 20대가 특정한 주체라고 단언할 만한 어떤 직관력도, 어떤 증험도 갖고 있지 않긴 마찬가지다.

그럼에도 불구하고 20대(와 그들을 둘러싼 담론 지형)에 대한 우리의 사유는 멈출 수 없는데, 왜냐하면 주체의 형태가 이렇게 난무한다는 것은 그 형태를 정식화하는 담론들이 그만큼이나 많다는 기묘한 현상이기 때문이다. 달리 말해 20대가 많은 것이 아니라 20대에 대한 그림이 너무 많다. 이러한 담론의 과잉 속에서 우리가 일정하게 발견할 수 있는 문제는 바로 담론의 동요 그 자체에 있을 것이다. 요컨대 20대라는 세대적 주체가 문제가 아니라 20대의 주체성에 부여되는 논리라든가 담론적 실천의 효과에 관해 의문을 제기할 필요가 있다는 것이다. 나아가 세대담론의 과열을 통해서 상대적으로 과소화되는 다른 담론도 있지 않겠는가. 만약 그렇다면 이것은 궁극적으로 담론 자체의 과잉을 통해서 비가시화되는 모종의 현실이 존재할 수 있음을 언뜻 내비치는 징후가 아닐까. 어쩌면 우리 사회가 가지는 모순적 형식이란 세대담론의 내부가 아니라 외부에, 심지어는 모든 담론들의 외부에 있을지도 모른다.

당연하게도 담론과 현실은 부단히도 동요한다. 그런 까닭에 지금의 청년이란, 현실에 관한 프레임 하에서는 벼랑 끝에 서 있고 미래를 향한 전략 속에서는 세계를 극복할 출발선 위에 서 있다. 우리는 이후의 논의에서 보게 될 것처럼 적어도 몇 가지 담론적 패턴과 마주하게 될 것이다. 가령 88만원 세대, 잉여, 개새끼 등은 20대가 현재 매우 위험한 상황에 있음을 암시한다. 여기서 위험하다는 것은 그들 자신이 위험에 처했다는 말이기도 하고 다른 한편으로는 사회 전체에 다분히 위험스러운 존재라는 말이기도 하다. 반면 그에 대한 대항적 현실 독해로서 『요새 젊은 것들』이나 이른바 G세대론은 20대에게서 절망이 아니라 희망과 가능성의 조건을 탐색한다. 다른 관점에서 보면, 이 두 가지 패턴이 단순히 양극화되어 있는 것만은 아니다. 예컨대 88만원 세대(그리고 그의 연장으로서 『혁명은 이렇게 조용히』)와 '요새 젊은 것들'은 20대가 현대사회에서 여전히 구원자가 될 수 있음을 역설하는 한편, 개새끼와 잉여 그리고 G세대(에 대한 비판적 독해) 등은 현재의 사회적 모순을 주도하거나 연장할 수도 있는 체계적 공모자라는 사실을 적시하기 때문이다.

2. 나락으로 떨어지는 '쿨'한 잉여인간

"그들은 지나치게 겁에 질려 있고, '쫄아 있다.' 좀 심하게 얘기하면, 지금 대학생들은 한 과목에서 F만 나와도 자신이 인생 낙오자고, 사소한 실수로도 취업에 실패할 수 있으며, 정말로 의미 없는 삶을 살게 되리라 두려워하는 것 같다."[1)]

"희망을 보여주는 것 자체가 실은 고문의 한 단계였다. 희망을 슬쩍 보여줬다가 그걸 움켜쥐려는 찰나 다시 빼앗아 버리는 것. 그것은 인간에게 말로 다할 수 없는 절망감을 안겨준다."[2)]

절대적 절망 상황이다. 궁핍화는 그들을 묘사하는 데 가장 자주 언급되는 언어다. 돈이 없고 집도 없어 끝내 결혼도 하지 못한다는 이른바 '3무' 현상은 그들의 경제적 궁핍화를 드러내주는 형태들이다. 포스트-97이라는 정세 속에서 초기 신세대를 끝으로 신졸취업(新卒就業)의 신화는 무참히 박살났다. 1998년 초, 노동에 대한 대대적인 공세 속에서 신규채용의 규모가 극단적으로 축소됐고 그나마 있던 기존의 일자리도 대폭 감소했다. 일각에서는 파시즘적 징후를 우려할 정도로 사회적 연대성은 소실되어 갔다. 당연히 그 자리에는 적자생존과 승자독식의 법칙이 자리했다. 비정규직 평균 임금 119만원에 20대의 평균 소득 비율 74%를 곱한 88만원이라는 기표는 그래서 더욱 설득력이 있었다. 386세대만 하더라도 '선동열 방어율'이라는 0점대 학점을 받아도 곧잘 취직을 했지만, 지금의 20대는 기껏해야 주유소나 편의점을 떠도는 '알바 인생'이거나 비정규직 신세인 것이 사실이다.

그런데 정작 문제는 궁핍화 이후에 응당 돌아와야 할 것으로 간주되는 운동정치의 형식이 발견되지 않는다는 점이다. 되짚어보면 미래에 대한 청년세대의 전망이 불투명했던 것은 오늘의 일만은 아니었다. 「서울, 1964년 겨울」에서도 『별들의 고향』에서도, 기형도의 시에서도 무라카미 하루키의 소설에

---

1) 우석훈, 『혁명은 이렇게 조용히』, 레디앙, 2009, 34쪽.

2) 우석훈·박권일, 『88만원 세대』. 레디앙, 2007, 309쪽.

서도, 당대의 청년들과 호흡하던 레퍼토리들은 세대적 우울증으로 채색되어 있었다. 그런데 오늘날 청년들은 시원을 알 수 없는 어떤 '희망 고문' 속에서 이 우울증을 색다른 방식으로 해소하려 하는 것으로 여겨지곤 한다.

> "결국 '쿨함'은 20대의 마지막 도피처다. 지금의 고립 상태가 집단에 대한 공포에서 발생했다는 것을 인정하지 못하는 알량한 자존심 때문에, 20대들은 차라리 '믿음 자체에 대한 불신'이 마치 자신의 정체성인 양 행동하게 되었다."[3]

공포의 강도 그 자체는 예전의 청년들이 마주했던 그것과 객관적으로 달라진 게 없다고 말하는 게 나을 것이다. 단지 이 공포심을 처리하는 방식, 공포라는 감정과 자기 자신이 맺게 되는 관계의 형식이 이전의 청년들과 달라진 것만은 분명해 보인다. 나는 언젠가 다른 글에서 88만원이라는 현실은 단순히 경제적 구조나 관념적 담론에 의해서만 만들어지는 게 아니라고 말한 바 있다. 오히려 20대를 옥죄는 현실은 88만원이라는 체계를 거부하는 두 가지 역설적인 실천들을 통해서야 비로소 완성된다.[4] 현실을 거부하고 88만원 이상을 향해 뛰거나 88만원의 바깥을 꿈꾸는 것이 바로 그것이다. 그래서 88만원 세대가 되기 싫어하는 그들의 몸부림은 다분히 역설적인 결과를 야기하게 된다. 88만원짜리보다 나은 일자리를 위해 투쟁하고 (예외적인 경우이긴 하지만) 88만원 따위의 삶을 벗어나기 위해 자아성찰을 하는 노력들은 '88만원'으로 표상되는 지금의 현실을 그대로 남겨두기 때문이다.

쿨(cool)하다는 것은 지극히 자기 보존적이고 자기 본위적인 실천 양식이다. 이 언어의 상상력이 어디에 기원을 두고 있건 간에 열악한 삶을 주술적 언어를 통해 견뎌낸다는 일반적 원리 자체에는 변함이 없다. 문제는 이 쿨함의 마지노선이 과연 어디까지인가 하는 데 있다. 쿨—애티튜드(cool attitude)가 가지는 난점이 바로 여기에 있는데, 정치에 대한 부정으로서 냉소주의나

---

3) 우석훈, 앞의 책, 240쪽.

4) 김성윤, 「88만원 세대의 초상: 끝없는 역설」, 『삶이 보이는 창』 71호, 2009.

상대주의에 빠짐으로써 정치 자체를 불가능하게 만드는 요인이 될 수도 있기 때문이다. 쿨함이 비참한 현실에 대한 명증한 인식이라는 점에서 정치의 중요한 출발점이 될 수 있는 것은 사실이지만, 바로 그 언어가 탄생하는 것과 동시에 정치의 가능성을 차단하는 가림막 역할을 한다는 점에서 이러한 양식은 정치의 퇴행을 알리는 전조이다.

여기서 나는 쿨-애티튜드가 낳은 '잉여'라는 발명품을 인용하고자 한다. 바로 이 따옴표 친 '잉여'에는 마르크스의 본래적 의미에 더하여 이 말을 사용하는 사람들이 생산한 주관적인 의미가 부가되어 있다. 이 언어의 발명가는 바로 그들 자신이다. 그렇다보니 이태백이나 88만원 세대 같은 기존 용어보다는 세대 내에서 거부감이 덜하다. 그리하여 온라인이 됐든 오프라인이 됐든 일상에서 '나는 88만원 세대요'라는 충동적 선언보다는 '나는 ㅋㅋㅋ 잉여잉여'라는 유희적 자조가 더 일반적이다. 게다가 이 언어에는 부정적이거나 자기파괴적인 의미도 덜하다. 기존의 유행어들이 경제적 상황을 직접적으로 언명함으로써 현실의 공포를 들춰냈던 것과 달리, '잉여-'가 결합된 합성어는 〈포켓몬스터〉의 캐릭터이기도 한 '잉어'라는 매개물을 통하거나 'ㅇ' 특유의 어감을 통해 예의 공포심을 냉소와 쾌감으로 둔갑시킨다.

그들은 이렇게 자기에 대한 무한한 배려와 함께 자신이 처한 부정적인 현실과 공생하고 있다. 『혁명은 이렇게 조용히』의 말미에 실린 어느 대학생의 글은 그런 의미에서 의미심장하다.

> "이미 누가 포장까지 끝내 놓은 상품들만 계속해서 소비하려 든다면, 20대는 딱히 쓸 만하지도 쓸모없지도 않은 잉여의 상태에서 벗어나지 못할 것이다. 사회가 돈을 주어야 한다는 의무감에 시달리지 않으면서도 손쉽게 그들이 가진 돈을 빼앗을 수 있는 그 잉여인간들 말이다. 물론 대부분 20대는 자신의 친구들은 잉여인간이라고 생각해도, 자신만은 잉여인간이 되지 않으리라는 착각을 믿기 위해서 별짓을 다하겠지만 말이다."[5)]

5) 우석훈, 앞의 책, 240쪽.

이러한 논설들은 지금 88만원 세대를 괴롭히는 고문의 주체가 신자유주의 경제 현실 따위가 아니라 바로 20대 자신일 수 있음을 이야기하고 있다. 물론 이러한 주장을 극단적으로 밀어붙여 20대들에게 책임을 묻는 방식에는 다소 논란이 있을 수 있다. 20대는 지금 경제적 현실의 최대 피해자가 아닌가. 나아가 그것을 극복해야 할 당사자이자 (한국 현대사의 경로에서 확인되는 것처럼) 모든 세대가 공통적으로 처해 있는 현재 난국을 타개할 구원자가 되어야 하는 게 아닌가. 그러나 이 지점에서조차 우리는 명확한 결론을 내리기가 어렵다. 그들에게 책임을 물을 수 없다고 해서 그에 대한 반편향에 빠져 피해자로 가둬버리거나 구원자로 숭상하는 것 모두 만족할 만한 답변은 아닐 것이기 때문이다. 결국 우리는 다른 방식의 관점이 가능한 것은 아닌지 탐색해볼 필요가 있다.

이쯤에서 발본적인 질문 하나만 던져보자. 20대의 쿨-애티튜드를 불온한 징후로서 해석하는 것과 마찬가지로, 담론이 20대로 집중되는 현상에서도 우리는 무언가 비슷한 해석을 내릴 수 있지 않을까. 예컨대 경제적으로 생존하기 위한 몸부림, 문화적으로 쿨한 척하는 연기, 그리고 정치적으로 사각지대에 머물고자 하는 갈구는 20대만의 현상은 아니지 않은가. 이러한 현상은 사실 1990년대 신세대들이 보였던 소비자본주의적 행태는 물론이거니와 386세대가 행하고 있는 원정출산과 조기유학교육 등의 반(反)역사적 행위와도 무관하지 않으며 심지어는 그 이상의 연령대에서도 마찬가지로 관찰되는 문제일 수 있다. 요컨대 20대에 국한된 세대적 현실이 문제가 아니라 당대의 현실 자체가 문제라는 것이다.

3. 피학적 침묵의 희생양

어쨌든 현재 그들에게서 출구가 잘 보이지 않는다는 것은 분명한 상황이다. 게다가 경제적 궁핍 속에서 사회적 생존이 불투명한 절망적 상태가 쿨-애티튜드와 자조 어린 푸념을 통해 지속되는 점 또한 부인하기는 어렵다. 문제는 그럼에도 불구하고 우리는 청년들에게서 정치주체로서의 역량을 기대하게 된다는 점이다. 정치적으로 좌우를 막론하고 20대 청년이라는 기표가 한국 현대사에서 언제나 의미심장한 주체성을 표상해왔다는 사실 하나만으로도 청년세대에 기대고자 하는 매혹에는 한번쯤 빠져봄직하다.

한국 민주주의와 사회운동에서 20대가 주도적인 역할을 맡아왔다는 점은 주지의 사실이다. 4·19 혁명에서 87년 정국에 이르기까지 학생운동의 선도성은 거의 모든 이들의 찬양을 받아 왔다. 1990년대 이래로는 어땠는가. 운동의 주도성은 상실했지만 이때에도 청년들은 사회에서 주도적 역할을 담당했다. 실제로 1990년대 초반 신세대론에 호명됐던 당시의 청년들은 자본 축적의 위기라는 정세 속에서 다시 한 번 사회를 '보호'하는 데 중추적인 역할을 맡았다. 3저호황이 끝나고 내수시장 확대의 필요성이 제기된 상황에서 청년들은 더 이상 노동력이나 운동가가 아닌 구매력으로서 새로운 (그렇지만 다분히 퇴행적인) 주도성을 행사했던 것이다. 이후에도 20대들은 소비자본주의의 주체(X세대 등)와 정보화사회의 주체로서(N세대 등) 줄기차게 호명됐다. 그런 까닭에 그 어느 측면에서 보더라도, 사회적 난국의 돌파구로서 청년들에 의지하고자 하는 메시아적 구원주의는 역사적으로 그 나름의 맥락을 지닌다고 할 수 있다.[6)]

아직 청년세대로서의 시효가 끝나지 않은 상황에서 88만원 세대가 가질 정치주체로서의 전망을 쉽게 단언할 수는 없지만, 이들의 현재적 상황이 장기화될수록 걱정 또한 커지는 것은 비교적 자연스러운 일일 것이다. 지금의

---

6) 그런가 하면, 2010년에는 20대에 새로 진입하는 청년들을 둘러싸고 각축전(contestation)이 한창이다. 촛불세대와 이른바 G세대 사이의 공간은 바로 이들을 어떻게 담론적으로 접합해낼 것인가 하는 전장이 되고 있다. 2008년 촛불정국을 통해 드러난 10대 청소년의 주도성은 현재 시점에서는 청년세대에 대한 기대감으로 드러나는 한편, 지배블록의 입장에서는 이들을 지배의 언어로 재전유해낼 절박감으로도 나타나고 있다. 여기서 G세대는 green과 global의 앞 글자를 딴 것으로, 촛불세대를 건강하고 적극적이며 세계화한 미래지향적인 젊은 세대로서 호명한다. 이 담론을 개발한 《조선일보》는 G세대를 이렇게 정의내리고 있다. 그들은 "사교육, 영어열풍, 조기유학 등 부모의 집중 투자"를 받았고 "인터넷을 접해 산업화와 정보화의 세례"를 받았으며 "절약과 저축보다 소비가 중요하다는 인식이 퍼지기 시작한 시절에 태어나 매사에 소비자로서의 의식이 투철"하다.

처지를 일종의 자연상태로 간주한다면, 이것은 경쟁체제의 지속을 의미할 뿐만 아니라 나아가 정치의 퇴행이라는 극단적인 상황을 함축하는 것일 테니 말이다. 단적으로 말하자면, 희망의 가능성이 전무한 상황에서 현재의 상황을 이해 가능하고 또한 상상적으로 타개할 해법으로서 상징적 폭력을 동원하는 식의 가능성이 아예 없다고만은 할 수 없다.

> "20대를 위해 아무것도 하지 않는다면 강요된 승자독식 사회에서 20대 내부의 경쟁은 경제의 효율성과 혁신 혹은 창의성을 만들어내는 것과는 전혀 상관없는 방식으로 격렬해질 것이다. 나아가서 미래로의 경쟁 즉 더 어린 세대들과의 경쟁과 또 다른 사회적 약자들과의 경쟁으로 이어질 것이다."[7]

사실 위와 같이 모종의 파시즘적 가능성까지는 아니더라도, 지금 20대에 관해 정치주체로서의 전망이 부정적으로 전개된 데에는 나름의 역사적 배경이 있다. 대표적인 것이 항간에 유행한 이른바 '20대 개새끼론'이다. 2007년 대선이 이명박 정권의 출범으로 결론 나고 2008년 초여름의 촛불정국을 거치면서 선거의 책임을 탈정치화된 20대에게 물은 것이 그 시발점이었다. 주로 1990년대 학번 출신의 30대로 추정되는 사람들 사이에서 20대에 대해 다분히 공격적인 언사가 나오기 시작했고, 이는 '20대=개새끼'라는 상징폭력으로 이어졌다. 요는 20대가 투표에 무관심했기 때문에 이명박이 당선된 것이고 심지어는 이명박을 지지(하거나 또래들이 지지하는 것을 방지하지 못)했기 때문에 현재와 같은 권위주의 정권이 들어섰다는 주장이었다. 그런 까닭에 촛불세대 이전의 88만원 세대에게서 정치의 가능성을 발견한다는 것은 매우 불가능한 일인 것처럼 이야기되곤 한다.

'개새끼'라는 말을 직접 언급한 것은 아니지만 노무현 자살 정국에서 대학생의 부재를 질타함으로써 온라인상을 뜨겁게 달궜던 바 있는 김용민의

---

7) 우석훈·박권일, 앞의 책, 277쪽.

「너희에겐 희망이 없다」라는 글은 이러한 논지를 집약한 글로 꼽힌다.[8] 김용민에 따르면 스펙 쌓기에 혈안이 되어 바쁘기 때문에, 행여 집회 참석을 권유해도 불법집회인지를 따지기 때문에, 그리고 막상 집회에 참가해도 정치적 세뇌를 걱정하기 때문에 그들은 사실상 없다. 따라서 희망도 없다. 김용민의 결론에 의하면, 오늘날의 청년세대는 "모든 사안을 '가치'보다는 '자신의 유불리'에 방점을 두고 사리판별"한다. 그리하여 그들 스스로가 "강한 자"가 되지 못하는 조건을 반복하고 있을 뿐이다. 결국 그는 지금의 20대가 아니라 이제 막 20대로 진입하는 지금의 10대, 즉 촛불세대에게 자신이 가진 "판돈 모두"를 건다.

"다만, 나는 지금 10대에게 큰 기대를 건다. 이 친구들은 촛불의 발화점이 됐던 소위 촛불 소년 소녀 세대이다. 우리 사회의 구조적인 문제점에 대해 적극적으로 토론하는 애들이다. 독재 권력은 물론, 우리 사회의 뿌리 깊은 구조적 불평등 현상에 대해 강렬한 문제의식을 갖고 있다."

우석훈처럼 88만원 세대의 처지를 현실화하고 혁명을 유인하지 않는 한, 20대를 바라보는 기성세대의 관점이란 대개 이렇게 냉소적이다. 여기서 정치주체로서의 기대감은 삭제되고 초점은 이후의 촛불세대로 이동한다. 물론 촛불세대에 대한 기대가 절대적일 수는 없다. 과연 그들은 20대가 된 이후에도 현실의 중압감을 견뎌낼 수 있을까. 10대 시절부터 세워온 자존감을 스펙쌓기의 매혹으로부터 지켜낼 수 있을까. 그러나 그 모든 의혹에도 불과하고 일반적으로 내려지는 최종 결론은 10대가 20대보다는 낫다는 것이다. 심지어 20대마저도 이렇게 고백할 정도로. "장담할 순 없지만, 적어도 우리 세대보단 나을지도 모른다는 희망을 그들에게 품게 되는 것이다. 그렇다면 우리는 여전히 386세대와 촛불세대 사이에 낀 잉여로 남는 88만원 제1세대에 불과하게

---

8) 《충대신문》, 2009년 6월 8일자. 김용민의 블로그 http://newstice.tistory.com에 가면 온라인에서의 논란에 대한 그의 재논평도 볼 수 있다.

된다. 우리 세대의 무기력은 여기서 발견되는 것이 아닐까."[9] 이러한 '무기력'증은 사실상 앞서 이야기한 쿨-애티튜드의 다른 표현인 셈이다. 옥죄는 현실과 비난하는 담론에 상처받지 않고 자조하며 웃어넘기기거나 참고 견디기.

단언컨대, 그들은 말이 없다. 사실은 말을 빼앗겼다고 해도 과언이 아니다. 어차피 세대담론이야 발화주체와 거론대상이 일치한 적은 거의 없었다. 주류미디어(그리고 1990년대 이후로는 광고회사와 기업연구소)의 주도로 구성된 담론은 세대 내의 개인들을 말 그대로 주체로서 호명했다. 그런 까닭에 20대에게 말이 없는 것은 그다지 놀랄 일은 아닐지 모른다. 그런데 흥미로운 것은 이곳저곳에서 시작되는 담론적 공세 속에서 이즈음의 20대들은 다분히 피학적인 대응을 보인다는 점이다. 개새끼라는 상징적 폭력과 88만원이라는 물질적 궁핍 속에서 그들은 침묵을 강요당한 것처럼 보이기까지 한다.

"20대는 대한민국의 '호구'다. 즉 지금의 구조 속에서 20대는 무슨 짓을 해도 욕을 먹게 되어 있는, 피해자인데도 마치 가해자처럼 계속해서 반성만 하고 있어야 한다는 것을 의미한다."[10]

"한쪽은 한국 경제의 문제를 전가하고, 다른 한쪽은 한국 정치의 문제를 전가하니 담론의 세계에서 20대들은 그야말로 죽을 맛이다."[11]

현재 운동정치의 정세 속에서 20대라는 주체는 희생양이 되고 말았다. 피해자이면서 동시에 현재의 상황을 연장시키는 공모자로서 그들은 사회적 담론의 거의 모든 전선에서 애꿎은 표적이 되었다. 설상가상으로 그들은 쿨한 척 연기하면서 피학적 침묵으로 지금의 시간을 버텨내고만 있다. 가능한 발언이라고 해봐야 기성세대가 과점하고 있는 공식적 비평의 장 뒤안길에서 키보드 전쟁을 펼치며 '어차피 이런 상황은 30대와 40대가 방관했기 때문이

---

9) leopord의 무한회귀, 「20대론을 못 넘는 20대: 여전히 세대 사이의 잉여로 남을 위험」, http://leopord.egloos.com/4066614

10) 우석훈, 앞의 책, 234쪽.

11) 한윤형, 「'동네북' 돼버린 20대를 위한 변명」, 《오마이뉴스》, 2009년 8월 4일.

지 않은가. 우린 피해자에 불과하다.'는 식으로 방어적 제스처를 취하는 수밖에 없다. 그런 까닭에 기성세대는 듣지 않는다. 치기 어린 반항쯤으로 받아들이기 일쑤고 오히려 정치적 의식없음과 그 결과로 수행한 공모를 책임지지 않으려는 핑계로만 해석하려 할 뿐이다.

4. 메타-서사를 거부하는 메타-주체

그러나 2010년은 여러모로 궁지에 몰렸던 88만원 세대가 자기 발언을 하기 시작한 해로 기록될 것이다. 그동안 담론을 주도했던 것은 우석훈과 박권일이라는 386세대와 신세대의 공저 『88만원 세대』였다. 대중적으로 널리 회자된 만큼 이 책에 후광을 부여해준 '세대착취론'은 비판의 도마 위에 오르기도 했고, 386세대에 대한 우파의 비판에 전유될 위험성이 우려를 사기도 했다. 무엇보다도 20대에 대한 거의 최초의 아래로부터의 호명이었음에도 불구하고, 이 역시 20대 자신이 발언한 것이 아니었기에 구체적인 20대의 이야기가 삭제돼 있는 것은 결함으로 작용했다. 그런 까닭에 지난 1월에 출간된 『요즘 젊은 것들』은 세간의 이목을 끌만하다.

『요새 젊은 것들』의 추천사를 쓴 이택광의 표현을 빌자면, 이들은 일종의 메타-주체이다. 인구학적으로는 88만원 세대에 해당하는 20대임이 분명하지만, 정서적으로나 인식론적으로 자기 세대의 현실에서 "섹시"한 의미로 "앞가림"을 잘하는 존재라는 것이다. 좀 더 정확하게 말하자면, 이 책의 인터뷰이들은 세대의 바깥이 아니라 경계에 있는 존재들이다. 그렇기에 그들은 다소간 세대 보편적인 화법으로 지금의 20대에 관해 이야기를 한다.

"우리나라는 기본적으로 보수와 진보가 확립 안 된 국가예요. 설문조사를 보면 정치성향이 진보라고 생각하는 학생이 FTA에는 찬성한다고 말해요. 그러면서 '개혁 추구하면 진보 아닌가요?'라고 해요. 정확히 말하자면 탈정치화 내지는 원자화되고 있다는 표현이 맞겠지요."[12)]

물론 메타—주체라는 사실이 이 책이 의도했을 현실적 효과를 무산시키지는 않을 것이다. 오히려 인식론적으로 메타—주체임으로써 가지게 되는 정치적 이점은 배가될 수도 있다. 이는 지난 3월에 출간된 『이십대 전반전』(문수현 외, 골든에이지)과 비교했을 때 명확해지는데, 인식론적인 입지점이 어디 있느냐에 따라 세대적 현실을 바라보는 관점이 자기—성찰성의 원환에 귀착하는 경우가 있는가 하면, 반대로 『요새 젊은 것들』처럼 세대적 경계를 넘나들며 정치적인 상상력과 문제의식을 환기시키는 경우도 있기 때문이다. 단적으로 나 같은 입장에서 보더라도, 앞의 책에서는 20대들의 '생태'를 말 그대로 관찰하게 되는 반면 뒤의 책을 통해서는 상당히 많은 것을 배우게 된다.

다만 이 인식론적이고 정치적인 이점의 실체가 과연 무엇인가 하는 점에서는 다소 혼란스러운 감이 없지 않다. 왜냐하면 그들을 동정했던 386세대가 됐든 혹은 비난했던 신세대가 됐든, 이전에 자신들의 세대 울타리 외부로부터 비판적인 논평을 하던 사람들이 가졌던 문제의식과 별반 다른 게 없어 보이기 때문이다. 보통 다르다고 여겨질 만한 점은 바로 이것이다. 당사자주의에 입각한 자기—내러티브라는 것, 그리고 기계적 평균으로서 보편적인 20대는 없고 구체적인 개인들만이 있을 뿐이라는 것, 따라서 그것이야말로 '재미'있다는 것.

나는 20대가 비로소 자기—내러티브를 구축하고 있는 이 흐름들이 중요한 정치적 전조가 되기를 바라지만, 그렇다고 해서 당장에 어떤 결실을 거둘 것이라고 예상하지는 않는다. '88만원 세대론'의 세대착취론적 전략이 이론적으로는 사회계급론의 경험적 연구에 의해 반박당하고[13)] 현실적으로는 "정작 88만원 세대에 한없이 가까운 20대들"[14)]에게 읽히지 않는 상황에 직면했던

---

12) 전아름·단편선·박연, 『요새 젊은 것들』, 자리, 2010, 46쪽.

13) 《한겨레》, 「'한국사회 불평등 핵심고리를 천착하라': 비판사회학회 '불평등연구회'」, 2009년 1월 13일자.

14) 박권일은 자신이 공저한 『88만원 세대』를 두고 세대 내의 양극화와 불평등 문제를 소홀히 했

것에 비추어 봤을 때, 이는 20대들의 자기 발언에도 마찬가지로 적용될 소지가 있기 때문이다. 이 두 가지 말하기 방식은 각각의 발화 지점이 세대 외부와 세대 내부라는 점에서 큰 차이가 있는 것처럼 보이지만, 결과적으로는 1990년대 이래로 성립되(고 신세대들에 의해 정당화되)었던 결정적인 프레임을 극복하진 못한 듯하다.

첫 번째는 응당 생각할 수 있는 것처럼 세대 내 차이라는 문제다. 아무리 88만원 세대의 결집을 촉구하고 직접 말하는 주체가 등장한다 해도 세대 내의 갈등이라는 문제가 끝까지 발목을 붙잡기 때문이다. 특히 20대 내부에 광범위하게 퍼져 있는 반지성주의 풍토는 이 곤란함을 더욱 가중시키는 요인이 된다. 이는 말하는 20대가 출현하긴 했지만 여전히 말하지 않는 20대가 존재한다는 문제이고, 뿐만 아니라 이들 말하지 않는 20대들이 말하는 20대에 대해 가지는 불신감이 생각 외로 크다는 문제이기도 하다. 그들의 말마따나 보편적인 형태로서 20대가 존재하지 않는 것과 마찬가지로 (혹은 그 이상으로) "앞가림" 잘 하는 20대 인터뷰이들 역시 그렇게 일반적인 경우는 아니기 때문이다. 예컨대 장기하가 시대적 아이콘이 되고 김예슬이 선도적으로 자퇴를 하더라도, 그들이야 소위 SKY 출신이라는 문화자본이 있기 때문에 미래에 대한 불안을 버텨낼 수 있는 것뿐이고 자신들은 애초부터 그런 낭만적 삶을 꿈꿀 수 없다는 식으로 (경우에 따라서는 학벌콤플렉스로 비춰질 수도 있는) 상대적 박탈감을 호소하는 것이다.

게다가 여기에 자기-내러티브의 채택과 메타-서사에 대한 거부라는 맥락이 겹쳐졌을 때 상황은 더욱 이해하기 어려워진다. 메타-서사의 거부와 메타-주체의 설정이라는 두 항은 과연 조응하는 것일까. 사실 모든 '메타-'자 들어가는 항이 반드시 일치해야만 하는 건 아닐 수 있다. 정치란 때때로 접합(articulation)의 문제이기도 하니 말이다. 그런데 내가 이해하기 어렵다는 것은 (나는 지금 잘못됐다고 말하는 건 결코 아니다.) 이러한 전략이

다며 자기 비판을 시도한 바 있었다. 박권일, 「88만원 세대론 〈조선〉 독우물에 빠지다」, 《레디앙》, 2009년 1월 30일.

그들의 의도와는 달리 전혀 발칙하지 않을 정도로 어딘가 낯이 익다는 것인데, 그것은 아마도 내가 20대 시절에 포스트주의의 늪에서 그렇게도 헤맸던 방황이 그대로 재연되는 것 같은 우려 때문일 것이다. 가령,

"이 책이 담고 있는 것은 '진리'가 아니라 말, 말, 말이다. 엎치락뒤치락 하는 와중에 어느 쪽이 진리인지 판별할 수도 없을 것이며, 사실 그보다는 본질적으로 '진리' 따위가 존재하지 않기도 한다. (…중략…) 책을 처음 기획할 때 나눈 고민들 중 이런 것도 있었다. '20대는 정작 자신의 세대에 대해 너무 모르고 있다.'"[15]

저자들의 글쓰기 전략에서부터 인식론적 문제설정에 이르기까지, 진리와 보편성에 대한 뿌리 깊은 거부감은 1990년대의 신세대들의 세계관과 흡사해 보인다. 당시의 신세대들은 정세 분석에 실패했던 관계로 포스트모더니즘의 불가지론적 허무주의에 경도됐고, 그에 조응하여 유연적 축적체제, 나아가 신자유주의적인 정치적 합리성과 공모하고 말았다.[16] 정치적 올바름에 입각하여 인식론적 참-거짓의 문제는 폐기처분한 채 '차이'만을 좇았고, 정상과학으로 부상한 포스트주의 특유의 언어학적 전환 속에서 우리는 말 그대로 '말, 말, 말'을 찾아다녔다. 그 사이에 무주공산이 된 생산양식의 장에서 자본의 동학은 고삐 풀린 채로 신자유주의적 개혁에 박차를 가했고, 그 결과로 지금의 후배 세대에게 다름 아닌 88만원짜리 현실을 물려준 것이었다.

지금 20대의 말걸기를 보고 퍼뜩 드는 생각은 바로 그러했던 전례가 반복되는 것은 아닌가 하는 의문이다. 실패했던 90년대 신세대들의 가치를 동일하게 추구하는 것처럼 보인다는 점에서, 표면적으로는 신자유주의라고 일컬어지는 괴물을 거부하면서도 사실 뒷문으로는 몰래 다시 들이는 것은 아닌지 말이다. 물론 지금 나는 그들의 말걸기를 일괴암적으로 비난하고자 하는

15) 전아름·단편선·박연, 앞의 책, 15쪽.

16) 포스트모더니즘과 신자유주의 공모 관계에 대해서는 이득재, 「WTO, 포스트모더니즘, 휴머니즘의 이데올로기」, 『문화/과학』 41호, 2005년 봄; 벤 파인, 김공회 옮김, 「지구화와 발전개념의 비판적 검토」, 『사회경제평론』 26호, 2006 등을 참조.

의사가 전혀 없다. 사실 그런 걱정 한편에서는 그들이 전세대와는 변별적인 관념을 가졌으면서도 이를 대체할 만한 새로운 언어가 부재함으로 인해 단지 유사한 어법을 쓰고 있는 것은 아닌가 하는 생각이 들기도 한다. 왜냐하면 『요새 젊은 것들』의 저자들이 90년대식 언어를 사용하고 있기는 하지만, 지난 시기의 신세대처럼 근본주의적으로 모든 메타―담론을 거부한다거나 하는 것 같지는 않기 때문이다.

나는 이러한 지점을 세대정치가 아닌 다른 새로운 언어를 발견하는 데 실패했기 때문에 나타난 곤란이라 생각한다. 그도 그럴 것이, 20대를 단순히 피해자라고 보기 어렵고 그들에게서 발언권을 뺏은 상태에서 희생양으로 몰아세울 수도 없을 뿐더러, 심지어는 자기 발언을 하더라도 전적으로 희망을 걸 수는 없는 상황이기 때문이다. 달리 말해 현재의 거의 모든 세대론은 하나같이 난점투성이다. 그렇다면 문제는 애초 우리가 출발했던 곳에서 다시금 제기될 필요가 있을지도 모른다. 요컨대 우리는 현재 세대정치의 난점을 해소하기 위해 역설적으로 세대라는 프레임으로부터 벗어나야 한다. 이것은 현재 88만원의 현실을 부여하는 정세 자체가 단순히 20대에만 국한되는 건 아니라는 점에서 그러하다. 실제로 경제현실 측면에서 20대만큼이나 40대와 50대 역시도 (오히려 더 심하게) 궁핍화를 겪고 있고, 정치의식 측면에서도 (진보나 보수에서 이탈하는) 탈정치화 경향은 거의 모든 세대에게서 나타날뿐더러 오히려 보수화는 30대에게서 나타나고 있는 상황이기 때문이다.[17] 결국 문제의 요점은 세대 내의 불균등성에 있다는 것이고, 결국 이러한 증험들은 우리가 세대라는 대중적 프레임을 벗겨낼 필요가 있다는 점을 함의한다.

사실 세대라는 통념 자체가 신자유주의 따위 이전에 우리의 시야를 차단하고 발목을 붙잡는 괴물일 수도 있다. 돌이켜보자면 1990년대 이래로 사회과학의 시대가 물러나면서 세대론이 기존의 계급론을 대체했던 것을 확인

17) 세대보편적으로 나타나는 경제불평등과 탈정치화 양상에 관해서는 각각 신광영, 「세대, 계급과 불평등」, 『경제와 사회』 81호, 2009년 봄; 김성윤, 「권위주의가 어쨌다구?: 너무나 '쿨'한 청년 자유주의」, 『문화/과학』 58호, 2009년 여름 등을 참조.

할 수 있는데, 이러한 세대론은 다름 아닌 지배블록, 즉 자본권력과 주류미디어가 주도해왔던 것이 아니었던가. 그리하여 우리는 선거 때마다 계급투표 같은 본연적 사고보다는 세대별 투표를 상상하는 관습에 익숙해졌고 때 아니게 권위주의 정권이 등장하자 애꿎게도 20대를 겨냥하여 희생양 삼았다. 현재의 문제적 상황이 신자유주의 체제가 동반하는 인민대중에 대한 공세에서 비롯된 것이라 한다면, 응당 그에 대한 해결 역시 '위로부터 아래로 가해지는' 세대 정치 따위로 전위되거나 축소될 문제가 아닐 것이다. 즉, 이참에 우리는 정치적으로는 계급투쟁이라는 언어를 재구상하고 인식론적으로는 세대와 계급이란 문제를 격리시키는 경제주의(economism)를 비판해야 한다.

그런 맥락에서 다음의 말로 글 마무리를 대신하고자 한다. 지금까지 내가 한 말은 이전세대가 범했던 정치의 실패에 대해 지금의 20대가 오히려 공과를 따져야 한다는 의미이기도 하다.

김성윤
문화평론가. 1977년생. 문화사회연구소 연구원, 중앙대·한예종 강사. 주요 평론 『권위주의가 어쨌다구?: 너무나 '쿨'한 청년 자유주의』 등이 있다. cydemo@paran.com

우리는 아직 진행 중

이 경 수

1. '미래파' 논쟁 이후의 세대

2000년대 시단을 정리할 때 제일 먼저 떠오르는 단어는 '미래파'일 것이다. '의사논쟁'이었든 그들끼리의 논쟁이었든 '미래파' 논쟁은 2000년대 시단에 새롭게 등장한 세대를 둘러싼 세대 논쟁의 징후를 보여주었다. 그 폭풍의 눈에 황병승, 김민정, 이민하 등이 있었다면 그들과 거리를 유지하면서 자기 시 세계를 펼쳐간 시인들의 목록으로 김행숙, 장석원, 신해욱, 하재연, 이근화, 김경주, 진은영, 심보선 등을 들 수 있을 것이고, 이들과 좀 더 먼 거리를 형성하면서 2000년대 시단의 또 다른 풍경을 이룩한 시인으로 최금진, 이영광, 신용목, 송경동 등을 들 수 있을 것이다. 어쨌든 2000년대의 시단은 양적으로나 질적으로 풍성했다.

그것은 대체로 2000년대 후반에 등단한 80년대생 시인들[1]에겐 상당한 부담이자 억압으로 작용할 수밖에 없었을 것이다. 더구나 과거의 세대 논쟁과는 달리 한 세대는커녕 몇 년 지나기도 전에 논쟁의 여파가 가라앉으며 새로

1) 사실상 생물학적 나이가 시인들의 시세계의 특징을 구별 짓는 표지가 되지는 못한다. 2000년대 후반에 등단한 20대의 젊은 시인들을 대체로 80년대생 시인들이라 지칭하기는 했지만, 이 글에서는 2000년대 후반에 등단한 70년대 후반생 시인들까지 여기에 포함해서 다루고자 한다.

운 시에 대한 소비가 훨씬 빨라진 오늘의 시단에서 이들이 느끼는 부담감은 더 컸으리라 짐작된다. 새로움의 상징처럼 여겨진 '미래파' 시인들이 불과 몇 년을 사이에 두고 이들에겐 극복해야 할 선배 시인이 되었으니 말이다.

2000년대 후반에 등단한 20대에서 30대 초반의 젊은 시인들로는 김승일(《현대문학》 2009년 등단, 1987년생), 박성준(《문학과사회》 2009년 등단, 1986년생), 김상혁(《세계의문학》 2009년 등단, 1979년생), 주하림(《창작과비평》 2009년 등단, 1986년생), 민구(《조선일보》 2009년 신춘문예 등단, 1983년생), 안웅선(《세계의문학》 2010년 등단, 1984년생), 한세정(《현대문학》 2008년 등단, 1978년생), 이은규(《동아일보》 2008년 신춘문예 등단, 1978년생) 등이 있다. 이들은 기성의 언어에 균열을 내고 갖가지 실험을 하면서 자기 언어를 찾아가고 있는 시인들이다. 이미 독특한 개성을 확보한 시인들도 있지만 대개는 모색 중이고 진행 중인 젊은 시인들이다. 이들에게서 굳이 공통점을 찾는다면 서정적인 전략을 활용하는 시인들이 드물다는 점이다. 이들의 시는 '미래파'로 분류된 시인들의 시만큼 파격적이지는 않아 보이지만 새로운 언어를 향한 갈망만은 그에 못지않은 듯하다. 서정적인 전략이 약해진 것은 사실상 이들 세대의 특징이라고 보아야 할 것이다. 2000년대 후반에 등단한 시인들 중에도 서정적인 색채를 지닌 시인들이 적지 않지만 이들의 경우 적어도 30대 중후반 이상의 나이를 지니고 있는 경우가 대부분이었다. 생물학적 나이와 시적 취향은 별개의 문제지만, 우리 사회의 변화에 따른 경험의 진폭은 젊은 시인들의 시에 영향을 미치고 있는 것으로 보인다.

또 한 가지 기억할 만한 이들 세대의 특징으로는 이미 고등학교 시절부터 문명을 날리던 이른바 문예특기생 출신의 시인들이 많아졌다는 것이다. 전국 각지의 고교 백일장을 휩쓰는 안양예고 출신 시인들이 많아졌고 그밖에도 문예특기생으로 각 대학의 문예창작학과나 국어국문학과에 진학해 등단의 절차를 거친 시인들이 상대적으로 많아졌다. 이 또한 2000년대 후반에 등단한 80년대생 젊은 시인들에게서 상당히 두드러지게 나타나는 특징이라고 볼 수 있겠다. 김승일, 박성준, 주하림 등이 여기에 속하는 대표적 시인이다. 2000년을 전후해 각 대학에 생긴 문예특기생 제도는 초창기에는 이렇다할 문인들을 배출하지 못하는 경우가 많았는데, 2000년대 후반에 들어서면서 각 대학의 문창과 및 국문과에 진학한 문예특기생들을 중심으로 등단의 성과가 나타나고 있는 것으로 보인다. 이들 중 상당수가 김경주, 김민정 등 지금 한창 활동 중인 '미래파'로 분류되었던 젊은 시인들에게서 시를 배웠다는 점도 특기할 만하다. 이들에게서 서정적인 시가 잘 발견되지 않는 까닭은 이와 무관해 보이지 않는다. 고등학교 시절부터 시를 어떻게 써야 하는지 방법적인 측면을 빨리 익힌 이들 세대에게 새로움을 획득하는 것은 자신의 존재감을 획득하는 일로 인식되었을 것이다.

이 글에서는 2000년대 후반에 등단한 80년대생 시인들에게서 공통적으로 발견되는 특징이 있는지 살펴보려고 한다. 등단한 지 1년도 채 안 된 시인들이 적지 않으므로 이러한 기획은 처음부터 무리수를 안고 있는 게 사실이다. 이들의 시가 진행 중인 것처럼 이 글 역시 완성을 목적으로 하기보다는 진행 중이라고 고백하는 것이 솔직할 것이다. 2000년대 후반에 등단해 활동하고 있는 80년대생 시인들 중 눈여겨볼 만한 시인들을 중심으로 끝나지 않을 글을 이제 시작해 보려 한다.

2. 버림받은 '양아치'의 고백: 김승일의 시

김승일은 2000년대 후반에 등단한 시인들 중 단연 눈에 띄는 시를 쓴다. 김승일 시의 화자와 어조는 전에 보지 못한 새로움을 지니고 있다. 그의 화자는 매우 도발적인데 그것은 대체로 그가 취하는 시적 상황으로부터 유발된다. 그의 시에서 시적 화자는 어느 날 갑자기 부모가 동시에 죽고 나서 졸지에 동생과 덩그러니 남아 가장이 되고 만 소년의 목소리를 취한다. 부모가 살아 있었다면 그 또래 아이들처럼 평범하게 살았을지도 모르는 소년은 자신도 돌볼 수 없는 나이에 동생까지 떠맡아야 하는 신세가 된다. 이때 김승일의 시적 화자인 소년이 취하는 삶의 방식은 겉멋을 추구하는 양아치의 삶이다. "학교에 가지 않는 양아치보다 학교에 가는 양아치가 더 멋있다"(「부담」)는 이유로 학교에 가서 말썽을 부리는 양아치. 그것이 김승일의 시적 주체이다.

자기 고백적인 어조를 취하고 있지만 이 시적 화자는 김승일이 선택적으로 쓴 가면에 불과하다. 당선소감에서 그는 부모가 살아 계심을 간접적으로 언급한 바 있다.[2] 그렇다면 이런 시적 화자의 선택은 김승일이 취하는 시적 전략으로 읽어야 한다. 졸지에 부모를 모두 잃은 고아이자 동생을 돌봐야 하는 소년 가장의 상태에 그는 자기 세대, 더 정확하게는 시인으로서의 자신의 위치를 비유한다. 이는 마치 "나를 키운 것은 팔할이 바람"이라고 선언한 서정주의 언술을 떠올리게 한다. 동시에 부모를 잃고 가장이 된 소년의 처지에 스스로를 비유함으로써 김승일은 시인으로서 그가 기대고 의지할 곳이 없다는 도발적 선언을 감행한다.

> 동생의 마음이 이해가지 않는 것은 아니다. 나도 양아치였으니까. 그렇지만 나는 깨달아버린 것이다. 학교에 가지 않는 양아치보다는 학교에 가는 양아치가 더 멋있다는 사실을.

> 부모가 죽고 세 달이 흐르자, 숙제가 밀리면 그 숙제는 하지 않는다. 그것이 형의 방식. 형이라서 라면을 먹어, 역기도 들고, 찬송하고, 낮잠을 때리지. 형이라서, 형이라서 배탈이 났어요. 나는 학교에 늦게 간다. 하고 싶다면 너도 형을 해. 그러나 네가 형을 해도. 네가 죽으면 내 책임이지.

> 학교에서, 나는 농구하는 애. 담배 피는 애. 의자로 후배를 때린 선배. 아버지가 엄마보다 늦게 죽을 줄 알았어. 자주 앓는 사람이 오래 사는 법이니까. 부모가 동시에 죽고, 이제 누가 화장실 청소를 하나? 형이라서 배탈이 났어요. 이십분 간격으로 물똥을 눈다. 창피하게. 동생이 옆에서 샤워를 한다. 구석구석.

---

2) 당선소감에 나오는 "엄마 없이 살아본 적도 없고, 시 없이 살아본 적도 없다." "어머니 아버지 사랑해요" 등의 구절.

친구들이 모두 집에 돌아간 뒤에도 나는 학교에 남아 침을 뱉는다. 구령대에서, 나는 침을 멀리 뱉는 애. 부모가 죽고 세 달이 흐르자. 부모가 죽고 네 달이 흐른다. 그리고

운동장을 가로지르며 동생이 뛰어온다. 변기에서 쥐가 튀어나왔어. 괜찮아. 내일부터 학교에 오자. 똥은 학교에서 누면 되지. 그래 그러면 된다.

— 김승일, 「부담」(《시와반시》, 2009년 가을호) 전문

졸지에 부모가 사라져도 잘 자라는 아이들도 있겠지만, 김승일이 그리는 시적 화자는 그야말로 제멋대로의 삶을 살아간다. 학교에 늦게 가고 싶으면 늦게 가고, 안 가고 싶으면 안 간다. 그를 규제하는 것은 아무데도 없다. 그가 학교에 가는 이유는 단지 학교 안 가는 양아치보다 학교 가는 양아치가 더 멋있어 보이기 때문이다. "부모가 죽고 세 달이 흐르자, 숙제가 밀리면 그 숙제는 하지 않는다." 아등바등 매달리고 집착하는 것이 그에겐 사라졌다. 밀리거나 늦으면 하지 않아 버리는 방식, 해 보려고도 하지 않고 바로 포기해 버리는 방식을 그는 취한다. 그것은 부모나 기성 사회에 의해 늘 되풀이되던 '열심히 살아라', '최선을 다해라', '오늘 할 일을 내일로 미루지 마라' 등과 같은 원칙에 가볍게 등 돌리는 일이기도 하다. 그의 모든 행동에는 "형이라서"라는 핑계가 따라붙는다. 그것은 어떤 일을 하거나 하지 않는 이유와 핑계가 되지만, 역설적으로 그만큼 '형'이라는 사실을 그가 엄청난 부담으로 느끼고 있다는 것을 보여준다. "하고 싶다면 너도 형을 해"라는 아무렇게나 내뱉어진 한 마디는 그러고 보면 '억울하면 네가 사장/상사/주인/기타 등등을 하던가'라고 뻔뻔하게 말하던 지배자의 논리를 빼닮았다. 그러나 그는 "네가 형을 해도. 네가 죽으면 내 책임"임을 이미 잘 알고 있다.

나이에 어울리지 않는, 상황에 의해 억지로 주어진 형이라는 책임감과 부담감은 "형이라서 배탈이 났어요"라는 언술을 단번에 이해하게 만든다. "이십분 간격으로 물똥을" 눌 정도로 화자가 느끼는 부담감은 엄청나다. "부모가 죽고 세 달이 흐르자." 아무렇지도 않게 "부모가 죽고 네 달이 흐른다."

세 달과 네 달 사이에는 많은 일들이 있었겠지만 중요한 것은 부모가 죽었다는 변하지 않는 사실일 뿐 시간은 무서운 속도로 흘러간다. 변화가 있다면 집안이 구석구석 엉망이 되어가고 있다는 것일 게다. 아이들만 살고 아무도 돌보지 않는 집이 어떻게 망가질지는 보지 않아도 훤할 정도다. "변기에서 쥐가 튀어나"오는 일쯤은 아무것도 아닐지 모른다. 형의 해결책은 간단하다. "괜찮아. 내일부터 학교에 오자. 똥은 학교에서 누면 되지." 그래 그러면 된다. 많은 것들이 그렇게 간단히 통용된다.

김승일의 시는 문장 중간에 마침표를 사용해 끊는 형식을 자주 사용한다. "그러나 네가 형을 해도. 네가 죽으면 내 책임이지."라든가 "부모가 죽고 세 달이 흐르자. 부모가 죽고 네 달이 흐른다." 같은 문장에서 쓰인 마침표의 기능을 눈여겨볼 필요가 있다. 힘주어 끊어 말하는 구어적 어투를 마침표를 사용해 표현한 김승일식 문장 구조는 단호한 결의의 어조를 드러내는 데 효과적이다. 깊이 생각하기 싫어하는 '양아치' 형이 말하고 결심하고 선언하는 방식을 드러내는 데도 이러한 어조는 효과적이다. 시인으로서 김승일이 느끼는 자기 세대의 위치도 이런 것일지 모른다. 졸지에 기댈 부모가 사라진 세대의 젊은 시인들은 앞선 모든 선배 시인들의 시에 죽음을 선언하면서 아무렇게나 쓸 것을 선언한다. 그의 세대가 느끼는 부담감은 엄청난 것이겠지만 그는 "그래 그러면 된다"라는 허용의 자세를 취한다.

> 무엇이든 만들 수 있으니까, 나는 시멘트를 가능성이라고 불렀다. 수건걸이를 설치할 때. 가능성에 못이 박혔다. 이봐, 가능성 기분이 어떤가? 가능성엔 기분이 없었다.

> 바닥에 고인 물 때문에 미끄러지는 일이 없도록. 타일은 간격을 원했다. 물은 간격을 타고 하수구로 간다. 천천히. 동생이 샤워를 하면서 오줌을 눈다. 변수로군. 나는 동생을 변수라고 불렀다. 이봐, 간격에게 사과를 하지 그래? 변수는 배신이었다.

엄마는 변기에 앉아 거실을 바라보았다. 왜 문을 열고 싸는 거야? 텔레비전이 하나잖아. 아빠는 거실이었다. 부모가 죽자. 변수에게 거실은 학교였다. 변수는 급식도 먹지 않고 하루 종일 누워있었다. 형이 학교에서 돌아와 학교로 들어오면 변수는 일어나서 샤워를 했다. 형은 자꾸 지각이었다. 거실이 사라지고 있었다.

부모가 죽고 세 달이 흐르자. 아무도 화장실을 청소하지 않았다. 네 달이 흐르고. 변기에서 쥐가 튀어나왔어. 그렇다면 변기는 수영장이로군. 다섯 달과 여섯 달을. 나는 행진이라고 불렀다.

지각은 지각인데도. 쥐가 무서워서 똥을 누지 않았고. 나는 화장실이라 화장실에 가지 않았다. 다시 행진. 이제 나는 캄캄한 창고 같았고. 학교가 된 거실처럼. 간격은 변수 같았다. 이봐, 수영장. 창고 안에 고여 있는 기분이 어떤가? 똥이 없어서 쥐가 죽었어. 가능성에게 화장실을 맡기고, 굶어 죽은 쥐를 보러. 나는 창고에 갔다. 캄캄한 가능성 위에 부모처럼 누워. 배신이 기다리고 있었다.

— 김승일,「화장실이 붙인 별명」(《세계의문학》, 2009년 겨울호) 전문

등단한 해인 2009년에 김승일이 발표한 시 중에는 부모가 예고 없이 동시에 죽고 난 후 남겨진 형제의 상황을 전제로 하는 시들이 여러 편 눈에 띈다. 일종의 자기 복제라고도 할 수 있는 이런 형식의 시를 그가 서슴지 않고 발표하는 것은 자신이 어디에도 얽매이거나 빚지지 않았음을 보여 주려는 시인의 전략으로 읽힌다. 그는 마치 '왜 안 되는데?'라고 고개를 빳빳이 들고 묻고 있는 듯하다. '양아치' 소년의 행동 양식을 자신의 시적 전략으로 선택한 시인의 거침없는 도발이라고 볼 수도 있겠다.

인용한 시에서 김승일은 새로운 명명을 시도한다. 무엇이든 만들 수 있다는 이유로 시멘트를 가능성이라고 부르고, 동생이 타일 사이의 간격을 고려하지 않은 행동을 한다는 이유로 동생을 변수라고 부르고, 사과하지 않는 동생은 이내 배신이라고 불린다. 주로 거실에 앉아 있던 아빠는 거실로 명명

되고 부모가 죽자 변수(동생)에게 거실은 학교가 된다. 부모가 죽은 후 자꾸 지각하는 형은 지각이라 명명되고 아무도 청소하지 않아 쥐가 튀어나오는 변기는 수영장이 되고 부모가 죽고 흐르는 다섯 달과 여섯 달을 화자는 행진이라고 부른다. 화장실에 가지 못하는 '나'(형)는 몸에 화장실을 지닌 셈이라 화장실이 되고, 부모가 죽고 없는 막막한 현실 속에서 '나'는 캄캄한 창고가 된다. 시인의 명명 행위는 그칠 줄 모르고 계속된다. 이렇게 독특한 명명의 형식을 그가 취하는 이유는 어디에 있을까?

김승일의 명명법은 일종의 치환은유의 변형인 셈인데, 그의 명명법에서 취지와 수단 사이에는 최소한의 유사성도 개입하지 않는 것처럼 보인다. 그의 명명법은 유사성에 근거한 필연적인 선택이라기보다는 즉흥적이고 돌발적이다. 이 또한 제멋대로의 '양아치'식 명명법이라고 부를 수 있겠다. 황병승의 시에서도 독특한 명명법을 볼 수 있었지만 그가 대상의 특징을 포착해서 명명하는 방식을 선호했다면 김승일의 명명법은 훨씬 막무가내다. 어디에도 기대지 않은 것처럼 보이는 이러한 막무가내식 명명법이 김승일 시의 개성을 구축한다.

「방관」(《시와반시》, 2009년 가을호)도 화자가 동생으로 바뀌었을 뿐 같은 상황을 그린 시이다. 부모가 죽고 형제만 남자, 모든 규율과 질서가 무너지고 삶이 엉망진창이 되어가는 상황을 여러 편의 시에서 변주하면서 김승일은 기성의 시에 대한 막무가내식 도발을 감행한다. 거기엔 "그래 그러면 된다"는 허용의 태도가 바탕에 깔려 있다. 이는 기성의 윤리와 제도에 대한 김승일식 거부 방식이라고 할 수 있다.

3. 나쁜 피, 또는 나를 훔쳐보는 나의 시선: 김상혁의 시

2009년 《세계의문학》 신인상으로 등단한 김상혁은 당선소감에서 자신은 "뿌리에 대한 미련이 적다. 단단한 지면을 그리워하지 않고 세계의 부유물로 사는 일이, 그래서 불편하지 않다."고 고백한다. "성이 세 개"라는 자전적인 고백을 하면서도 그는 결핍이 자신에게 고통이 아니라고 말한다. 어디가 아파서가 아니라 아파야 하는 자리가 아프지 않아서 아플 만한 곳을 찾아서 찔러 보려고 시를 쓰는 것이라는 그의 고백을 귀 기울여 들을 필요가 있다. 김상혁 역시 자신의 시가 체험으로부터 빚어진 결핍을 메우기 위한 시가 아니라고 말하고 싶어한다. 이러한 언술에서는 기존의 시에 대한 관점, 시란 고통스러운 것이고 무거운 존재감을 드러내는 것이라는 통념을 부정하고 싶어 하는 시인의 태도가 느껴진다.

뿌리에 대한 미련이 적다는 것은 그만큼 기성의 시로부터 자유롭다는 것을 의미한다. 그것이 시인의 의도적인 언술이든 그렇지 않든 그는 여느 젊은 시인들처럼 기성의 시에 대한 고정관념으로부터 자유로운 시를 꿈꾼다. 빚진 것이 별로 없다는 점에서 김상혁의 시는 김승일의 시와 태도의 면에서 닮은 데가 있다. 그러나 표현된 방식에서 김상혁의 시는 김승일의 시만큼 도발적이지는 않다. 김상혁의 시적 주체는 자신의 태생에 대해 종종 고백한다.

> 내가 죽도록 훔쳐보고 싶은 건 바로 나예요 자기 표정은 자신에게 가장 은밀해요 원치 않는 시점부터 나는 순차적으로 홀홀히 눌어붙어 있네요 아버지가 만삭 어머니 배를 차고 떠났을 때 난 그녀 뱃속에서 나도 모를 표정을 나도 몰래 지었을 거예요 어머니가 그런 아버지 코를 닮은 내 매부리코를 매일 들어 올려 돼지코를 만들 때도 그러다가 후레자식은 어쩔 수 없다며 왼손으로 내 머릴 후려칠 때도 나는 징그럽게 투명한 표정을 지었을 거예요 여자에게 술을 먹이고 나를 그녀 안으로 들이밀었을 때도 다음날 그 왼손잡이 여자에게 뺨을 맞았을 때도 내가 궁금해한 건 그 순간을 겪는 나의 표정이었어요 은밀하고 신비해요 모든 나를 아무리 잘게 잘라도 단면마다 다른 표정이 보일 테니 나를 훔쳐볼 수만 있다면 눈이 먼 피핑톰(peeping Tom)이 소돔 소금기둥이 돼도 좋아요 거기, 거울을 들이밀지 마세요 표정은 보려는 순간 간섭이 생겨요 맑게 훔쳐보지 않는 한
>
> — 김상혁, 「정체」(《세계의문학》, 2009년 봄호) 전문

시란 원래 나로부터 비롯되는 욕망이긴 하지만, 최근의 젊은 시인들은 유독 나에 집중하는 경향이 있다. 자신의 남다른 태생에 대해 고백하는 시들이 젊은 시인들에게서 적잖이 발견되는 것도 이러한 경향과 무관해 보이지 않는다. 관음의 시선은 대개 타인을 향하게 마련인데, 이 시의 화자는 "죽도록 훔쳐보고 싶은 건 바로 나"라고 고백한다. "자기 표정은 자신에게 가장 은밀"하다는 것을 직감적으로 알아버렸기 때문이다. 상처 입은 자들은 표정을 감추는 데 익숙해진다. 솔직한 감정을 얼굴 표정에 드러내는 일이 타인과의 관계에서 결코 유리하지 않음을 여러 차례 경험했기 때문일 것이다. 관계에서 우위를 점하려면 자신의 감정을 드러내지 않고 쉽게 읽히지 않는 표정을 지을 필요가 있을 것이다.

이 시의 화자는 상처 입은 영혼이다. "아버지가 만삭 어머니"의 "배를 차고 떠"나 버렸기 때문에 어머니와 단 둘이 산 '나'는 떠난 아버지를 증오하는 어머니의 감정에 의해 종종 상처 입는다. "후레자식은 어쩔 수 없다며 왼손으로 내 머릴 후려"치는 어머니 앞에서 화자는 "징그럽게 투명한 표정을 지었을 거"라고 생각한다. "모든 나를 아무리 잘게 잘라도 단면마다 다른 표정이 보일" 거라고 그는 상상한다. 이런저런 난처하거나 모멸감을 느낄 만한 상황에서 자신이 지었을 표정을 궁금해하는 화자는 일종의 관음증적 태도를 보이는데, 그것은 병적으로 자신을 향해 있다. "보려는 순간 간섭이 생겨" 좀처럼 그 정체를 파악하기 힘든 '나'의 정체를 파악하고자 하는 욕망이 김상혁의 시에서는 느껴진다. 거울이라는 간섭 없이 어떤 대상을 맑게 훔쳐보고 싶은 욕망. 이것이 시인으로서 김상혁이 가지고 있는 욕망이라고 할 수 있겠다.

"눈이 매섭고 손이 억"센 "호랑이 엄마"로부터 김상혁의 시적 주체는 글을 배우고 "자주 꾸중을 들었다". "자세한 내막은 몰랐으나/아버지는 쫓겨난 것이었고/거짓말쟁이였"으며, 자신은 "엄마를 사랑하지 않을 수가 없었다"(「호랑이 엄마」, 《세계의문학》, 2009년 봄호)고 고백한다. "나를 금방 비밀로 삼"는 "사랑하는 사람들"(「묵인」, 《세계의문학》, 2009년 봄호) 속에서 김상혁의 시적 주체는 시선 뒤의 은밀한 표정을 의식하게 되었으며, 거짓과 비밀을 걷어낸 대상을 맑게 훔쳐보고 싶다는 욕망에 사로잡힌다.

4. '나'를 겨눈 방아쇠: 한세정의 시

논자들마다 '미래파'의 범주 설정이 달랐기 때문에 어디까지 '미래파' 시로 봐야 할지에 대해서는 논란의 여지가 많지만, '미래파' 논쟁 초기에 주로 거론된 젊은 시인들의 시 중 여성 시인들의 시로는 김민정, 이민하 등의 시가 있었는데 이들의 시는 대개 절단의 상상력을 통해 90년대 여성 시인들의 시에서 나타나던 몸의 상상력의 극치를 보여준다. 그에 비해 김행숙, 하재연, 신해욱, 이근화 등의 시에서는 새로운 여성시의 상상력이라고 부를 만한 변화가 나타난다. 이들의 시도 어떤 면에서는 분명 여성적이지만 그것은 그 이전의 여성시를 읽으면서 우리가 여성적이라고 명명했던 특성들과는 확연히 거리를 둔다. 오히려 그녀들의 시는 지나치게 건조한 어조를 띠거나 우리의 감각으로 잘 포착되지 않는 사이나 감각 바깥의 영역에 예민한 촉수를 드리운다. 이전의 여성시가 지니고 있던 공격성의 언어 대신 이들은 내면의 무늬를 포착하는 예민한 시선과 오감이나 칠정으로는 파악되지 않는 '다른' 감각과 정서를 지니고자 한다. 나는 이들의 그런 특성을 '탈'여성적 시라고 지칭하기도 했는데, 이들의 시가 우리 여성시의 새로운 국면을 열어가고 있는 것은 분명해 보인다.

2000년대 후반에 등단한 젊은 여성 시인의 경우에는 바로 앞의 선배 시인들과 어떻게 변별되는 자신의 자리를 찾을 것인지 고민하지 않을 수 없을 것이다. 2008년 《현대문학》으로 등단한 한세정의 시 역시 이런 과제로부터 자유로울 수 없다. 그녀의 등단작들이 단단히 조여진 언어로 구성되어 있는 것은 그런 고민의 반영일지도 모르겠다.

1.
단 하나의 과녁을 위하여
새의 부리는 제 몸을 향해 자란다

2.
나는 예고되지 않는 끝을 보기 위해

눈이 먼 사람의 눈동자를 기억한다

구름의 그림자가 눈동자를 덮을 때마다
내 몸에서 융기하는 산맥이 지평선 밖으로 윤곽을 뻗는다
바람의 파문(波紋)을 따라 빙산이 결빙되고
나의 윤곽은 구름을 관통한다

하여, 나는 허공의 빛줄기를 수혈하는 자
온몸에 새겨지는 모반(母斑)의 무늬들
그러므로 나는 오직 흔적으로만 기억되는 자

3.
나에게는 아직 지워지지 않은
태양의 흔적이 남아있다

나의 눈은 지금 흑점이다

— 한세정,「태양의 과녁」(《현대문학》, 2008년 6월호) 전문

모든 생명을 지닌 것들은 저마다 단 하나의 과녁을 가지고 있을지도 모른다. 단 하나의 과녁을 위하여 제 몸을 향해 자라는 새의 부리의 이미지는 응집과 확산의 상상력이 팽팽하게 긴장감을 형성하는 장면을 탁월하게 보여준다. 한세정의 시는 이렇게 주체와 타자 사이, 대상과 대상 사이에서 형성되는 힘의 긴장관계에 대해 관심을 가지고 있다.

그녀의 상상력은 우주적 상상력과 긴밀히 관련된다. 우주의 무한 팽창과 폭발, 태양의 확산 에너지와 흑점이 형성하는 응집의 상상력이 그녀의 시에서는 균형을 이룬다. 손바닥에 우주가 있듯이, "내 몸에서 융기하는 산맥"은 "지평선 밖으로 윤곽을 뻗는다". '나'의 몸과 자연은 한세정의 시에서도 서로 관련을 맺는데, 취지와 수단의 관계로 맺어져 어느 하나가 다른 하나를 위

해 봉사하는 방식이 아니라, 모든 생명체가 각자 자기 안에 단 하나의 과녁을 지니고 있는 형국이다.

눈이 먼 사람에게 눈동자는 더 이상 아무 기능도 하지 못하는 쓸모없는 흔적이지만 한세정 시의 화자는 바로 그런 것을 기억한다. 자신에 대해 "오직 흔적으로만 기억되는 자"라고 명명할 때 화자는 그 아픔과 외로움을 누구보다도 잘 알고 있을 것이다. 다만, 그녀의 시는 감정의 흔적을 최대한 절제하고 숨긴다.

귓속을 채우는 소리를 제거하라
나의 관자놀이는 나만의 것이므로
내 손 안의 권총은
몸 밖으로 열린 두 개의 귀를 관통할 것이다
총성은 유리벽을 뚫고
오후 네 시의 거리를 향해 울려 퍼질 것이다

탄환이 일직선으로 날아가는 거리
당신의 뒤통수가 달아오르고
전신주는 수직으로 몸을 뻗는다
나의 목표는 관자놀이를 분쇄하는 것
관자놀이는 나를 위한 것이므로
과녁을 꿰뚫는 건 손을 가진 자의 자유이므로

망막을 찢고 들어오는 눈동자들을 몰아내라
내 손 안의 권총은
몸 밖으로 열린 귀를 사수하고 있으므로
권총에 대해 나는 여전히 승자이므로
당신의 관자놀이는 나의 과녁과 무관하므로,

— 한세정, 「내 손 안의 권총」(《현대문학》, 2008년 6월호) 전문

목표물의 과녁을 겨냥해 명중하면 발사된 탄환은 목표물의 한가운데를 꿰뚫을 것이다. 그렇게 목표물의 핵심을 관통하는 운동과 그것이 일으키는 효과에 한세정의 시는 관심을 가진다. 내 손 안의 권총은 시인의 언어이기도 한데 그것은 "몸 밖으로 열린 두 개의 귀를 관통할 것이다". 시인은 자신이 선택해 발사한 언어의 총성이 "유리벽을 뚫고/오후 네 시의 거리를 향해 울려 퍼"지기를 바란다.

탄환이 발사되어 일직선으로 날아가는 동안 "당신의 뒤통수가 달아오르고" "전신주는 수직으로 몸을 뻗는다". 그녀는 자신의 손 안에 든 권총으로 "귓속을 채우는 소리"와 "망막을 찢고 들어오는 눈동자들을 몰아내"고자 한다. 권총을 손에 들고 무언가를 겨냥했을 때 일어나는 집중과 긴장의 힘이 그녀의 시에서는 팽팽하게 그려진다. 일상의 감각을 무너뜨리는 시의 언어에 대한 갈망이 한세정의 시에서는 '내 손 안의 권총'으로 그려진 것으로 보인다.

5. '김예슬 선언'과 그 이후

이상에서 살펴본 바와 같이 2000년대 후반에 등단한 80년대생 젊은 시인들에게 두드러진 공통점을 발견하기란 아직 쉽지 않다. '미래파'로 명명된 시인들의 영향을 받거나 그 시인들에게 시를 배운 시인들이므로 '미래파'의 그림자로부터 온전히 자유롭지 못하다는 점, 새로움을 추구하고 기성의 것에 대해 도전적인 태도를 보인다는 점, 기존의 시에 안주하기보다는 그것을 넘어서는 자기 언어를 추구하고 있다는 점 등을 공통점으로 들 수 있겠다.

젊은 시인들을 중심으로 세상을 향해 '69 작가 선언'이라는 형식의 자발적인 외침이 있었고, 동세대의 20대 젊은이들에 대해 '88만원 세대'라는 명명이 있은 지도 오래되었지만, 아직 그 여파가 시에 분명한 모습을 드러내고 있지는 않다. 하지만 대학 현장에서 느끼는 20대 청춘의 불안감은 점점 그들의 일상을 장악해 가고 있다. 최근 대학가를 강타한 '김예슬 선언'은 바로 그 불안감으로부터 튕겨져 나온 상징적인 외침이다. '보통대학 불행학과 경쟁학번'

으로 표상되는 요즘 대학생의 현실에 언제까지 주눅 들어 길들여진 삶을 살 수는 없다는 선언. 더 이상 사회가 원하는 규격품의 인생을 살지는 않겠다는 선언. 잘못 든 길이 지도를 만들듯이 일찌감치 '다른' 길을 가겠다는 선언. 취업공장으로 전락한 대학에서 더 이상 배울 게 없다는 도발적 선언. 그것이야말로 최근에 읽은 어떤 시보다도 마음을 움직이는 글이었다.

'김예슬 선언'이 일으킨 파장이 아무 일도 없었다는 듯이 가라앉지는 않을 거라 감히 전망해 본다. 그런 작은 균열들이 어쩌면 비정상적으로 치달리고 있는 우리 사회에 제동을 걸 수 있는 힘이 될지도 모르겠다. 기획되지 않고 예측하지 못한 자발적 움직임이 지니는 파장은 더욱 큰 법이다. 2000년대 후반에 등단한 80년대생 시인들 중에는 아직 대학생 신분인 시인들도 적지 않다. 이 세대가 느끼는 불안감, 이 세대가 사는 방식의 당당함, 또는 혼란스러움은 이 세대의 시인들에게도 존재론적 토양이 될 것이다. 80년대생 젊은 시인들의 시가 어디로 갈지는 아직 짐작하기 어렵다. 아직은 진행 중인 이들의 시에 대해 섣불리 규정하고 싶지는 않다. 다만, 이들의 존재론적 고민이 이들의 시에 긍정적인 에너지가 되기를, 그래서 복사씨와 살구씨가 사랑에 미쳐 날뛸 날이 머잖아 오기를 가슴 설레며 기다려 보고 싶다.

이경수

본지 편집동인. 1968년생. 1999년 《문화일보》 신춘문예 문학평론 당선. 중앙대 교수. 저서로 『불온한 상상의 축제』, 『바벨의 후예들 폐허를 걷다』 등이 있다. philosoo@hanmail.net

청춘의 종언과 선언 사이

이 선 우

1. 세대론의 욕망

세대론 일반이 무의미한 것은 아니겠지만, 문학 작품마저 작가의 생물학적 연령에 기대어 특정 세대의 상상력으로 구획 지으려는 기획은 너무 순진하거나 혹은 너무 불순한 것이 아닐까. 구체적인 근거가 있는 것도 아니면서 나는 언제부턴가 그렇게 생각해 왔던 것 같다. 내가 이 기획에 참여하지만 않았다면 그러므로 이 글은 결코 시작되지 않았을 것이고, 마감이라는 게 없었다면 끝내 완성, 아니 종결조차 되지 않았을 것이다. 이것은 변명이다. 마감을 열흘이나 넘기고서야 겨우 글을 시작한 자의, 그러나 여전히 망설이고 있는 자의, 아니, 결국에는 이 글을 쓰고 있는 자의 변명. 나는 왜 이 글을 쓰는가. 이 글을 쓰고 있는 나는 순진한가, 불순한가. 세대론의 욕망에 대해 생각한다. 세대를 나누고, 호명하고, 그들에 대해 글을 쓰는 자들의 욕망. 우리가 아닌, '그들'.

이 글의 대상은, 2000년대에 활동을 시작한 70년대 후반~80년대 생 작가들의 작품이다. 20대, 혹은 이제 갓 30대가 된 젊은 작가들. 그들 작품에 나타난 세대론적 상상력을 한번 짚어보자는 것. 단순해 보이는 작업이고 많이들 하는 작업이지만, 나는 처음부터 사소한 것들에 걸려 자꾸 휘청대고 있다. 이를테면, 80년생과 79년생을 기계적으로 나누는 것에 문제가 있지 않느냐는 지적에 우리는 70년대 후반에 태어난 작가들도 함께 다루기로 합의했다. 그런데, 그렇다면, 79년과 78년생은, 혹은 78년과 77년생은? 그러다보면, "나와 동년배인 76년생은?"에까지 이르고 마는 것이다. 10년 단위로 세대를 구분하는 것은, 현실에서는 이렇게 연속선상에 있는 사람들을 기계적으로 나누고 분리한다는 문제를 갖는다. 그렇다고 이런 식으로 1년씩 덧대어 이어가다 보면 결국 그 어떤 구분도 할 수 없게 된다. '임의적인' 선택과 배제가 필수적이라는 말이다. 그러나 이 말은 곧, 세대 구분에는 정확하고 객관적인 원칙이 존재할 수 없다는 의미이기도 하다.

사회학자 박재홍의 정의를 보자. 그는 세대를 "1) 특정 사회에서 비슷한 시기에 출생하여 역사적·문화적 경험을 공유하고, 2) 그로 인해 상대적으로 유사한 사고방식이나 행위 양식이 어느 정도 지속되는 경향을 보이며, 3) 자신이 속한 코호트(동일시기 출생 집단)에 대하여 느슨한 수준에서의 동류의식을 갖는 사람들"(박재홍, 「한국 사회의 세대 구성」, 《문학과사회》 2005년 가을호, 175쪽)이라고 정의한다. 세대에 대한 일반의 생각을 잘 정리하고 있지만, 모든 정의가 그러하듯이 이 정의 역시 모호함을 그 본질로 한다. '비슷한' 출생시기, '상대적으로 유사한' 사고방식과 행위 양식, '느슨한 수준'에서의 동류의식. 결국 아무 것도 확정하지 않는 이 정의는 그래서 역설적으로 세대라는 말의 일면을 정확히 포착한다. 고정되지 않는, 실체 없는 유동체로서의 세대.

그러나 우리는 실체가 모호한 것도, 경계가 애매한 것도 견디지 못한다. '편의상 10년', 이 단순하고 폭력적인 구분법은 그러므로 누구나 비판하지만 누구나 사용하는 매우 실용적인 기준이다. 이 글 역시, 결국에는 2000년대의 20대 작가론으로 분류되지 않겠는가. 오히려 문제는, 이 10년 단위 구분법으로는 해당 코호트의 특징을 명시적으로 드러낼 수 없다는 데 있다. 우리는 다시 세대를 지칭하는 용어들을 끊임없이 만들어낸다. 4·19세대, 유신세대, 386세대, 88만원 세대. 혹은 신세대, X세대, N세대, W세대, G세대……. 역사적 경험이나 문화적 특성 등을 기준으로 만들어진 이 명칭들은 그렇다면 세대의 실체를 명확하게 드러낼 수 있을까? 물론, 그것은 불가능하다. 그 어떤 세대론도, 세대 전체는커녕 그 세대의 한 구성원도 온전히 담아내지 못한다. 그것은 비단 세대론뿐 아니라 인간 존재를 다루는 모든 이론이 필연적으로 봉착하게 되는 딜레마이다.

그러나 문학은 바로 여기에서 출발한다. 이론이 미끄러지는 자리, 보편적인 틀에서 벗어나는 저 숱한 예외와 잉여들, 그 '특수성'의 세계가 바로 문학의 자리가 아닌가. 앙리 메쇼닉이 말했듯이, 문학은 구체적으로 랑그가 존재하지 않는다는 사실을 명확하게 한정하는 작업일 뿐이다. 물론 문학이 추구하는 특수성이 보편성을 모두 배제하는 것은 아니다. 오히려 문학은 언제나 특수성을 통해 보편성을 드러낸다. 그것이 문학이 가진 역설적인 힘이자 거부할 수 없는 매력이다. 문제는 이론이, 보편성을 드러내기 위해 종종 특수성[1]을 삭제해버린다는 데 있다. 이러한 작업은 하나를 버리고 하나를 취하는 행위가 아니라 자칫 문학 전체를 버리는 행위가 될 수도 있다. 문화적 공동 경험에 강하게 지배받는 세대론 역시 이러한 한계로부터 자유롭지 못하다. 시작은 귀납적이었을지라도, 보편 언어로 규정되는 순간 그 세대의 의미는 고착될뿐더러 그 의미망에 포착되지 않는 모든 예외를 필연적으로 배제할 수밖에 없기 때문이다. 이것은 그야말로 비문학적 행위가 아닌가.

더구나 그 양식 자체에 이념과 계급의 백색화, 타자들에 대한 배제적 기능이 포함되어 있다는 점에서, 세대논의는 우리 사회의 이념적 깊이 없음을 증거 하는 것(황호덕, 「청년, 그 이상의 이념을 생각한다: 초세대론 서설」, 《당대비평》, 2003년 봄호, 237쪽 참고)일 뿐만 아니라 그 깊이에 대한 의식적·무의식적 거부를 드러내는 것이기도 하다. 누가 '세대'를 호출하는가 하는 문제가 바로 이와 밀접한 관련을 가진다. 알다시피 "세대 이름을 생산하는 3대 주체는 대중매체, 기업과 광고기획사, 정치권"(박재홍, 「세대명칭과 세대갈등 담론에 대한 비판적 검토」, 《경제와사회》, 2009년 봄호, 14쪽)이다. 즉 세대명은 시대 풍속과 인간 이해의 방편이기도 하지만 많은 경우 상업적·정치적 목적으로 만들어지는 것이

1) 여기에서 '특수성'은 두 가지 의미로 다 쓰일 수 있다. ① 역사나 정치 등의 문학 외적 현실과 구분되는 문학의 특수성. ② 다른 문학 작품과 구별되는 개별 작품의 특수성.

다. 더구나 세대명은, '4·19세대'처럼 스스로 자신들을 호명한 경우도 있지만, 대부분은 언어를 선점한 윗세대에 의해 타율적으로 부과된다. 이는 근대 이후 대부분의 세대론이 곧 청년론이었다는 사실과도 직결되는 것이다.[2)]

세대론이 청년 세대와 밀접한 관련을 갖게 된 것은, 물론 한 세대를 다른 세대와 구분 지우는 "결정적 집단 경험(crucial group experience)"(칼 만하임)이 대개 20대 전후의 경험이라는 사실과도 무관하지 않을 것이다. 앞선 세대들은 이미 자신들의 세대명을 가지고 있을 테니 세대 간 담론이 아니라면 세대론은 언제나 '신(新)'세대론일 수밖에 없을 것 같기도 하다. 그러나 그 '신'세대가 반드시 '청년'이어야 하고, 청년 세대는 반드시 어떤 이름을 부여받아야 하는 것일까. 더구나 자신들의 언어로 자신들이 명명하기 전에, 타자, 일테면 진짜 어른들(?)에 의해 성급하게 호명되는 이름들을, 하여 하나가 지어지면서 다른 하나가 지워지는 이름들을? 세대의 성격을 규정하고 확정하는 것은, 그러므로 한 세대의 '결정적 집단 경험'이 아니라 어쩌면 그들을 호명하는 자들의 욕망일지도 모른다. 왜 어른들의 이름 짓기 놀이는 자기 자식들만으로 그 대상이 한정되지 않는 것인가. 이름을 지어 자식을 제 호적에 올리듯이, 청년 세대 역시 서둘러 어딘가에 입적시키고 싶은 것은 아닐까. 감시와 통제까지는 아니더라도, 최소한 '지도 편달'은 할 수 있는 어떤 곳으로 말이다.

문학사에서도 이런 '세대론=청년론'은 끊임없이 반복되어 왔다. 아이러니한 것은, 세대론의 외피를 쓰고 있는 대부분의 글들이 세대론의 이런 오류와 한계를 지적하면서 시작한다는 것이다. 그런 점에서 이 글은 사실 전형적인 세대론에 다름 아니다. 그런데, 그렇다면 대체 왜 우리는 계속해서 세대론을 반복하는 것일까. 우석훈에 의하면, "한 사회에 대한 분석을 시도하는 사람들이 종종 세대 담론을 사용하는 이유는 이것이 '역사성'과 '공간성'이라는 구체성을 추상성에 덧붙여주는 효과가 있기 때문이다. '한국의 지금 20대'라는 개념은 매년 20대가 갱신되기 때문에 '잡을 수 없이 흘러가는 물'과 같은

2) 근대의 발명품으로서의 세대론과, 새롭게 등장하는 세대를 청년으로 규정짓고 여기에 국가의 미래를 투사하는 "세대=청년"의 도식에 대해서는 본문에서 인용한 황호덕의 글에 잘 나타나 있다.

개념이다. 그럼에도 불구하고 한국이라는 특수한 공간에서 21세기 초반이라는 특수한 구체성을 부여하는 매력을 가지고 있다. 개념 자체가 가지고 있는 수많은 위험에도 불구하고 많은 연구자들이 세대라는 표현을 쓰는 것은 보편주의적 접근이 절대로 가질 수 없는 맥락이라는 또 다른 매력 때문이다"(우석훈·박권일, 『88만원 세대』, 레디앙, 2007, 77쪽). 말하자면 세대론은, 세대에 대한 일반화이되 구체적인 시공간 즉 특수성을 드러내는 일반화라는 장점이 있다. 이 특수성에 대한 관심에는 분명, '특수한 사회적 맥락 안에서 존재할 수밖에 없는 인간'에 대한 이해와 성찰도 들어있을 것이다. 그러므로 모든 세대론을 세대를 호명하는 자들의 불순한 욕망과 연결 짓는 것은 또 하나의 편견일 수 있다. 개체 차이가 집체 차이보다 크다는 것을 근거로 집체 차이가 존재한다는 것 자체를 부정할 수도 없을 것이다. 세대의 다차원적 성격과 이질성을 과소평가하는 것이 폭력적이듯이, 세대 내 동질성을 전면적으로 부정하거나 세대 간 차이를 단순히 개인차로 환원시키는 것 역시 현실에 존재하는 다양한 층위를 삭제해 버리는 인식의 빈곤을 드러내는 것이다.

그러나 굳이 구분하자면, 문학은 '특수성을 드러내는 일반화'가 아니라 '일반성(보편성)을 드러내는 특수화'이다. 그러므로, 문학사에서조차 습관처럼 반복되는 세대론을 보고 있노라면 거기에는 또 다른 강박이 존재하는 것 같다는 생각을 떨칠 수 없다. 그것은 바로 새로움에 대한 강박과 명명에 대한 강박이다. 이러한 강박을 가진 자들에게, 자신의 언어를 갖지 못한—혹은 자신 '만'의 언어를 가진, 하여 아직 정체성이 규명되지 않은—혹은 하나의 정체성으로 수렴되기를 거부하는 젊은 작가들만큼 두렵고 매혹적인 존재는 없을 것이다. 그들을 자신들의 담론 체계 안으로 끌어들여 끊임없이 실체를 '규명'하려고 하는 기성세대—비평가의 욕망은 저 모호함에 대한 두려움으로부터 시작하는 것이 아니겠는가. 물론 그 두려움의 이면에는 그들의 미결정성에 대한 어떤 선망과 기대가 함께 존재할 것이다. 미결정성, 그것은 곧 가능성의 다른 이름이기도 하기 때문이다.

문제는 그 가능성에 기대를 거는 형식 역시 세대를 구분하는 감각으로 발현된다는 것이다. 이 감각에는 이미 차이에 대한 어떤 시선이 존재한다. 거기에는 언제나 가치판단이 개입하며, 대부분의 논의는 훈계와 걱정 아니면 '젊음=새로움'이라는 강박을 반복한다. 이 강박에 우리 사회의 오랜 '새것 콤플렉스'가 도사리고 있음은 물론이다. 하여 새로움은 곧잘 문학의 창조성으로 오인되거나 손쉽게 포장되고, 젊은 작가들의 작품은 단지 젊다는 이유만으로도 시장에 내다팔기 좋은 상품이 된다. 세대 담론에 대한 나의 거부감은 이러한 우려 때문이기도 하다. 우리의 이 기획과 비판적 담론 역시 결국에는 젊은 작가들의 상상력을 그럴듯한 언어로 포장하여 상품화하는 데 기여하는 것은 아닌가 하는 우려. 혹은, 젊은 작가들에 대한 우리의 관심 역시 새로움에 대한 저 양가적이고 강박적인 태도에서 그다지 멀리 나아가지 못한 것 아닌가 하는 자의식……. 새로움에 대한 문학적 요구가 자본의 욕망과 그대로 일치하는 이 현상을 우리는 어떻게 극복할 수 있을 것인가. 지금 우리가 해결해야 할 가장 절실한 비평적 과제는 바로 이것일지도 모른다. 세대론에 대한 회의가 세대론에 대한 극단적인 부정으로 치닫지 않고 인간과 사회, 동시에 개별 작품에 대한 보다 의미 있고 풍성한 논의로 이어지기 위해서는 세대론의 이 욕망들을 의식적으로 자각하고 부단히 경계하지 않으면 안 될 것이다.

2. '88만원 세대론'의 윤리

세대론에 대한 뿌리 깊은 거부감에도 불구하고 내가 이 기획에 동의하고 글을 쓰기로 결정한 이유는, 그러나 단지 최근 다시 활기를 띠고 있는 세대론을 비판적으로 고찰해볼 필요가 있겠다는 판단 때문만은 아니다. 문제는, 세대 담론에 대한 나의 저항감과는 상관없이, 최근 젊은 작가들의 작품에서 이른바 '88만원 세대'의 특질들이 의외로 많이 발견되고 있다는 사실이었다. 소설은 당대 현실을 어떻게든 반영할 수밖에 없고 작가들 역시 자기 또래의 이야기에 훨씬 더 민감하다는 사실을 떠올려 보면 이는 자연스러운 현상이겠지만, 공교롭게도 이는 또한 '세대론의 허구성'에 대한 나의 주장(실은 신념에 가까운!)과는 배치되는 것처럼 보일 수 있다. 그러므로 나는 우선 이를 스스로 해명할 필요성을 느꼈다. 소설론을 쓰기로 해놓고 또 딴소리를 하는 꼴이 되겠지만, 이를 위해서는 먼저 '88만원 세대론'에 대해 살펴보아야 할 것 같다.

'88만원 세대론'은 몇 가지 점에서 다소 예외적이다. 무엇보다 이 세대론은 앞서 제기했던 '젊음=새로움'이라는 강박을 반복하지 않는다. 물론 문학 담론장 안에서는 지금도(그리고 언제나) '새로운 상상력'이 세대논의의 중심을 이루지만, 지금의 20대를 지칭하는 세대명칭 가운데 가장 널리 쓰이고 있는 이 '88만원 세대'라는 이름은 90년대 중반을 지배했던 '신세대'나 'X세대'라는 이름과는 확연히 다르다. 이는 세대명칭의 구성 기준 자체가 다르기 때문이지만, 어떤 기준으로 만들어진 세대명이 해당 사회에서 보다 광범위한 동의를 얻어 내는가 역시 당대 현실과 그 세대의 특성을 반영한다고 볼 수 있을 것이다. 즉 90년대 중반 청년세대의 성격이 문화적·행태적 특성으로 보다 잘 드러났다면 지금 청년세대의 성격을 규정하는 것은 그들의 경제적 현실인 셈이다. 이는 '상부구조를 토대로부터 직접적으로 인과하고 절대적으로 환원하는 오류'를 범하고 있는 것처럼 보이기도 하지만, 역설적으로 그 때문에 더욱 오늘날의 세태를 잘 반영하고 있는 것도 같다.

모든 것을 경제의 논리로 해석해버리는 이 세태만큼이나 암담한 것은 청년 세대가 당면한 경제적 상황이 결코 희망적이지 않다는 것이다. 경제학자 우석훈과 시사잡지 기자였던 박권일은 그들이 공동집필한 『88만원 세대』(레디앙, 2007)에서 "지금의 20대는 상위 5% 정도만이 한전과 삼성전자 그리고 5급 사무관과 같은 '단단한 직장'을 가질 수 있고, 나머지는 이미 인구의 800만을 넘어선 비정규직의 삶을 살게 될 것"이며, "비정규직 평균 임금 119만원에 20대 급여의 평균비율 74%를 곱하면 88만원 정도가 될 것"이라는 암울한 전망을 내어놓았다. '88만원 세대'는 이렇게 탄생한 명칭이다. 그러므로 이 세대론에는 청년세대의 새로움에 대한 기대와 찬양보다는 오히려 기성세대의 우려와 연민이 담겨 있을 수밖에 없다. 생물학적으로 이들은 분명히 젊지만, 88만원이라는 현실에 갇혀 아등바등하는 이들에게서 우리는 근대 이후 우리 사회가 '젊음'에 부여했던 일반적 가치, 즉 무모할 정도의 저항정신이라든가 낭만, 순수, 열정, 패기 등을 더 이상 발견할 수 없(다고 생각하)기 때문이다. 물론 엄밀하게 말하면 '88만원 세대' 역시 허구적인 개념이고, 이 세대명이 드러내는 것은 세대에 대한 가치 판단이 아니라 이 세대가 당면한 현실일 뿐이다. 그러나 바로 그것이 이 세대명이 상대적으로 보편성을 획득할 수 있었던 이유일 것이다.

『88만원 세대』가 단순히 절망적인 현실만을 그리고 있는 것은 아니다. 저자들이 이 책에서 강조하고 있는 것은, 평균 임금 88만원이라는 20대의 암담한 미래는 세대 내 경쟁이 아니라 오히려 세대 간 경쟁으로 인한 것이므로 세대 간 소통의 통로를 열어 현재의 상황을 '협력 게임'의 형태로 전환해야 한다는 것이며, 이를 위해서는 20대 역시 새로운 저항의 주체로 나서야 한다는 것이다. 그러나 이 책이 큰 파장을 일으킨 것은 그들이 제시한 대안 때문이라기보다는 이 책이 청년세대의 구조화된 빈곤을 적나라하게 드러내는 동시에 이에 대해 기성세대 책임론을 강하게 시사했기 때문이다. 즉 청년빈곤 문제는 특정 세대의 자질과 능력 때문이 아니라 1997년 외환금융위기 이후 가속화된 신자유주의적 세계화에 따른 '불안정노동의 전면화'로 인한 것이며, 이것이 일국 노동자의 생애주기와 맞물리면서 특정세대에 그 폐해가 집중되고 있다는 것이다. 이미 일자리를 선점한 30~40대와의 세대 간 경쟁 및 착취 구조는 이러한 청년빈곤을 더욱 심화시키는 원인이다. 노동유연성은, 아직 노동시장에 제대로 진입하지 못했거나 진입했더라도 노동 기능과 경험을 충분히 갖추지 못한 20대에게 일차적으로 적용될 수밖에 없기 때문이다. 잡셰어링(jobsharing)이라는 명목 아래 신입사원의 연봉을 20~30%나 삭감한 최근의 사례 역시 일종의 세대 간 착취의 한 예라 할 수 있을 것이다.

청년빈곤 문제가 비단 우리나라의 문제만은 아니지만, 특히 우리나라의 청년빈곤이 심각한 문제로 제기되는 이유는 이들에 대한 사회적 안전망이 거의 마련되어 있지 않기 때문이다. 과거에는 국가복지의 사각지대를 기업복지와 가족복지가 메웠으나, 신자유주의로의 체제전환과 불안정노동의 전면화가 기업복지와 가족복지를 파괴했음에도 국가복지는 여전히 그 빈 공간을 메우지 못하고 있다. 이는 결국 가족 모두가 빈곤의 연쇄에 얽혀 들어가는 현실을 낳는다. 그러므로 젊은 세대에 대한 사회적 응급조치를 통해 이러한 빈곤의 연쇄를 끊어야 한다는 것이 『88만원 세대』의 주장이다. 물론 이를 위해서는 20대 스스로도 토익책을 덮고, 상징적인 의미에서 '짱돌'을 들어야 한다. 각개약진 공화국의 스펙 쌓기 전략만으로는 명박과 그의 공화국에게 결국 각개격파당할 수밖에 없기 때문이다. 최근에 우석훈은 『혁명은 이렇게 조용히: 88만원 세대 새판짜기』(레디앙, 2009)라는 책을 통해 이러한 논의를 다시 한 번 전개시킨 바 있다.[3] 그러나 이러한 대안은, 그것의 실현가능성을 떠나, 20대에 대한 연민과 공감으로 시작된, 하여 "절망의 시대에 쓰는 희망의 경제학"이라는 부제까지 달고 있는 『88만원 세대』 역시 결국에는 30, 40대가 20대에게 보내는 훈계로부터 자유롭지 못하다는 느낌을 준다.

20대의 보수화나 이해타산적인 성향에 대한 기성세대의 오해나 일방적인 비난으로부터 비판적 거리를 유지하고 "청년 실업과 비정규직 문제를 세대 간 경쟁의 맥락에서 이슈화함으로써 기성세대로 하여금 청년들의 고통에 공감하고 해법 마련을 강하게 촉구하는 효과를 낳은 것"(박재흥, 「세대명칭과 세대갈등 담론에 대한 비판적 검토」, 앞의 책, 28~29쪽)은 분명 이 책의 소중한 기여지만, 88만원 세대론에는 이밖에도 몇 가지 한계가 존재한다. 공저자인 박권일 스스로가 지적했듯이 우선 이 책에서는 "세대 내부의 양극화, 20대와 50대 쌍봉형으로 나타나는 불안정노동과 같은 주요문제들이, 언급되긴 하지만 상대적으로 소홀히 취급"되고 있다. "불안정노동의 전면화라는 다분히 계급적인 문제"가 전략적으로 선택된 "세대론의 '당의(糖衣)'"로 인해 제대로 드러나지 않은 것이다. 또한, 세대모순을 드러내기 위한 '386세대 비판'은, "386세대가 싸우며 만들어냈지만 이제는 20대에게 굴레와 질곡이 되어 버린 사회시스템"이 아니라 "386세대 개개인"에 대한 비판으로 오해되거나, 특정 의도로 세

3) 이상의 '88만원 세대론'에 대한 논의는 본문에서 언급한 우석훈·박권일의 『88만원 세대』와 우석훈의 『혁명은 이렇게 조용히: 88만원 세대 새판짜기』 외에도 우석훈·지석훈의 『우석훈, 이제 무엇으로 희망을 말할 것인가』(시대의창, 2008), 우석훈의 「88만원 세대는 저항하지 않는가」(《(내일을여는)역사》, 2008년 봄호), 박재흥의 「세대명칭과 세대갈등 담론에 대한 비판적 검토」(앞의 책), 박권일의 「청년빈곤, 세대의 문제냐 성장의 단계냐」(《황해문화》, 2009년 가을호)를 참고했으며, 일일이 각주를 달지는 못했지만 몇몇 문장을 부분적으로 인용했음을 밝힌다.

대갈등을 조장하고자 하는 세력이나 개인에 의해 오용될 소지가 없지 않았다(이 단락의 인용문은 모두 박권일의 「88만원 세대론 〈조선〉 독우물에 빠지다」(《레디앙》, 2009.1.30)에서 발췌했으며, 대체로 그의 지적과 비판에 동의하지만 이 단락의 전개는 박권일의 논지와는 다소 차이가 있다). 이러한 우려는, 이후 전개된 공격적인 세대담론을 통해 바로 현실화되었으며, 이는 여전히 현재진행형이다.

그러나 내가 더욱 실감하는 문제는, 이 책을 읽은 20대들은 우석훈의 『혁명은 이렇게 조용히―88만원 세대 새판짜기』를 비롯해 이후 쏟아져 나온 88만원 세대 관련 책들이 대안으로 내놓고 있는 20대 당사자 운동이나 20대 세력화에 대한 가능성보다는 20대의 암울한 현실에 더욱 주목한다는 것이다. 이것은 물론 『88만원 세대』만의 한계라기보다는 우리 사회의 한계이며 88만원 세대론이 우리 사회에서 작동하는 방식의 한계일 것이다. 그러나 이 암울한 현재(뿐 아니라 미래)가 개인의 능력으로는 타개할 수 없는 구조적인 문제라는 진단은 "너희들이 노력하지 않아서 그렇다"는 비난보다 어쩌면 훨씬 더 절망적일 수 있지 않겠는가. 게다가 이 구조와 싸워 이기기 위한 '연대와 협력'이라는 대안은 지극히 건강하고 상식적이지만, '대안'이라는 말에 걸맞을 만한 그 어떤 인식의 전환도, 구체적인 전략과 전술도 제시하지 못한다. 승자독식의 논리를 어렸을 때부터 체화해 온 지금의 20대에게 과연 그것이 실천 가능한 대안이 될 수 있을 것인가.

물론 그 책임이 몇몇의 저자들에게만 있는 것은 아니다. 어쩌면 이 절박한 문제제기만으로도 그들은 최선을 다했다고도 할 수 있다.[4] 88만원 세대

---

4) "세대에게 이름 붙이기라는 행위 자체"에 내재한 위험을 충분히 알고 있지만 "전후 세계는 거의 최초로 이런 문제, 즉 '세대간 불균형의 확대―심화'라는 문제에 봉착"했으며 "한국은 그 정도가 세계에서 가장 심각"하기 때문에 세대 이야기를 할 수밖에 없었다(우석훈·박권일, 앞의 책, 에필로그)는 박권일의 말에는 이러한 절박감이 강하게 묻어난다. 그러나 한 가지 의문은 남는다. 『88만원 세대』는 분명 "20대에게 필요한 것들"보다는 "기성세대가 88만원 세대를 맞는 자세"에 더욱 공력을 기울인 책이다. 에필로그에서 박권일은 이를 보다 분명히 한다. 그가 "간절하게, 정말 절실하게 요청하고 있는 것은 '자녀 세대를 위한 부모세대의 양보'"이며, 이를 위한 "일종의 사회적 합의이며 미래를 위한 결단"이다. 그런데 왜 이후에 전개된 논의는, 우석훈 자신의 글이나 책에서조차, 청년세대의 저항이나 당사자 운동에 대한 것으로 초점이 맞춰지고 있는 것일까. 기성세대에게 변화를 촉구하는 것은 현실성이 떨어진다고 판단했기 때문일까. 아니

론은 단순한 세대론이 아니라, 그 논리의 분명한 오류나 한계와 상관없이 그 자체로 우리 사회 전체에 던지는 하나의 의제이기 때문이다. 그러므로 이제 이 공을 받아야 하는 것은 우리다. 현실의 모순을 외면한 채 자신의 밥그릇만 챙기다가 현실의 이 처참한 구조를 더욱 공고히 하고 싶지 않다면 말이다. 세대는 허구적인 개념이지만, 이 세대가 당면한 현실은 실재다. 말하자면 젊은 작가들이 드러내는 세대감각은 곧 현실감각이기도 한 것이다. 대다수의 작가들이 자발적으로, 아니 실은 어쩔 수 없이, 비정규직 노동에 종사하고 있는 현실을 말하는 것이 아니다. 알다시피 이것은 어제 오늘의 일도, 20대 작가만의 이야기도 아니다. 자발적 선택이라고 해서 비정규직 노동자의 삶이 미화되어서도 안 되겠지만, 더 심각한 문제는 단지 소수의 예술가 집단만이 아니라 대다수의 젊은이가 자신의 의지와 상관없이 그런 미래로 내몰리고 있다는 사실이다. '예외상태'가 상례가 되어버린 현실, 이것이 지금 젊은 세대가 당면한 현실이다. 물론 이러한 현실로부터 자유로운 젊은 세대도 있을 것이다. '88만원 세대론'에 반발하여 일각에서는 '실크세대론'이나 'G세대론'을 주장하기도 한다. 하지만 이 세대론들이 희망적일 수 있는 이유 역시 세대 내 계층 격차를 공공연하게 감추고 있기 때문은 아닐까. 그렇다면 희망은 곧 절망의 다른 얼굴인 것일까, 우리가 진보라고 믿었던 것들이 실은 가장 추악한 야만이었듯이? 자본이 아니라 사람이, 효율성이 아니라 인간다움이 서로를 일구어갈 수 있는 날은 이제 다시 올 수 없는 것일까.

3. 이 세계의 끝을 사는 청춘

이런 관점으로 현실을 바라보기 시작하면, 젊은 작가들의 작품 세계 역시 이런 병리적인 현실의 징후나 증상이 아닌가 하는 생각이 든다. 실제로 몇

면 20대가 당면한 암울한 현실을 "세대간 불균형의 확대—심화" 탓으로 돌린 것 자체에 문제가 있다고 생각했기 때문일까. 단지, 여전히 절박한 것은 기성세대가 아니가 20대이기 때문일까. 혹은 시장이 새로운 '자기계발서'를 필요로 했기 때문일까…….

년 전부터, 그러니까 우리가 자의반 타의반 20대를 88만원 세대로 의식하기 이전부터, 내가 젊은 작가들의 작품을 읽으면서 받았던 인상 중 하나는, 그들의 작품세계가 의외로 종말론적 상상력에 강하게 지배받고 있다는 것이었다. 20대의 한가운데를 세기말과 함께 보낸 나로서는 새천년의 시작에 대한 무의식적인 기대가 있었던 듯하다. 그러나 2000년은 밀레니엄 버그에 대한 공포와 함께 시작되었으며, 그것이 한낱 기우에 불과했음이 밝혀진 이후에도 우리의 일상을 지배했던 것은 희망이 아니라 포스트-IMF라는 현실이었다. 신자유주의 물결에 급속하게 휩쓸린 우리 사회의 구석구석에는, 그 파도가 토해놓은 숱한 '비(非)인간'들이 난무했다. 국가적 차원의 해고, 실직, 파산, 자살……. 이것이 우리가 목도한 2000년대의 초상이다. 남북정상회담의 감격도 이러한 현실을 바꿔놓지는 못했다. 현실의 직접적인 재현 여부와 상관없이 젊은 작가들의 작품에 짙고 넓게 드리워져 있는 저 종말론적인 그림자는 이러한 현실로부터 파생된 것은 아닐지. 겨우 실업이나 가난 때문에 그런 생각을 하다니, 한심해하고 있다면 당신은 아직 행복한 사람……일까? 물론 실업이나 가난 때문에 이 세계가 종말을 맞는 일은 없을 것이다. 그러나 구조화된 실업, 세계적 차원에서 대물림되는 가난이라면 문제가 좀 다르지 않을까. 소수의 가진 자들을 제외하고 그 누구에게도 주권이 없다면, 이 세계가 실은 거대한 수용소에 다름 아니라면, 그런데 이 수용소를 빠져나갈 방법이 없다면, 아니 수용소 밖도 결국 수용소에 다름 아니라면?

임세화의 「데스스토커」(《문학동네》, 2009년 가을호)는, '돈'을 위해 사막에 파병된 한 무리의 "쓸모없는" 군인들을 통해 세계의 이러한 본질을 드러낸다. "특별한 보직 없이 막일과 훈련만을 반복하는" '잉여 병사들'. "전선과 먼 후방일수록 훈련은 혹독"하지만, 그럴수록 선명해지는 것은 그들의 무용함일 뿐이다. 사막. 폐허가 된 신전. 이름이 아니라 군번으로만 불리는 병사들. 끊임없이 반복되는, 그러나 불가능할 뿐 아니라 무의미하기까지 한, 그들의 신전보수작업. 그리고 그들을 쓰레기 취급하며 잔인하게 몰아붙였던, 그러나 그 자신 쓰레기에 불과했던 장교 11057의 자살……. 이 모든 것들이 하나의 잘 짜인 구조를 이루며 가리키고 있는 것은 무엇일까. 11057을 살해했다는 누명을 뒤집어쓰자 '나'는 캠프를 탈출하지만, "살아나가는 것만이 중요한 것"이라는 인식에도 불구하고 '나'는 "대상을 알 수 없는" 아니 대상이 너무 많은 살의에 시달린다. 11057과 아버지에 대한 살의는 분명하게 드러난다. 삶은 그(들)에게 모욕밖에는 줄 것이 없었는데, 그들은 끈질기게 살아남으려고 했기 때문이다. 그런데, 그것이 그들에게만 해당하는 이야기인가. 그것은 오히려, "사막의 밖. 무조건 벗어나야만 하는 사막의 바깥은 그러나 사막과 전혀 다르지 않을 것이다. 목숨을 걸고 사막을 벗어날 경우 내가 얻을 수 있는 것은 오직 목숨뿐이다."는 것을 알면서도 탈출을 시도하고 있는 '나' 자신에게 돌아와야 할 말은 아닌가. '내'가 살의를 느끼는 대상 1순위가 바로 '나' 자신이라는 것은 소설의 후반부로 가면서 더욱 명확해진다. "모든 것이 미수였기 때문에 나는 아직 살아" 있지만, "내가 나를 읽게 되는 날…… 더러움, 경멸, 자괴, 참담함 속에서 내가 나를 죽이지 않을 수 있을 것인가를, 과연 그럴 수 있을 것인가를 나는 확신할 수 없었다." 자살했다는 11057과 자살했을지도 모르는 '나'의 아버지는 그러므로 '나'의 또 다른 자아다.

문제는 '나'의 살의가 내부를 향해 있다는 사실만이 아니다. 주목할 것은 그 살의 안에 격렬한 죄의식이 동반되고 있다는 것이다. '나'는 신에 대한 저항의지나 순교자적 사명, 아니면 단지 현실에 대한 도피로 자살을 꿈꾸는 것이 아니다. '나'를 지배하는 생각은, "내가 죽으면 나의 죄과들, 추잡하고 불길한 모든 것들이 함께 죽어 사라질 수 있을까." 하는 것이다. 무엇이 이 청년에게 이토록 깊은 죄의식을 심어준 것일까. 더구나 이 죄의식에는, 우리는 모두 그 죄로 인해 이미 '저주받은 자'라는 인식이 함께 한다. 신의 노여움을 사 더 이상 생명이 살 수 없는 곳이 되어 버린 사막이란 바로 이러한 관념을 드러내기 위한 공간이다. 그렇다면 '나'의 죄는 단지 한 개인의 죄가 아니라 혹시 인류 전체의, 문명사적 범죄에 해당하는 것은 아닐까. 사막을 만들고, 아무리 벗어나려 해도 벗어날 수 없도록 사막의 경계를 계속 확장시켜 끝내 세계 전체를 사막으로 만들어버린, 탐욕스러운, 말하자면 인간이라는 범죄. 그렇다면 그것은 원죄에 다름 아니며, 그러므로 '나'는 이 죄의 대가로부터 자유로울 수 없다. 구원도 없다. '나'는 "아버지가 내게 물려준 죄의 대가로부터 도망"치려 했으나 "아버지를 버리고 떠난 대가"까지 짊어지게 되었을 뿐이다. '나'의 탈출은 곧 '나'의 죽음이다.

이러한 죄의식은 한유주의 소설에서도 자주 발견된다. 그녀가 동시대 한국의 현실에만 머무르지 않고 지난 세기의 전쟁, 아우슈비츠, 핵폭탄, 9·11테러 등에 민감하게 반응하는 것은 그 때문이다. 그러나 인간의 야만을 증언할 수 있는 일은 지금도 매순간 일어나고 있다. 아니, 이 모든 일을 "한 줄의 문장, 한 줄의 전파" "한 줄의 과거로 스크랩"(한유주, 「그리고 음악」, 『달로』, 문학과지성사, 2006)하고 곧바로 일상의 평화를 회복하는 우리 모두가 바로 그 증거다. 그러므로 한유주의 죄의식에는 수치심이 함께 한다. 인간이라고 말하자니 너무 부끄러워서 한유주의 인물들은 자꾸 묻는다. "나는 짐승일까? 아니면, 짐승이었던 것일까?" "나는 마음을 가진 짐승이었을까?" "나는 가짜로 가짜인 사람일까, 진짜로 가짜인 사람일까."(한유주, 「죽음에 이르는 병」, 같은 책) "아직 스무 살도 되지 않았고, 아이지만" '나'는 "내 생은 끝났다. 이미 다 살아버렸다."고 선언하기도 한다(한유주, 「죽음에 이르는 병」). 성숙이 아니라 노화와 죽음을 선언하는 젊음. 이 '저주받은 청년'들에게 현실은 지옥에 다름 아니고 화려한 도시의 맨 얼굴은 하수구보다 더럽다. "그러나 가장 더러운 것은 자신"이라는 생각으로부터 이들은 자유롭지 못하다. 이 현실을 수락하고 유지시켜 주는 이가 바로 나 자신이기 때문이다. 공격해야 할 적은 없으나("그들은 처음부터 존재하지 않았거나, 그 존재가 지워지는 중이었다." 한유주, 「서늘한 여름 사냥」, 『얼음의 책』, 문학과지성사, 2009), 그러므로 살의는 더욱 강렬해진다.

한유주의 작품은 대개 분노나 살의보다 죄의식과 수치를 더 자주 드러내지만, 소설의 배경과 인물과 구조가 「데스스토커」와 놀라울 만큼 닮아 있는[5] 「서늘한 여름 사냥」(이 작품은 「데스스토커」보다 먼저, 《문학수첩》, 2009년 봄호에 발표되었다)은 이러한 살의를 적나라하게 노출하고 있는 작품이다.

5) 사막. 결코 최종명령이 하달되지 않는, 무용한, 이름 없는 요원들. 대상을 알 수 없는 살의. 시간을 때우기 위한, 아니, 살의를 견디기 위한 전갈 러시안 룰렛. 상관의 명령에만 복종하는 개(「데스스토커」의 소녀를 연상시키는), 그리고 상관의 자살…….

"나는 오랫동안 누군가를 죽이고 싶다는 생각을 해왔다." 강박적으로 반복되고 있는 이 문장은, 누군가를 죽여야만 하는 '나'의 정체성과 아무도 죽이지 못하는 '나'의 무력 사이에서, 차례로 죽어가는 요원들과 아직 살아남은 '나' 사이에서, 외부를 향한 살의와 내부를 향한 살의 사이에서 요동치며 떠다닌다. "각자의 이름으로 불리지 않았으므로 그 어느 악명도 익명도 오명도 물려받지 못"한 우리, 벌레 같은.

> "이제는 아침, 잠이 덜 깬 시작, 아직 누구의 눈에도 띄지 않았을 때, 자신이 가장 먼저, 벌레로 변한 자기 모습을 발견하는 것이 아니라, 시시때때로, 어느 곳 어디에서나, 직장 동료나 상사 혹은 슈퍼마켓의 계산원 혹은 횡단보도를 나란히 건너던 행인 혹은 막 우체통에 편지를 꽂아넣던 집배원 혹은 그리고 그리고 그리고 기타 등등의 사람들 앞에서, 자신이 가장 늦게, 벌레로 변한 자기 모습을 발견하게 되었다. 누구나 벌레가 될 수 있었고, 또 누구나 그 사실을 알고 있었기에, 아무도 벌레로 변한 사람 앞에서 놀라움을 표하지 않았지만, 오직 자기 자신만은 지독한 수치심을 느껴야 했다. 시간이 흐를수록 점점 더 많은 사람들이 벌레로 변했고 벌레가 된 사람들은 서로 동질감이 아닌 혐오를."
>
> (한유주, 「지옥은 어디일까」, 195쪽)

문제는, 우리가 모두 벌레가 되어가고 있다는 것만이 아니다. 그런 서로를 서로가 부끄러워하고 혐오하고 있다는 것, 그것이 여전히 우리가 벌레인 이유다. 한때 누군가는 혁명을 꿈꾸었고 그 꿈에 자신의 삶 전체를 걸었다. 숱한 희생이 있었으나 그 덕분에 현실이 조금이나마 나아질 수 있었던 것은 분명하다. 그러나 지금은 누구도 그러한 혁명이 가능하리라고 생각하지 않는다. 미완의 혁명, 그 실패의 역사를 공부했기 때문만은 아니다. 그것은 이제 몸의 문제가 되었다. 자본의 메커니즘을 유전자 지도처럼 몸에 새겨 넣은 순간, 우리는 자본주의가 아닌 다른 세계는 꿈조차 꿀 수 없게 되었다. 생산이 아니라 소비가, 필요가 아니라 욕망이 이제 우리를 지배한다. "만약 사람들이 더 이상 원하지 않게 되면 저것들은 순식간에 무너져버리고 말거야. 그게 유일한 목적이었으니까. 하지만 절대 그런 일은 없을 거야. 저건 이 도시를 만든 사람들의 욕망 그 자체니까. 저걸 원한 건 우리들이야. 그래서 이 도시가 이따위로 생겨먹은 거야. 우리가 이런 모습의 도시를 원했으니까 이런 모양이 된 거라고."(김사과, 『풀이 눕는다』, 문학동네, 2009, 146쪽)

젊은 작가들의 종말론적 상상력은 그러므로 아주 자연스러운 결과다. 바깥을 꿈꿀 수 없으므로 이 세계의 부정은 곧 종말을 의미할 수밖에 없고, 진보를 기대할 수 없으므로 이 세계의 변함없는 지속 역시 역설적인 의미에서 종말과 다르지 않다. 젊은 작가들의 작품 세계가 설화적 세계로 퇴행했다거나 우주로 날아가 버린 듯하다는 비판은 이러한 현실적 맥락을 충분히 고려하면서 이루어지고 있는 것일까. 구체적인 시공간이 지워져 버린 설화적 세계나 지상에서 너무 멀리 떨어진 우주 공간으로의 비약은 망상이나 환각처럼 현실 도피의 한 방편일 수 있다는 우려에 근거가 없는 것은 아니다. 그러나 보다 중요한 것은, 그들이 현실에서 벗어났다는 것이 아니라 왜 현실로부터 벗어날 수밖에 없었는가 하는 것이며, 현실에서 벗어난 다음 그들이 무엇을 하고 있는가가 아니겠는가. 전자에 대해서는 이미 이야기했으니 후자에 대해 간단히 이야기하자면, 그들은 사실 여전히 현실 속에 있다. 그들이 현실을 떠나는 이유는 현실을 외면하기 위해서가 아니라 현실을 견디고 더 정확히 보기 위해서이기 때문이다. 한유주, 김유진 소설에 지배적인 알레고리나 염승숙, 윤고은, 안보윤, 이반장 소설 등에 자주 나타나는 환각이나 환상이 현실의 이면을 포착함으로써 오히려 현실의 구조를 선명하게 드러내는 데 기여하는 것은 이 때문이다. "렌즈는 사물의 허상(虛像)을 보지만 그것은 우리들의 실상을 가리키는 좌표가 된다."(기형도, 「환상일지」, 『기형도 산문집』, 살림, 1999, 118쪽)

물론 이런 질문도 가능하다. "대체 어디까지가 현실이고 어디까지가 망상인 거죠?"(안보윤, 『오즈의 닥터』, 이룸, 2009) 『오즈의 닥터』의 '나'는 "현실이라고 해봐야 좋을 것도 없"고, 환각이나 현실이나 "결국 마찬가지"니까 끝까지 현실로부터 도망가겠다고 말하지만("그래요, 닥터. 나는 도망칠 거예요. 현실을 정면으로 바라보면서 살아야 한다니 그건 너무 끔찍한 형벌이잖아요. 나한테는 이 정도가 어울려요. 죄책감도 책임감도 자부감도 없는 이 정도가."), '나'의 어지러운 환각을 따라가면서 이 소설이 점차 드러내고 있는 것은 환각에서 깨어나고 싶지 않을 정도로 잔혹한 현실의 구조다. 그러므로 이런 질문도 가능하다. "현실이 그렇게 중요한가요?"(안보윤, 『오즈의 닥터』) 비루한 현실 속에서도 인간다움을 지키기 위한 김애란 특유의 유머와 상상력은 이러한 질문으로부터 태동한 것이 아닐까. 현실에 대한 부정이 아니라 현실과의 거리 감각으로서의 유머, 현실로부터의 도피가 아니라 현실을 재전유(reappropriation)하기 위한 상상. 문득, 기형도의 「환상일지」 중 한 대목이 떠오른다.

> "환상이란 삶의 도피이며 정면 대결에의 회피라는 생각은 좁은 편견의 오류일 뿐이다. 삶과 정면대결하여 절망을 극복하기 위한 우리들의 힘은 어디에서 오는가. 그것들은 모두 어둡고 습습하여 정체를 알 수 없는, 그러나 사람들에게서 각자 다른 모습으로 추정되는, 환상(幻想) 또는 허상(虛像)에서 비롯되어 존재할 것이다. 우리의 정신적 양식(糧食)이 비롯되는 곳은 환상이다. 그리고 그러한 환상이 존재하는 어두움의 창고를 인식하는 개인의 성숙에서 우리의 삶과의 끈질긴 투쟁은 그 무기를 얻게 되리라. 설령 그 이발사가 그녀 앞에 영원히 모습을 나타내지 않을 지라도, 그녀 앞에 언젠가 다른 사람, 다른 시차(時差)로 새로운 끈이 나타나 그녀를 지탱해 줄 때까지의 그 생존(生存)의 힘은 그녀의 이발사에 대한 애증(愛憎)일 것이다."(기형도, 「환상일지」, 114쪽)

이들 사이에는 자그마치 20년이라는 세월이 놓여 있지만, 환상을 대하는 태도로만 본다면 이 둘은 매우 닮아 있다. 그리고 나는, 그것이 퍽 마음에 든다. 김애란의 이런 태도가 유감없이 드러나고 있는 작품들은 「달려라, 아비」로 대표되는 가족로망스 계열이지만, 등단작 「노크하지 않는 집」에서부터 최근작 「큐티클」(《현대문학》, 2008년 8월호), 「너의 여름은 어떠니」(《문학동네》, 2009년 여름호)에 이르기까지 그녀가 줄기차게 그려내고 있는 동 시대 젊은 이들의 우수와 불안 속에서도 그녀의 재치와 상상력은 그 자리를 쉽게 내주지 않는다. 취향이 계급을 나누고 소비 수준이 그 사람의 가치를 결정하는 이 세계에 그들 역시 한 발을 담그고 있지만, 도시적 세련이 몸에 배지 않은 김애란 소설의 젊은이들은 아직 인간에 대한 믿음을 잃지 않고 있으며 무엇보다 삶에 대한 의지를 버리지 않았기 때문이다. 그러므로 그들이 자신의 상처를 도닥이는 과정은 "나도 모르는 곳에서 나도 모르는 누군가 많이 아팠고, 또 견뎠을 거"(김애란, 「너의 여름은 어떠니」)라는 생각으로 나아간다.

정한아의 『달의 바다』(문학동네, 2007)가 보여주는 공감과 위로의 세계, 그리고 거기에서 다시 시작되는 삶의 다른 가능성 역시 이러한 긍정과 의지에서 비롯한다. 물론 이 긍정이 현실의 지배적인 논리에 대한 긍정이거나 현실에 대한 무지로부터 비롯하는 것은 아니다. 모순을 비판하는 동시에 인정하는 과정이 전형적인 성장소설의 일면을 보여준다는 것을 부정할 수는 없으나, 『달의 바다』의 주인공이 현실을 포기하지 않는 것은 단지 현실을 수락했기 때문이 아니라 스스로 삶의 다른 가치를 발견해내고 있기 때문이다. 삶의 다른 가치들을 발견해내고 다른 삶의 가능성을 열어 내는 힘, 그것이 문학의 상상력이 가진 또 하나의 힘이다. 이 생이 우리에게 줄 것이 모멸밖에 없다는 말은, 모멸을 모멸로 받아들일 수밖에 없을 만큼 우리 역시 이 생의 논리에 깊숙이 관여하고 있다는 말이기도 하다. 이 논리 바깥의 생이 얼마나 처절한지 모르지 않지만, 같은 논리와 상상력으로는 현실의 이 논리와 싸워 이길 수 없다는 것도 확실하다. 상위 5%, 아니 1% 안으로 들어간다 해도, 그 논리 안에 있는 한 그것은 결코 성공한 삶일 수 없다. 오히려 '장기하와 얼굴들'처럼, "이건 니가 절대로 믿고 싶지가 않을 거다/그것만은 사실이 아니길 엄청 바랄 거다" 하지만 "나는 별일 없이 산다/(…중략…)/나는 사는 게 재밌다/매일 매일 신난다"(장기하와 얼굴들, 〈별일 없이 산다〉)고 노래할 수 있는 것, 실은 그것이 진짜 이기는 것 아니겠는가.

4. 청춘의 종언과 선언 사이

그러나 자본은 소화력과 번식력이 어마어마한 괴물이다. 돈만 된다면, 자본에 대한 그 어떤 비판과 저항도 자본은 언제든지 자본의 질서 안으로 포섭한다. 절망적인 현실을 무사히 건너가기 위한 저마다의 환상과 상상, 유머와 긍정, 공감과 위로, 그리고 자본의 논리와 무관하게 구축해놓은 삶의 어떤 리듬까지도 이 절망적인 현실을 감추는 값싼 포장지로 순식간에 탈바꿈할 수 있다. 그렇기 때문에 더 많이 상상하고 더 끈질기게 내 몸의 리듬을 찾아야 하겠지만, 죄의식과 수치심 한편에는 날 것 그대로의 절망과 분노 또한 존재할 수밖에 없는 것이다. 한유주나 임세화뿐 아니라 김애란, 정한아, 김금희 등의 작품에서도 우리는 그러한 감정을 종종 발견할 수 있다. 특히 김사과는 박권일이 기다리던 바로 그 '앵그리 영 맨'이라 할 만하다. 등단작 「영이」로부터 최근작 「움직이면 움직일수록 이상한 일이 벌어지는 오늘은 참으로 신기한 날이다」에 이르기까지 김사과의 작품[6] 거의 전부를 관통하는 감정은 단연 분노다. 부패한 현실이 구조적으로 고착화되었다는 것을 깨달았을 때의 절망은 젊은 작가들의 작품 대부분에서 발견되는 현상이지만, 이 절망적인 현실에 대해 이토록 일관되게 직설적인 분노를 표출하는 것은 김사과가 거의 유일하다. 윗세대에 대한 전면적인 부정과 비난 역시 그를 다른 작가들과 구분지우는 지표다. 그러나 바로 그 때문에 그는 예외적인 작가가 아니라 20대를 대표하는 젊은 작가가 되고 있다.

> "내가 너를 죽여야 하는 이유는 니가 어른을 공경하기 때문이야. (…중략…) 너 같은 쓰레기들 때문에 세상이 이렇게 점점 더 거지 같아져가는 거야. 어떻게 늙은이들을 공경할 수가 있어? 너는 니가 고개를 숙이고 굽실거리는 사이에 그들이 너한테서 가장 중요한 것을 빼앗아가는 걸 모르고 있어. 다 빼앗기

---

6) 김사과, 「영이」(《창비》, 2005년 겨울호), 「물 마시러 갑니다」(《문장웹진》, 2006년 1월호), 「준희」(《창비》, 2006년 가을호), 「이나의 좁고 긴 방」(《현대문학》, 2007년 3월호), 「정오의 산책」(《문학동네》, 2008년 가을호), 「나와 b」(《창비》, 2008년 겨울호), 『미나』(《창비》, 2008년), 「동생」(《실천문학》, 2009년 여름호), 「매장」(《문학동네》, 2009년 겨울호), 『풀이 눕는다』(《문학동네》, 2009년), 「움직이면 움직일수록 이상한 일이 벌어지는 오늘은 참으로 신기한 날이다」(《자음과모음》, 2010년 봄호). 이하 김사과의 작품을 직접 인용할 때는, 인용문 옆에 작가명과 작품명, 쪽수만 표기하겠다.

고 남은 건 하나도 없이. 상처만 남아서 썩어가는 거. 끔찍하지 않니? 그런 게 어른의 삶이야! 그리고 너는 그런 걸 좋아해! 그래서 이런 거지 같음이 사라지지 않고 지속되고 심지어 확대되어가. 너 때문에 세상은 점점 더 더러워져가고 있다고. 알겠어? 너는 알아야 해. 너는 죄책감을 가져야 해."(김사과, 『미나』, 298~299쪽)

수정이 외부로 분노를 발산하는 까닭은, 이 거지 같은 현실을 만든 사람들이 바로 저 "어른"들이라고 생각하기 때문이다. 그들과 한통속으로 몰려 짐승 취급을 받지 않으려면, 어른들, 그리고 그 어른들을 공경하는 미나 같은 아이들과 자신을 명확히 구분해야 한다. 그 구분법이란 바로 그들을 죽이는 것이다. 죽이는 자가 됨으로써 그는 그들을 응징하고 스스로 초인의 자리에 올라서려고 하는 것처럼 보이기도 한다. 물론 우리가 그에게서 발견하는 것은 초인이 아니라 도리어 짐승이다. 그러나 문제는 악마적인 인물 수정이 아니라 수정의 논리에서 발견하게 되는 우리 사회의 맨얼굴이다.

"자유란 남들이 들어갈 수 없는 곳에 들어가는 것"이고 "희망이란 집단 속으로—좀더 핵심적인 집단 속으로—매몰되어 융합하는 것"이며 "그밖의 것들—대안이란 패배자들의 위안에 불과하다"(『미나』)는 수정의 생각이 섬뜩한 것은, 그것이 너무 삐뚤어졌기 때문이 아니라 너무 적나라하기 때문이다. 절망과 희망에 대한 기형도의 정의("절망이라는 것은 이미 모든 것을 알아버려 더 이상 꿈꿀 것이 없다는 뜻이고, 우리들 앞으로 언젠가 불쑥불쑥 튀어나올 의지나 정열의 시간들을 우리는 희망이라고 부르지 않,습,니,까?"; 기형도, 「환상일지」, 117쪽)는 수정의 저 단호하고 적나라한 정의 앞에서 드디어 지난 세대의 낡은 가치를 드러내는 것처럼 보인다. 그러나 수정의 논리란 사실 우리 사회에 만연한 승자독식의 논리를 그대로 내면화한 것일 뿐이다. 그런데 이상하게도 그 논리의 육화인 수정은 모두에게 지탄받고 세상은 착한 마음으로 이루어져 있다고 믿는 미나는 연민과 지지를 받는다. 아무리 이 세계의 논리를 내면화해도, 수정은, 태어날 때부터 이미 승자였던 미나를 따라잡을 수 없기 때문이다. 품위 있게 포장되지 않은 날것 그대로의 경쟁논리는 오히려 주변사람들의 반감만 살 뿐이다. 이것을 깨닫는 순간, 수정의 분노와 살의는 극에 달한다.

단순히 살의를 느끼는 것이 아니라 실제로 살인을 하는 아이—청년들을 등장시키고 있다는 점에서 김사과의 소설은 확실히 반(反)윤리적이다. 비(非)윤리적이라고 하지 않고 굳이 반윤리적이라고 한 까닭은, 이 섬뜩한 인물들이 실은 자신들만의 확고한 윤리감각을 가지고 있기 때문이다. 그리고 그것은 대개 우리 사회에 통용되고 있는 윤리에 대한 의심과 비판에 맞닿아 있다. 그들이 부모뿐 아니라 교양 있는(척 하는) 386세대를 비롯해 기성세대 전체를, 대놓고 속물적인 어른들뿐 아니라 꾸며진 미소로 예의를 차리는 작가들까지도 통렬하게 비판할 수 있는 것은 그 때문이다. 생활이라든가 현실이라는 핑계가 그에게는 통하지 않는다. 『풀이 눕는다』의 화자는 이 낭만적 열정의 육화다. 그러므로 그는 수정이 아니라 오히려 미나에 더 가깝다. 말하자면, '각성한' 미나.

> "도시는 거대했다. 아니 끝이 없었다. 아무리 걸어도 벗어날 수가 없었다. 내 눈을 가린 빌딩들 너머에 뭐가 있을지 상상조차 할 수 없었다. 아니 도시는 이렇게 말하는 듯했다. 이게 전부다. 네가 보는 것, 이게 전부다. 걸으면 걸을수록 나는 피곤해지고 무거워졌다. 그리고 정말로 그게 다였다."(김사과, 『풀이 눕는다』, 13쪽)

이 주인공이 가장 혐오하고 절망스러워 하는 것은, 보이는 것이 전부인, 즉 한 겹뿐인 우리의 현실이다. 욕망이라는 관념 그 자체에 다름 아닌 거대한 빌딩들. 예외 없이 그 욕망에 사로잡혀 돈의 노예가 되어버린 사람들. 문제는 '나' 역시 예외가 아니라는 것이다. 표면적으로 '나'는 돈을 하찮게 여기는 듯 보이고 돈을 벌기 위해 자신의 시간과 노동을 허비하지도 않지만 그것은 "데이지에게 빌붙는 삶"을 선택했기 때문이지 돈이나 그 돈이 만족시켜줄 수 있는 취향과 습관과 욕망들로부터 자유롭기 때문이 아니다. '나'의 고민과 방황은 여기에서 비롯한다. 이전의 작품들에서 인물들의 분노가 외부로만 향했다면, 『풀이 눕는다』에서는 동시에 내부로 향하고 있는 것 또한 그 때문이다. 분노보다 절망이, 외부를 향한 살의보다 자기 자신에 대한 파괴욕망이 더 자주 솟아나는 것 또한. 욕망이 아니라 단지 필요에 의해 돈을 벌어 쓰는 인물은 오히려 '풀'이라는 인물인데(그런 점에서 그는 단순히 '나'의 연인이 아니라 '나'의 욕망이 투영된 이상적인 자아상이다), 그렇다면 풀의 죽음은, 낭만적 열정으로 가득 찼던 저 청춘의 종언을 뜻하는 것일까. "세상은 너 혼자 아름답게 살도록 내버려두지 않아. 그렇게 되면 자기들이 무너져버리고 마니까. 그러니까 막으려고 들 거야. 무슨 짓을 해서라도. 무슨 수를 써서라도 네가 저것들을 사랑하게 만들려고 할 거야. 그런데도 니가 말을 듣지 않으면?/너는 파괴당할 거야. 짓밟힐 거야. 너는 절대로 못 이겨. 절대로. 그리고, 그러니까, 풀./너는 절대로 지면 안 돼."(김사과, 『풀이 눕는다』, 146~147쪽) 그런데 결국, 지고 만 것일까?

"모든 것이 끝난 뒤에도 삶은 이어졌다. 그것이 영원히 지속되리라는 걸, 우리는 마침내 깨달아버렸다. 아무 일도 일어나지 않은 채로, 더 이상 어떤 기쁨도 놀라움도 설렘도 없이, 영원히, 이어질 것이다. 끝내 우리는 아무것도 이루지 못한 채로 늙어갈 것이다. 그는 끝내 아무것도 그리지 못할 것이다. 나는 끝내 아무것도 쓰지 못할 것이다. 아무도 우리를 기억하지 못하는 채로 우리는 두 마리의 거북이나 염소처럼 시시하게 늙어갈 것이다. 삶은 끝났다. 그런데 우리는 여전히 살아 있었다. 남은 것은 그 삶을 견딜 수 있을 정도의 뻔뻔함과 얄팍한 위안뿐이었다. 우리는 이제 서로 외에는 아무도 없다는 것을, 손을 잡아줄 사람은 서로뿐이라는 것을 깨닫고 있었다. 그건 끔찍한 깨달음이었다."(김사과, 『풀이 눕는다』, 270쪽)

결코 패배를 선언할 것 같지 않던 김사과의 주인공 역시 이렇게 청춘의 종언을 선언한다. 처음부터 아예 청춘이 존재하지 않았던 다른 인물들에 비해 이들은 한때나마 혁명을 꿈꾸며 청춘의 열정을 마음껏 불태웠다는 것으로 만족해야 할까. 패배를 인정하는 과정에서 현실의 강고함을 깨닫고 이 모순을 내면화하며 성장했다는 것으로 위안을 삼아야 할까. 물론 그렇게 읽는 것도 틀린 것은 아니다. 그러나 풀의 죽음을 패배의 선언이 아니라 또 하나의 저항으로 읽을 수는 없을까. 일탈을 일삼으며 풀을 몰아치던 '내'가 아니라 최선을 다해 자신의 삶을 일구려고 노력했던 풀의 죽음이라는 점에서 그것은 더욱 참혹하고 절절한, 현실에 대한 고발이자 경고일 뿐 아니라 목숨을 건 선언일 수도 있지 않을까. 당신들이 원하는 대로, 결코 그렇게 살아주지는 않겠다는 선언. 우리들의 죽음은 결코 자살이 아니라 사회적 살인이라는 선언. 혹은, 이렇게 계속 몰아치기만 하면 우리는 결국 다 죽어버릴 거라는 협박?

"이건 사는 게 아니야. 벌을 받는 거라고. 근데 왜 내가 그런 벌을 받아야 돼? 왜? 나 진짜 열심히 살았단 말이야. 아니 열심히 산 건 아닐지도 몰라. 그래도 잘못한 건 없잖아? 이런 벌을 받을 정도로 내가 뭘 그렇게 잘못했어? 내가 그림 그린 게 잘못이야? 내가 하고 싶은 거 한 거, 그게 잘못이야? 난 진짜 모르겠어. 내가 그래, 씨발 그림에 재능이 없을지도 몰라. 하지만 나는 열심히 했단 말이야. 그런데 왜 이래? 왜 앞이 안 보여? 왜 이렇게 살아야 돼? 그래 나는 돈도 없고 머리도 나쁘고 재능도 없어. 그러면 이렇게 살아야 되는 거야? 하고 싶은 것도 못 하고 이렇게 사천원짜리 알바나 하면서 평생 고시원에서 살아야 되는 거야? 나는 그냥 솔직하게 산 것 같은데. 그림 그리고 싶어서 그런 건데. 일해야 돼서 일도 했어. 근데."(김사과, 『풀이 눕는다』, 274쪽)

근데, 왜 이렇게 살아야 하는 것인가. 이것이 우리가 꿈꾸는 사회인가? 죽이거나 죽거나, 그것만이 인간의 삶인가? 그러므로 풀의 분노는 정당하다. 그리고 그의 절망 역시. 그리고 아마, 풀이 짓밟히고 파괴당한 것 역시 사실일 것이다. 그럼에도 나는 왜 풀의 죽음을 저항으로 읽고 싶어 하는가. 아직 살아남은 '내'가 있기 때문이다. 자신의 낭만적 열정이나 윤리적 지향과는 달리 철저히 "20세기의 자식"(『풀이 눕는다』)일 수밖에 없는 '나', 타락한 이 도시의 일부인 '나'. 그러나 영원히 풀을 기억할 '나'. 그 기억의 힘으로 '나' 역시 그냥 이곳을 떠날지는 아직 알 수 없다. 그러나 풀의 죽음은 시시하게 계속될 '나'의 일상에 분명 종지부를 찍는다. 앞서 인용한 부분은 풀이 죽은 후가 아니라 풀과 헤어졌다가 다시 만나고 나서 '내'가 한 생각이다. 그때 "삶은 끝났다. 그런데 우리는 여전히 살아 있었다." 그러나 이제, 그는 죽었다. 그런데 다시 삶이 시작된다. 말하자면 다시, 청춘의 선언이다.

이 청춘이 어떻게 흘러갈지 나는 아직 모른다. 수치와 공포, 분노와 절망, 유머와 상상, 공감과 위로, 환상과 긍정……. 현실에 대응하는 태도만으로도 이토록 스펙트럼이 넓은 작가들을 세대라는 이상한 그물망으로 잡아 올려 일목요연하게 정리해내는 것은 처음부터 나의 능력을 벗어나는 일이었다. 긴 변명이 필요했던 것은 아마 그 때문이었을 것이다. 다만 젊은 작가들의 소설을 읽으면서 내가 다시 확인한 것은, 각자 다르게, 그리고 때로는 분명히 세대의식을 드러내면서도 작가들은 언제나 세대 담론의 협소한 울타리를 넘어서고 있다는 것이다. 더구나 지금 젊은 작가들이 고투하고 있는 문제는 단지 자신들이 속한 세대의 문제만이 아니다. 우리는 20대를 걱정하지만, 그들은 도리어 우리를 걱정한다. 우리가 만든 이 세계, 그리고 어느 순간 이 세계에 푹 젖어버린 바로 우리들을 말이다. 이 세계가 한 겹뿐인 것은, 우리의 상상력이 한 겹뿐이기 때문이다. 그러므로 다시, 이 공을 받아야 하는 것은 우리다. 그들, 그리고 우리.

이선우
본지 편집동인. 1976년 생. 2006년 《세계일보》 신춘문예 문학평론 당선.
damdam328@naver.com

우리 시대의 상상력

2호(2004.11) ············ 소설가 **김 훈**
3호(2005.6) ············ 소설가 **천운영**
4호(2005.12) ············ 소설가 **박민규**
5호(2006.6) ············ 소설가 **공선옥**
6호(2007.1) ············ 시 인 **김신용**
7호(2007.8) ············ 소설가 **공지영**
9호(2009.4) ············ 소설가 **이승우**
10호(2009.10) ············ 소설가 **전성태**

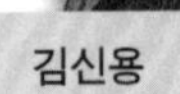
김신용

공지영

이승우

전성태

김 훈

천운영

박민규

공선옥

우리 시대의 상상력

소설가 배수아

Writer and Criticism

우리 시대의 상상력

소설가 배수아

1965년 : 서울 출생

이화여대 화학과 졸업

1993년 : 《소설과사상》에 「천구백팔십팔년의 어두운 방」이 당선

1995년 : 장편 『랩소디 인 블루』(고려원) 발간, 창작집 『푸른 사과가 있는 국도』(고려원) 발간

1996년 : 장편 『부주의한 사랑』(문학동네) 발간, 창작집 『바람인형』(문학과지성사) 발간

1998년 : 창작집 『심야통신』(해냄) 발간, 장편 『철수』(작가정신) 발간

1999년 : 창작집 『그 사람의 첫사랑』(생각의나무) 발간

2000년 : 장편 『나는 이제 니가 지겨워』(자음과모음) 발간, 장편 『붉은 손 클럽』(해냄) 발간, 에세이집 『내 안에 남자가 숨어 있다』(자음과모음) 발간

2002년 : 장편 『동물원 킨트』(이가서) 발간, 장편 『이바나』(이마고) 발간

2003년 : 장편 『일요일 스키야키 식당』(문학과지성사) 발간, 장편 『에세이스트의 책상』(문학동네) 발간, 한국일보 문학상 수상

2004년 : 동서문학상 수상 장편 『독학자』(열림원) 발간

2005년 : 장편 『당나귀들』(이룸) 발간

2006년 : 창작집 『훌』(문학동네) 발간

2009년 : 장편 『북쪽 거실』(문학과지성사) 발간

우리 시대의 상상력: 작가와의 인터뷰

소설가 배수아

북쪽 카페에서 만난 여인

참석자: 배수아 · 백지은

배수아: 소설가(badmaria11@hotmail.com)

백지은(사회): 문학평론가(jienbaik@hotmail.com)

일시: 2010년 3월

장소: 일산의 한 카페

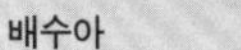

배수아

백지은

목소리의 배후

그에게는 수차례 있었던 경험일 것이고 나에게는 생애 처음 있는 일이다. 누군가와 만나 말과 표정과 웃음을 나누는 것을 '인터뷰'라 부르는 일. 질문과 답변의 형식이 취해져야할 텐데, 그건 너무 어렵게 느껴졌다. 두 사람 다 표현이라면 말보다 글이 익숙할지도 모르지만, 일단 그를 만나고 싶었다. 눈앞에서 얼굴을 보고 목소리를 듣고 눈빛을 확인하고 웃음소리를 느끼는 일이 하고 싶었다. 취재 말고 대화. 인터뷰는 취재가 아니라 대화라고 믿는다. 물론 이 대화는 다소 충분하게 한쪽에는 말할 기회를 다른 쪽에는 들을 기회를 주는 구도로 각이 잡혀야 마땅할 것이다. 이 기록이 들려주는 것은 어쩔 수 없이 나를 통과한 그의 목소리일 테지만 듣기 좋았던 그의 육성이 되도록 정확히 전달되기를, 적는 동안 잠시도 잊지 않겠다.

목소리의 브리콜라주

백지은 어떻게 지내시는지요, 요즘은. 독일에서 오신 지도 좀 되셨나요? 조만간 또 가실 계획도 있으신지.

배수아 독일에서 작년 말에 왔고 올해는 아직 여행 계획이 없어요. 작년에 여행을 너무 많이 했거든요, 독일을 두 번, 몽골을 한 번, 중국을 한 번.

백지은 독일에서 오실 때는 그쪽 생활을 완전히 정리하고 오시는 건가요?

배수아 예, 저는 한번 갈 때마다 가구 딸린 집을 몇 달씩 계약을 하고 그게 끝나면 오곤 해요. 옷 같은 짐을 이곳저곳에 뿌려놨는데, 이번에 과감하게 버리려고 했지만 아직 많이 남아있어요.

백지은 저는 선생님 소설을 읽으면 여행가고 싶어져요.

배수아 저도 제 소설을 읽으면 너무너무 여행을 가고 싶어요. 여행을 다니면서 많은 글들을 썼기 때문에 그것들을 읽다 보면 당시의 기억이 향수처럼 떠올라요.

백지은 여행 다닐 때의 감각이 선생님 소설에 많이 영향을 끼친 거 맞죠?

배수아 예, 한국에서는 주로 집 안에서 작업하고, 바깥에서 이뤄지는 관계들에도 소홀한 편이 되요. 제가 하는 일 자체가 집에서 하는 일이고 외부와의 교류도 이메일로 주로 이뤄지곤 하니까요. 한국에서의 생활은 좀 고여 있는 상황이에요. 소설을 쓸 때는 자극이 많이 필요한데, 저는 그것을 외국에서 보충 받는 것 같아요. 여행이 소설 쓰기의 필수적인 조건은 아니지만 외국에서의 경험이 소설에 많이 반영되는 편이죠.

백지은 제 생각에 선생님은 외부와 만남으로써 특별히 개방되는 감각에 대해 잘 알고 또 그것을 즐기시는 듯해요. 그런데 그런 것은 꼭 외국이 아니더라도, 한국에서도 가능하지 않은가요? 사회적 관계 같은 외부 접촉이 아니라 공원 산책이나 등산이나 그런 것을 통해 외부 풍경을 느끼는 일 같은 거요.

배수아 한국에서도 산책은 매일 해요. 그렇지만, 도시에 살다보니 그런지 그런 것들로부터 자극을 잘 받지는 못하는 편이에요.

백지은 저는 이런 스타벅스 같은 곳에서도 선생님 책을 읽다 보면 문득 낯선 곳에 와있는 듯한 느낌이 들곤 해요. '이방인 놀이'에 대한 상상 같은 것, 그런 것을 선생님 소설에서도 배웠어요. 외국에 오래 계시다 들어오시면 한국이 이방 같지는 않나요?

배수아 아뇨, 외국 생활을 뭐 그리 많이 했다구요. 올해는 저도 그렇게 '이방인 놀이'를 하면서 살아야겠네요. 저는 외국에 있을 때도 워낙 많이 돌아다니지는 않아요. 독일을 열 번 이상 방문했지만 그 주변 나라들, 이탈리아나 프랑스 땅에 발을 디뎌본 적도 없는 사람이에요. 작년에 몽고에 갔을 때, 재밌는 느낌이 있었어요. 언젠가 독일인 친구가 말하기를 독일에서는 항상 내가 어디에 있든 눈에 띈다는 사실이 당연했는데, 중국에 갔을 때 거기서는 내가 보이지 않아 놀라웠다는 말을 했었어요. 중국에서는 모두가 머리가 까맣고 얼굴이 노라니까, 아무리 찾아도 내가 잘 보이지 않았다고, 그게 너무 이상하다고요. 몽고에 갔을 때 그 생각이 나서, 나는 이곳에서도 분명히 이방인인데 이방인으로 보이지 않는다는 게 재밌었어요.

백지은 선생님께 개인적으로 작년의 큰 사건이셨을 것 같은데, 「올빼미의 없음」에 나왔던 그 상태, "그 무엇과도 비교 불가능한 상실", "생애 최초의, 견디기 힘든 이 엄청난 부재"라고 쓰셨던 '외르그 없음'의 상태를 지금은 극복하신 건가요? 절대 상실, 절대 부재에 대한 느낌이 정말 강렬하게 다가왔었거든요.

배수아 근데 그 소설이 소설로 안 읽히나요?

백지은 정통적인 소설 문법에 부합하지 않는 글이요?

배수아 아니, 픽션으로 안 읽히나요?

백지은 아, 예, 픽션으로 안 읽혀요, 하하.

배수아 그런 걸 질문하는 사람들이 소설의 일을 실제 일로 전제하고 있다는 게 놀라워서요. 거기에 자전소설이라 쓰지도 않았는데.

백지은 『에세이스트의 책상』 이후의 책들에서는 대체로 주인공이 작가와 뗄 수 없게 느껴져요. 『독학자』나 단편집 『훌』의 작품들은 좀 예외라고 해도요. 「올빼미의 없음」 같은 경우는 선생님 성함이 직접 작품 속에 나오기도 하니까요.

배수아 그렇구나, 참. 「올빼미의 없음」은 좀 희한하게 쓰인 작품이기도 해요. 내가 왜 그 작품을 썼을까 생각해 보면 참 신기해요. 작년 여름에 소설 한 편을 써 달라는 말을 들었는데 시간이 빠듯할 듯해서 가을로 미뤘어요. 그런데 갑자기 「올빼미의 없음」이 그 여름에 써진 거예요. 가만히 갖고 있다가 가을에 내도 될 것을, 왠지 빨리 발표를 하고 싶어서 여름에 다른 지면에 발표를 해버렸어요. 가을에 한 편을 또 써야했기 때문에 다음 계절에 또 바빠지게 되어버리기도 했지요. 출판사의 일정도 있고 제 여행 계획도 있었는데, 그때 왜 그랬는지 지금 생각하면 정말 모르겠지만, 그때는 그 작품을 쓰고 나자마자 빨리 발표를 하고 싶었어요. 내 행동이 스스로 이해가 안 될 만큼 조급했던 것 같아요.

백지은 그건 어쨌든 누군가에게 읽히고 싶다는 뜻이고, 그건 좀 당연한 거 아닌가요? 저도 어떤 글은 마침표를 찍자마자 바로 누군가가 읽어줬으면 바랄 때가 있는데..

배수아 그렇기도 하지요. 갖고 있으면 자꾸 고쳐야 할 것 같으니까, 영원히 고치게 되니까, 빨리 넘기고 싶은 것도 있지요. 「올빼미의 없음」을 그렇게 쓰고 나서, 그것이 어쨌든 긍정적인 효과를 준 것 같기는 해요.

백지은 언젠가 "작가는 자기 자신을 위해 작품을 쓴다."고 하셨던 것을 기억하는데요. 독자로서 저는 작품이 작가를 위해서만 존재한다고 생각하지 않습니다. 자신을 위해 글을 쓴다는 것과 글이 작가를 위한 존재라고 하는 것은 분명 차이가 있겠지만요. 다만 『북쪽거실』의 해설에도 이런 말이 있지만, "한국 문학사에서 유래를 찾기 힘든 실험 정신으로 유명한 문제작이 되거나, 독자라고는 몇몇 평론가들과 운없는 다독 시민 몇 명과 소수의 문창과 학생들밖에는 갖지 못하게 될 저주받은 책이 되거나"(김형중)라는 말이요, 독자와의 소통에 관한 생각을 여쭙는 것이 오히려 오해를 피할 수 있을 것 같아요. 선생님 뜻은 독자를 의식하는 것이 작품 자체에 도움이 되지 않는다는 생각이신 것이지 독자와의 소통 자체를 무시하신다는 건 아니실 것 같아서요.

배수아 아, 그 해설은 마치 미리 그 책에 마법을 걸어주신 것 같아요. 음, 광범위한 의미로 이야기해서, 저는 인간에 대해 선하다, 악하다를 말하기보다 인간은 자기 자신의 이익에 따라 행동할 뿐이라고 하는 말이 맞다고 생각해요. 인간이 하는 모든 일은 자기 자신을 위한 일이라 할 수 있지요. 모든 인간이 자기 자신이 원하는 것을 하게 하면 다른 법칙이나 룰이 필요하지도 않을 것 같아요. 결국 인간의 행위라는 것은 자신을 위한 것이라고 생각해요. 남을 침해하거나 범죄 같은 행위까지 포함하는 것은 아니지만요. 이렇게 말하니까 자유방임주의 같은 것이 떠오르지만, 저는 문학에 있어서는 자유방임주의 같은 것이 필요한 것 같아요. 작품이 독자를 의식하네 안 하네, 소통이 되네 안 되네 등을 말하는 것은 문학 미디어의 말들이고, 작품을 쓰는 사람들은 궁극적으로 자기 자신을 위해 쓴다고 생각해요.

백지은 소설가가 소설을 쓴다는 것은 결국 쓰이고 발표되고 읽히고 유통된다는 것을 의미할 텐데, 그런 것을 모두 의식하는 것까지가 자기를 위한다는 말에 포함되어 있는 것이겠죠.

배수아 네, 일기를 쓰는 것과 소설을 쓰는 것은 분명 달라야 하니까요. 어쨌든 소설은 남에게 읽히는 것을 분명 전제로 하니까요. 꼭 독자를 위한 것이 아니지만 미적인 설득력을 갖추지 못하면 그런 소설은 결국 도태되고 말 것이구요.

백지은 에세이와 소설의 경계를 허무는 글쓰기에 대해 긍정적인 견해도 있지만, 소설은 무엇보다도 뚜렷한 스토리가 있어야 한다고 믿는 사람들도 있을 텐데요. 저로선 소설이란 워낙 다양한 목소리들로써 실존을 실험하는 것이기에, 가장 혼종적인 장르라고 생각하고 있습니다만…….

배수아 장르에 관해서라면, 사람들이 나에게 정면으로 물어봐 주었으면 좋겠어요. 나는 내 글이 소설이라고 아우성 친 적이 없는데 다른 이들이 나를 소설가라 부르고 나의 글을 소설이라 부르면서 왜 이것이 소설 같지 않냐고 말하는 것은 정말 이상한 것 같아요. 장르가 무슨 남북한처럼 나뉘어 있는 것도 아니고……. 나는 뭔지는 알 수 없지만 쓰는 것에 대해서 굉장히 버닝하는 편이에요. 나는 내가 쓰는 글이 무엇이어야 한다는 생각을 하지 않아요. 그건 어릴 때부터 그랬어요. 혼자서 읽고 쓰는 일들이 재밌었는데, 그건 시는 아니었고 긴 글이었어요. 친구들이 롤러스케이트장에 놀러 다닐 때도 나는 몸도 좀 둔하고, 이 시끄럽고 지저분한 곳에서 노는 일이 왜 재밌는 일인지 알지 못하고 그냥 집에서 동화책 읽고 놀았어요. 이렇게 이야기하면 어릴 때부터 문학소녀였구나 하실 테지만 그런 건 아니었구요. 책을 읽고 또 읽고 나서 더 이상 읽을 게 없으면 그 동화의 후속편을 쓰는 거예요. 왕자와 공주는 그 후에 어떻게 되었을까, 상상하고 쓰고, 그러면서 재미를 느꼈어요. 그런 걸 좋아했어요.

백지은 현재도 지금 쓰는 이 글이 꼭 무엇이라고 이름을 달아야 할 이유가 없는 글을 쓰고 계신 거잖아요.

배수아 예. 『당나귀들』이 가장 그랬어요. 그건 픽션이 꽤 큰 글이지만 소설이라 하기에는 이상한 거예요. 나는 출판사에서 이게 뭔지 물어 올 줄 알았어요. 물어보면 산문소설이라고 답해야지 정도로 생각하고 있었는데, 나중에 책이 나온 걸 보니까 '장편소설'이라고 붙어있더라고요. 내가 소설가니까 그렇게 했겠죠. 이걸 소설이라고 해도 될까 싶어서 나중에 편집부에 물어봤더니 그쪽에서는 "그럼 이게 소설 아니면 뭐예요, 시예요?" 하는 것이었어요. 어차피 장르에 대한 토론 같은 건 원하지도, 필요하지도 않았던 거죠. 그때 아주 폭력적으로 느꼈어요. 그리고 '나 혼자 이런 고민을 했구나, 남들은 신경도 쓰지 않는데……' 하고 생각할 수밖에 없었어요. 소설을 원했던 사람들이 그 책을 읽었더라면 흥미진진하지 않으니 실망했을 거고, 소설이 아닌 글을 원했던 사람은 그 책을 선택하지도 않았겠죠. 만약 아주 유명한 사람이 그걸 썼다면 장르 논쟁이 일어날 수도 있었겠지만요.

백지은 그래도 선생님 때문에 지금 장르 논란이 일어나고 있는 거예요.

배수아 소설이 아니라면서 증오의 시선을 보내는 느낌을 받을 때, 마치 소설이 아니면서 소설인 척 하다니 가증스럽구나, 하는 식으로요, 그런 땐 정말 이해할 수 없었어요. 『보이지 않는 도시들』이라고 이탈로 칼비노라는 사람이 쓴 책이 있는데, 저는 그 책을 독일에서 단편인 줄 알고 읽었어요. 정말 너무나 아름다운 글이어서 읽으면서 행복했어요. 이 작가의 책을 한국에 와서 찾아봤더니 그 단편이 사실은 한 권의 긴 소설, 연작 소설이라고 해야 하나, 아무튼 여러 개의 에피소드들이 합쳐져 하나의 긴 글이 된, 그런 책의 일부였어요. 뚜렷한 스토리는 없고 아주 많은 묘사들을 모아놓았다고 할까, 도시들에 대한 묘사들, 집들은 이랬습니다, 강물은 이랬습니다, 왕궁은 이랬습니다, 하는 묘사가 너무너무 아름다운 문장들로 가득 차 있었어요. 산문시 같다고 할 수도 있구요. 장편인지 단편인지 확신할 수 없어요. 그 책은 너무나 시적인 문장들로 이어져 있었지만, 그것에 대해 소설인가 시인가, 장편인가 단편인가, 따지는 것이 무슨 의미가 있을까요. 아름답고 애매한 정체성을 갖고 있는 그 글에 나는 빠져들었어요. 더구나 그렇게 구별이 잘 안 되는 글을 썼기 때문에 그건 잘못된 것이라 평가한다는 것은 문화적 파시스트만큼이나 바보 같은 행동이라고 생각해요.

백지은 한국의 평론가들이 장르를 운운하며 소설에 대해 이야기할 때도,

'못된' 의도로 그런 건 아닐 거예요. '소설'에 애정을 갖고 있는 사람들이, 아름다운 새로운 글이 나타났을 때 그것을 소설로 포섭하고 싶다는 욕망에서 그럴 수 있다고 생각해요. 저도 그런 편향을 가지고 있구요. 이미 있는 이름에 맞추어 경계를 확정하려는 시도가 어리석을 뿐이라는 뜻에는 적극 동의합니다.

*

백지은 『에세이스트의 책상』부터 선생님의 작품 세계가 바뀌었다고 흔히 얘기하지요. 편의상 구십년 대 작품들을 '초기'라고 하고 '에세이스트' 이후 작품을 '중기'라 한다면, 그 둘 사이의 변화에 대한 것이 변하지 않는 것에 대한 것보다 더 많이 논의되었는데요. 저는 사실, 그 중 변하지 않는 것에 대해 더 관심이 가요. 초기작들의 어떤 면모가 더 강화되고 다른 면모가 축소된 것이 중기 이후의 작품들에 나타난다고 생각하는 게 맞지 않을까요. 가령 글쓰기에 대한 사의식, 혹은 존재 증명으로서의 글쓰기 같은 테마는 이전 소설들에 없던 부분이 아니라 있던 측면이 강화된 것 같구요. 또 초기와 중기의 공통점으로 저는 어떤 '격렬함'을 떠올리게 되는데요, 어떤 독자들은 중기 소설을 관념적이라 말하기도 하지만 저로서는 등장인물의 추상적인 말들을 한참 따라가다 보면 어김없이 어떤 정념과 마주쳐요. 그건 이를테면, 어떤 지적이고 감성적인 정신의 활동이 문득 가슴 속에서 격렬해지는 느낌이에요. 그리고 이어지는 감각은 저릿한 통증 같은 것이구요. 선생님의 초기작부터 현재까지의 거의 모든 작품에서 그런 것을 느낍니다. 그냥 제 독후감 같은 것을 좀 길게 말씀 드렸어요. 질문을 드린다면, 그런 것을 불러일으키는 독특한 경험, 기억 같은 것에 대해 말씀해주실 수 있을까요?

배수아 저만의 특수한 상황이라고 할 만한 것은 없지 않을까요. 오래되고 집요하고 원형적인 경험, 상처 같은 것을 가지고 있고 그것이 끝없이 소설에서 직감되는 작가도 있지요. 저는 그렇게까지 뚜렷한 것을 갖고 있지는 않은 것 같아요. 읽는 분들이 느끼시는 건 다를 수도 있겠지만요.

백지은 어떤 경험이나 기억을 구체적으로 말씀해달라는 건 아니구요, 유독 글 쓰고 읽는 데 개입하는 장면, 기억, 감각 같은 것이 꼭 있으실 것만 같아서요. 너무 당연한 질문인가?

배수아 있지요, 그런 건 아주 많아요. 저는 그런 감각에 눈을 크게 떠요, 눈은 작지만. 다른 작가들도 그렇겠지요, 글을 쓰기 위한 감수성을 무의식중에 도모한다고 해야 하나, 자기도 모르게 인생의 어떤 면에 대해서 굉장히 감각이 열리는 면이 있지요. 너무나 당연한 것이잖아요.

백지은 네, 그건 그렇겠네요. 그런데 한국 소설 많이 안 읽으신다고 하셨던 것 같은데, 요즘도 그러신가요?

배수아 일부러 시간 내서 읽는 일은 드문 것 같아요. 잡지에 실린 것들도 요즘은 잘 안 읽게 되는 게 사실이에요.

백지은 음, 어쩌면 잡지에 실리는 단편들은 평론가들만 읽는지도 모르겠어요. 아무튼, 제가 드리려던 말씀은 최근의 소설들과 선생님의 초기작들과의 관련성 같은 것에 대해 얘기해 볼 수 있을 것 같다는 것이었는데요. 90년대 신세대의 아이콘이셨잖아요, 당시 문단의 아이돌이라고 해야 할까요, 헤헤.

배수아 아 그건, 참 민망했어요. 예전 그때부터 그랬던 것 같아요.

백지은 당시 그랬던 것은, 사회적 관계에 부적응하는 인물들, 서사적 저항이 무력한 불가능한 시대의 무력함, 황폐함, 그런 것들을 드러내는 이미지적 글쓰기 등으로 요약되는 어떤 징후를 선생님 작품들이 드러냈기 때문이었을 텐데요. 그런 평가의 말들이 어찌 보면 오늘날 2000년대 소설들에 꼭 어울리는 것이기도 하니까, 선생님 작품이 그런 면에서 선구적인 출현이었던 것이겠죠.

배수아 제 작품은 그다지 많이 읽히지 않았기 때문에 어떤 흐름을 주도했다거나 영향력을 행사했다고 얘기하기가 좀…….

백지은 꼭 많이 읽혀야만 영향력이 커지는 것은 아니잖아요. 당시의 선생님 작품이 그 전까지 한국문학에 잘 드러나지 않았던 새로운 징후들을 드러냈었고 그것이 오늘날의 젊은 작가들이 보이는 어떤 성향보다 앞서 출현한 것이라 볼 수 있지 않나요.

배수아 제가 등단했을 때를 돌이켜보면, 저는 참 준비 안 된 상태로 얼결에 등단을 하고 활동을 하고 그랬어요. 그런데 요즘 등단하는 친구들은 문학 자체에 대해서는 물론 문단에서 작동하는 시스템의 대소사들에 대해서도 아는 정보와 지식이 많은 것이 놀라울 정도예요. 등단의 준비 과정이나 계기, 데뷔 후의 문학 활동 같은 것도 저의 경험과는 많이 다른 것 같더라구요. 가령 등단에 적당한 작품의 경향이 있는 것도 같고, 등단작들이 어떤 틀이라고 할까, 적정한 스킬, 범위 같은 것을 많이 벗어나지 않는 한도에서 쓰이는 것 같구요.

백지은 그만큼 시스템이 많이 노출되어 있는 것이기도 할 테구요…….

배수아 이런 이야기를 하니까 생각나는, 나의 문학적 연대기에서 상당히 아이러니하게 남아있는 사건이 있어요. 그런 게 몇 개 있는데 그 중 하나예요. 독일어 에세이 시험을 보는데 저는 속으로 작가인 제게 그다지 어렵지는 않을 거라 생각했어요. 그런데 얼마나 점수가 나빴던지! 거의 떨어질 뻔 했던 거예요. 글의 장점을 파악하는 게 아니라 문법 오류, 동어 반복 등의 오류를 찾아내는 마이너스 채점 방식 때문에 저는 점수가 너무 나빴어요. 일단 제 글은 길었거든요. 길면 오류의 빈도가 커질 수밖에 없으니까요. 하마터면 과락할 뻔했던 기억이 나요.

백지은 문학적 연대기에 남아있는 또 다른 사건은 뭔가요?

배수아 그것도 황당한 사건이에요. 대학교 3학년 때 일이에요. 저는 화학과를 나왔는데, 실험에 대한 레포트를 처음 써야 했던 시간이었어요. 실험의 방법, 목적, 예상 결과, 그 의미 등을 미리 개괄하는 실험 개요를 써야 했지요. 팀마다 실험이 달라서 남의 것을 볼 수도, 딱히 참고할 만한 샘플도 없는 상태에서 저는 제 나름대로 그냥 보고서를 써서 냈어요. 그런데 다음 시간에 선생님이 학생들 것을 몇 개 들고 와서 읽어주시는데, 맨 처음으로 제 것을 읽으신 거예요. 이렇게 쓰면 안 되는 예로 드시면서요. 그건 화학 실험 보고서이니까 그냥 팩트만 적으면 되는 거거든요. 그런데 선생님께서 "배수아, 이 문장은 너 말고 아무도 이해할 수 없는 문장이야"라고 하셨던 거지요. 지금 생각하면 너무 의미심장한 말씀이셨어요. 실험에 관해 무엇이 어떻게 잘못 되었다, 아니다가 아니라 문장에 대해 말씀하셨다는 것이 두고두고 생각하면 놀라워요. 몇 년 전에 불쑥 그때 기억이 났는데, 마치 현재의 저를 예고하신 무슨 암시 같기도 하더라구요. 아마도 비문이라는 뜻이셨을 텐데, 제 문장을 지적받은 첫 번째 경험이었죠.

백지은 비문이면서도 미문인데…….

배수아 아, 그런 말은 아니셨을 거구요. 지금 생각하면 우습기도 하고요. 몇 년 전에 한 평론가가 저에 대해 쓰신 어떤 작품론을 보니까 제 글에서 비문을 여러 개 뽑아서 지적하신 글이었는데 정말 놀랍더라고요. 아니 내가 이렇게 혁명적인 문장을 썼던가? 하고요. 하하, 나는 그땐 한국어 문법은 정말 몰랐어요. 그게 왜 비문인지 몰랐던 것 같아요. 그렇지만 이제는 다시 읽으니까 알겠어요, 비문인 거 같더라고요.

백지은 예전에 쓰신 작품들을 다시 읽어보기도 하시나요?

배수아 아니오, 읽지 않아요. 민망하기도 하고. 심지어 『푸른 사과가 있는 국도』는 지금 가지고 있지도 않아요. 그렇지만 예전 단편들 중에 제가 사랑하는 것도 있어요. 가령 『바람인형』은 제가 좋아하는 작품들이에요. 『푸른 사과가 있는 국도』는 거의 미성년 상태로, 아무 것도 모르는 채로 썼고 그래서 당시 제 작품에 대한 세간의 평들, 신세대적이라거나 비정치적이라거나 그런 말들이 너무 과장되게 느껴졌어요. 거기에 대해 제가 언급하는 것도 좀 어색하구요. 연속극에 나올 만한 평범한 이야기였거든요.

백지은 그렇지만 당시 선생님 소설들에는 그 이전의 소설들에는 나타나지 않았던 징후들이 분명히 있었다고 생각해요. 그리고 어떤 의미에서는 그 점들이 요즘의 선생님 소설들에서도 여전히 유효한 부분이 있구요. 그런데 한 가지 여쭙고 싶은 게 있어요. 초기 소설에는, 진지하고 치열하고 강렬하고 그런 것들이 불온하고 위태로워서 '나쁜 것'처럼 그려졌어요. 너무 매력적이어서 위험한 느낌 같은 거요. "내 안의 짐승이 나를 글 쓰게 한다"고 하셨을 때, 그 짐승이 전에는 거칠고 위험해 보였거든요. 중기 이후로도 그런 것들은 나타나는데 이제는 '그 짐승'이 당당하고 아름답습니다. 치명적이지 않고 품위가 있어요. 신념이나 의지 같은 것을 가지고 있다고 할까, 나쁜 게 아니라 '좋은 것'이 되었어요. 또한 세속적이고 아둔하고 철면피한 그런 것들에 대해, 물론 차가운 시선이지만 그것을 알아본 자의 어쩔 수 없는 연민이 초기작들에는 없지 않았다면, 이제 그런 것들에 대한 따가운 시선은 전혀 연민을 갖지 않습니다. 차라리 경멸에 가깝겠지요.

배수아 아, 그건 맞는 크리티인 것 같네요. 그렇지만 나는 거기에 대해 특별한 시각을 갖고 있지는 않은 것 같아요. 그렇게 느낄 수도 있다는 생각이 들기는 해요. 그러나 근본적으로 예전에 글 쓰던 나와 지금의 나는 그다지 달라지지는 않은 것 같아요. 나는 개인의 문화는 개인의 환경의 영향을 많이 받는다고 생각하는데, 그때와 지금의 나에게 가치관의 전환 같은 것은 없었어요. 환경이 그다지 달라지지 않았거든요. 다만 이렇게 말할 수 있을 것 같아요. 그때는 그 나쁜 것 자체로 자신을 좋아했는데 시간이 가면서 자신의 나쁜 것을 정당화하려는 것이 아닐까요, 내가 그런 게 아니라 그 짐승이요. 자기도 모르게 그 변명을 하고 있는 게 아닐까. 그런 점에서 달라졌다고 해야 할까요. 이런 것은 물론 글을 쓰기 전에 전제되는 심리는 아니에요. 쓴 후에야 읽어 보고 아마 그랬나 보다, 이러저러한 심리가 있었나 보다 생각하게 되는 거지요.

백지은 이전의 소설을 읽으면 그 당시의 정념에 휩싸이나요?

배수아 아니 읽지 않아요. 왜 그렇게 썼는지 회의가 들고 소설에 드러나는 제 모습이 너무 유치해서 민망하기도 하구요. 거의 모든 작품에 대해 그런 생각이 들어서 다시 읽고 싶지 않아요. 그러니 가장 맘에 드는 소설은 최근작일 수밖에 없어요. 아직은 그런 것들이 덜 드러나 보이니까요. 근데 벌써 『북쪽 거실』에서도 그게 드러나기 시작하려고 해요. 그런데 이런 말을 하면 어떤 기자들은 “그럼 왜 썼어요?”라고 묻기도 하죠.

백지은 소설을 미리 구상하고 쓰시는 편은 아니시죠?

배수아 그렇게 쓸 수도 있겠지만, 그리고 시도를 해보기도 했지만, 쓰면서 바뀌잖아요. 처음의 생각과 바뀌는 게 너무나 당연해요. 그래서 스토리가 스스로 생성되는 흐름에 맡기는 편이에요. 나는 내가 쓰는 방식이 마음에 들어요. 나한테는 가장 적절한 방식인 것 같아요.

백지은 선생님 소설이 어렵다고들 하지만, 세심한 독자들이라면 무조건 어려운 것만은 아닐 거예요. 자주 긴 문장들의 흐름을 못 따라가는 순간이 있지만요. 그런 부분을 마주칠 때, 어떤 연결의 고리들을 찾아내기 위해 열심히 머리를 굴리기보다는 살짝 땅에서 조금 뜬 흐름에 머리를 맡겨야 차라리 쉬워지는 듯한 느낌도 들어요. 혹시 쓰실 때도 그런가요?

배수아 쓸 때는 몰랐는데, 나중에 책으로 보니까 문장이 조금 길고 답답한가 하는 생각도 없지 않았어요. 이렇게 쓰고 싶었지만 반드시 이렇게까지 써야만 했을까 하는 생각이 잠깐 든 것도 사실이에요. 독일 있을 때 『북쪽 거실』 해설을 처음 읽고 충격을 좀 받았어요. 보통 독자도 아닌 평론가가 이렇게 힘들게 이 책을 읽으셨다면 이건 정말 많은 사람들에게 읽히기 어렵겠구나 했지요. 그렇게 예상하지도 않았지만 내 생각보다 더욱 암울하겠구나 하는 생각도 들었어요. 그 작품은 뒷부분에 무게 중심이 있는데 그게 잘 안 읽힌 것 같더라구요. 후반부에서 순이라는 캐릭터가 북쪽거실에서 온 여인에게 전이되는 형태인데, 그 전이의 과정이 "나는 이제부터 전이하겠어"라는 식으로 명확하게 나타나는 게 아니었으니까 리얼리즘에 익숙한 일반 독자들에게는 불분명해서 어렵게 느껴질 것이라는 점은 예상했어요.

백지은 『북쪽 거실』은 책 표지가 참 이뻐요. 몽상적인 그림이 글과 잘 어울려요.

배수아 제가 골랐는데, 글을 쓰는 동안 그 그림을 봤기 때문에 그 그림이 어울린다고 생각했었어요. 너무 유명한 그림이라서 별로 좋지 않은 게 아닌가 하는 의견들도 있었지만 미술 전공자들에게가 아니라면 식상할 정도로 유명한 그림은 아니라고 생각했어요. 더 선명하게 나왔으면 더 좋았겠지만 표지로 만들기 어려웠음에도 불구하고 표지로 하게 되어 행복했어요. 4월이나 5월 쯤 창비에서 단편집이 나오는데 그때는 또 표지를 어떻게 해야 할까 걱정이에요.

*

백지은 『북쪽 거실』의 작가 소개에 '월요일 독서클럽 회원'이라고 적혀 있던데요, 특별히 애정을 갖고 계신가 봐요.

배수아 네. 그건 말 그대로 독서 클럽이에요, 친구들끼리 모여 월요일에 책을 읽는 모임이요. 책을 아주 좋아하는 사람들이 모였어요. 작가는 저 혼자지만 문학 관련 종사자들이 대부분이에요. 다들 너무나 책을 읽고 싶어한다는 점에서 공통되고, 혼자서 읽으면 자기 일에 관련된 책만 읽으니까 다른 사람들과 함께 읽으면서 다양한 책을 소개받을 수 있다는 장점도 있어서 좋아요. 가령 영미문학을 소개해주시는 분들도 있고 저는 독문학을, 관심사가 조금씩 다르니까 또 누군가는 다른 것을 소개하면서 다양한 분야의 책들을 접할 수 있어요. 여섯 명의 멤버가 2주에 한 번씩 모여 토론하고 3주에 한 번씩은 회원들이 돌아가면서 《한겨레 21》에 독서 칼럼도 씁니다. 그런 모임에 소속된 것도 저한텐 거의 처음 있는 일이에요. 이미 결성된 모임에 제가 합류하게 되었는데, 여러 면에서 저와 너무 잘 맞았어요. 취향이나 수준이나 여유나 그런 것들이 비슷해요. 그런 친구들과 만났다는 게 정말 행운이에요.

백지은 저는 외국 문학 독서량이 적어서 한국 문학에 매몰되어 문학적 시야가 좁아진 것 아닌가 하는 생각도 들거든요.

배수아 여럿이 책을 함께 읽으려다 보면 자기 취향만 주장할 수는 없지만 그보다 괜찮은 작품들을 더 많이 읽을 수 있어서 좋은 점이 더 많아요.

백지은 그 외에도 이해 관계를 떠난 공동체랄까 그런 것이 또 있으신가요? 생활 공동체일 수도 있고 감정을 나눌 수도 있는 그런 공동체요, 친구든 가족이든.

배수아 제 작품에 생활적인 요소가 부족하다는 말씀을 하고 싶으신 것? 저는 그 부분에 대해서는 아예 쓰지 않아요. 가족들과도 그런 식의 공통감을 나누지 않구요. 예전의 친구들과도 지금은 서로의 삶이 너무 많이 달라져서 같이 나눌 얘기들이 많지 않아요.

백지은 요즘 소설 중에, 소설의 경계를 확장하는 소설, 이것을 소설이라 불러야 하나 마나를 고민하게 하는 작품들, 언어를 좀 극단으로 밀고 가서 어떤 문턱에서 이루어지는 언어활동이라 할까요, 그런 것들과 선생님 소설과의 밀접함이 감지되기도 하는데.

배수아 제 소설은 많이 읽히지 않았기에, 저는 영향 면에서는 제 소설이 별로 그렇지 않다고 생각해요. 문학적 카논이랄까, 그런 리스트가 있잖아요. 후배 작가들이 제 작품을 그런 식으로 대하지는 않을 거예요.

백지은 글쎄요, 베스트셀러가 영향력이 가장 큰 건 아니니까요. 90년대 작가들 중 김영하, 백민석 등과 더불어 선생님 소설이 하나의 포스트가 될 수는 있다는 뜻에서라면요. 그런데 특히 90년대 말 쯤에 쓰인 선생님 소설들에는 스토리가 좀 뚜렷한 이야기들이 있었잖아요, 그때의 소설들도 저는 참 좋아하는데요…….

배수아 저는 『북쪽 거실』에도 나름대로 스토리가 있다고 생각해요.

백지은 네, 그 말씀도 맞습니다. 스토리가 있다 없다, 로 지금 제가 얘기한 건, 인물 사건 배경이 뚜렷하게 제시된다는 정도의 범박한 뜻이에요. 아무튼 저는 그 시기의 소설들을 참 좋아해요, 『철수』나 『그 사람의 첫사랑』의 작품들이요.

배수아 제가 『소설집 No.4』를 쓴 시기에, 특히 그런 이야기를 만들기를 의식하고 즐긴 것 같아요. 그런데 그 시기가 오래 가지는 않았어요. 쓰다 보니 그런 방법이 제가 좋아하는 방향은 아니었어요.

백지은 그게 생각나요, 『에세이스트의 책상』에서 "스토리를 뱀과 화염의 강물로 차단하겠다"고 하셨던 거.

배수아 무슨 독립선언문 같이 너무 비장하지 않나요. 아무도 신경 쓰지 않는 부분에 대해서 돈키호테처럼 혼자서…….

백지은 네, 비장하기도 합니다. 제겐 그것이 매력적이었지만요. 그런데 이전에 스토리가 뚜렷한 작품들에도 거기에 뱀과 화염의 강물이 없지 않았어요. 혹시라도 다시 그 세계를 좀 더 즐겨보실 일은 없으실까요?
배수아 그런 건 계획하거나 예상할 수 있는 일이 아닌 것 같아요. 소설 쓰기란 불확실한 노선을 따라가기니까요. 항상 스스로를 배반해요. 무슨 약속 같은 것은 더욱 할 수 없구요. 앞으로 어떤 글을 쓰게 될지 저도 아무도 모르지요.

백지은 오늘 정말 편안하게 이야기를 나누어서 즐겁고 기쁩니다. 그런데 인터뷰에 적당한 질문을 잘 드리지 못한 것 같아서 왠지 죄송하기도 하네요. 너무 잡다한 이야기는 빼고 정리하도록 하겠습니다.

배수아 네. 근데 그러면 건질 게 있을지 모르겠네요. 저도 오늘 즐거웠어요.

목소리 이후

처음엔 그날의 이야기에서 중요한 것, 핵심적인 것, 필수적인 것, 그런 것들만 뽑아내려고 했었다. 그의 말이 맞았다, 뭐 건질 게 거의 없다. 일단 그날의 말들을 이것저것 가리지 않고 적어 내려왔다. 말 사이에 웃음이 많았었는데 이 기록에는 잘 안 나타나는 것이 조금 아쉽긴 하지만, 다시 보니 시시콜콜한 것만 같았던 이런 말들이 안 중요하지도, 안 필수적이지도 않은 것만 같다. 시간이 조금 지났고 말이 글로 옮겨지면서 생겨난 착각인가? 그렇다 해도 진솔한 분위기만큼은 지어내기 어려운 것이니까. 그에게 한 번 더 인사하고 싶어진다. 그날의 모든 말과 표정과 웃음, 고맙습니다.

고독하기 때문에 불행한 사람은 없다

배수아론

이 정 현

1. 유폐된 수인들의 독백

"우리는 모두 '나'라고 쓰인 커다란 관을 머리에 이고 돌아다니며 신석기인의 토굴 안에서 아무도 귀기울여 주지 않는 아귀다툼의 독백을 읊조리고 있느라 다른 사람도 역시 모두 사방에서 동시에 뱉어내고 있는 아귀다툼의 독백을 들을 여유가 없다."(『당나귀들』, 이룸, 2005, 26쪽)

인간은 나름의 결핍을 지니며 타인으로부터 위로받기를 꿈꾼다. 인간이 글을 쓰는 이유는 상처의 착종으로 이루어진 세계 안에서 타자와의 소통 가능성을 타진하기 위함이다. 그러나 배수아의 글쓰기는 이러한 일반론을 가볍게 벗어난다. 배수아의 소설은 차갑다. 무엇보다도 그녀의 텍스트들은 소통을 강렬히 희구하지 않는다. 이해받기 위하여 글을 쓰는 행위의 덧없음을, 알아버린 자의 차가운 독백. 우리가 타인을 이해한다고 했을 때, 그것은 대개 철저하게 자신의 방식으로 타인을 오해한 것에 불과하다. 누군가를 이해한다는 말 또한 자신의 오독과 오해를 방어하기 위한 주술적인 반복에 가깝지 않은가. 그럼에도 우리의 대화는, 이해와 연대를 외치는 목소리는 그치지 않는다. "우리가 서로를 알기 위해 사용한 언어는 단지 방언에 불과"(『에세이스트의 책상』)하다는 배수아의 진술에는 타인과 소통하기 위해 우리가 사용하는 언어의 한계에 대한 짙은 회의가 묻어난다.

배수아가 내세우는 인물들은 현실이라는 감옥에 유폐된 수인(囚人)들이다. 소통의 불가능성을 철저하게 인식하고 있는 이 수인들의 언어는 곧잘 시간과 공간의 경계를 지우면서 넋두리처럼 이어진다. 과거와 현재, 그리고 미래라는 인과적이며 순차적인 시간은 고려의 대상이 아니다. 시간과 공간의 유기적인 구성에 따라 형성된 언어의 한계를 알고 있기 때문이다. 인간은 대화를 통해 타인과 의사소통을 하고, 글을 쓰면서 타인을 설득하거나 스스로를 위로하고, 그럼으로써 자유롭다고(자유로워진다고) 생각(착각)한다. 배수아식으로 말하자면, 우리는 모두 수인이다. 자신을 유폐시키는 담장의 존재를 인식하느냐의 문제만이 남을 따름이다. 최근작 『북쪽 거실』(2009)에는 이러한 인식이 직설적으로 언급되어 있다.

> "글을 쓰기 위해서 나는 사랑이 아니라, 무엇보다도 나의 부재가 필요해요. 게다가 난 자유로운 인간 따위는 될 수가 없다는 일생의 결론에 도달해버렸으니까요. 자유로운 여자는 더더욱 아니에요. 바꾸어서 말해볼까요. 자유란 수용소에서 부르는 노래에 지나지 않아요. 12미터 높이의 담장 안쪽에 자신을 스스로 가둘 줄 아는 자만이 자유를 노래할 줄도 아는 거죠. 그들은 적어도 자신이 자유롭지 않음을 담장을 통해서 볼 수 있으니까요. 하지만 담장 너머의 자유는 그 어휘의 본질상 개념의 경계가 없이 무한하기 때문에, 결국 자기 확장을 거듭하다보면, 자유롭지 않음의 다른 이름일 수밖에 없어요."(『북쪽 거실』, 문학과지성사, 2009, 68쪽)

"한 사람의 삶이란 이 세상의 한줌의 먼지와도 같아. 얼마나 우연이고 얼마나 가벼운가."(「푸른 사과가 있는 국도」) 초기작에서부터 드러나던 허무와 환멸의 정서는 지금-여기까지 계속 반복된다. 현실을 닫혀 있는 '감옥'으로 보는 시선은 새롭지 않다. 이미 수많은 작가들이 현실을 창살 없는 감옥으로 파악하고 있지 않은가. 닫힌 현실에 대한 저항은 대개 두 갈래로 나뉜다. 자신이 처한 고립의 상황에서 탈주를 꿈꾸거나 현실의 체계에 직접 부딪히기. 완강한 현실의 시스템은 개인의 반란과 저항을 허용하지 않거나 그마저도 포섭해버린다. 속세에 투항하며 포획되느냐, 체계의 균열을 도모하느냐. 문제는 지속성일 것이다. 유폐된 자들의 글쓰기는 패배할 수밖에 없는 체계와의 대결을 얼마나 견디느냐의 문제와 연동되므로. 하지만 배수아의 글쓰기는 체제의 균열을 도모하며 저항과 연대를 갈구하지 않는다. 배수아가 직조한 인물들은 고립을 '문제 상황'이나 '한계', 혹은 '억압'으로 받아들이지 않는다. 이들은 고립된 것이 아니라 고립을 자발적으로 선택한 자들이기 때문이다. 고립된 자들은 끊임없이 글을 쓴다. 이 글들은 우리가 흔히 '소설'에서 기대하는 것들을 쉽게 배반한다. 유기적인 구조라든가, 개연적인 이야기는 존재하지 않으며, 소설보다는 오히려 '편지'나 '유언장', 혹은 '일기', '에세이'를 더욱 닮아 있다. "적절한 문장을 찾아 정처 없이 표류하는 도중에 그들은 자신의 삶의 대부분이 이미 글로 표현할 수 없는 것들의 세계로 넘어가버린 사실"(『북쪽 거실』)을 알아버렸기 때문이며, "윤리적인 목적을 가진 행위는 어느 한 개인의 영혼을 붙잡아두지 못"(『이바나』)한다는 사실을 자각했기 때문이다. 외적인 세계의 질서에 대한 철저한 무관심과 함께 배수아의 인물들은 언제나 낯선 장소를 떠돈다. 이들에게 "자신이 태어나고 자란 그 도시에서 계속해서 살아야 한다는 것은 고통"이다. "모든 사람들의 충족되지 않는 오만과 완벽하게 기억하지 못하는 거짓말과 상처받은 자존심과 터질 듯이 부풀어 오르는 욕구들이 일생 동안 쌓여가는 곳이기 때문"(『이바나』)이다. 익숙함에서 비롯된 친밀감이란 배수아의 텍스트 안에서 '안정'과 '위안'의 근원이 되지 못한다. 오히려 그것들은 권태와 타락의 계기로 작용한다. "낯선 장소에 도착하고 낯선 장소에서 생활하고, 낯선 장소를 떠나고 그리고 잠시 동안 알고 지내던 사람과 서둘러 이별"(「양곤에서 온 편지」)하는 양상이 반복된다. 이것이 바로 배수아적인 고립의 방식이다. 그렇다면 우리는 이 수상하고 자발적인 고립의 원인에 대하여 의문을 품게 된다. 친숙한 세계를 떠나 낯선 곳을 떠돌며 그녀는 왜 그토록 홀로-되기에 집착하는가. 우리는 다만 텍스트들을 더듬어가며 추측할 수 있을 뿐이다. 아마도, 환멸이 아니었을까. 필연성의 강요, 소통의 수단인 언어의 한계, 지식과 현실의 괴리, 무엇보다도 "칼날 같은 에고이즘들이 응축된 시공간"(『이바나』)에서 살아야 하는 운명에 대한.

2. 필연성으로 구축된 세계의 경직성

"오랑우탄은, 적어도 내가 사는 이 도시 동물원의 오랑우탄은 재롱을 피우지 않아. 그들은 바보가 아니거든. 그들은 자신이 갇혀 있다는 것을 알아. 그리고 그들이 알고 있다는 것을 사람들에게 숨기지 않아. 그들은 스트레스를 받고 서서히 죽어가고 있어. 그러나 그들을 구경하는 사람들도 마찬가지로 서서히 죽어가고 있는 셈이지."(『동물원 킨트』, 이가서, 2002, 86쪽)

그녀가 파악하는 지금―여기의 세계는 거대한 동물원이다. 우리는 동물원에 갇힌 동물들을 '감상'한다. 폐쇄된 공간에서 사육되며 본래의 야생성을 포기하고, 자유 의지를 거세당한 채 구경꾼의 시선에 봉사하기 위하여 존재하는 동물들. 코제브(Alexandre Kojève)에 의하면 탈 역사 시대의 인간은 일본적 속물이 되거나 미국적 동물로 전락한다. 형식적으로 인간인 척 연기하는 일본적 속물, 그리고 자신의 인간성을 노골적으로 외면하는 미국적 동물. 현대인들은 이 두 가지 존재 사이를 저울추처럼 오간다. 환경과 맞서고 투쟁하고, 자신의 가능성을 실현시키기 위하여 고통을 감수하는, 헤겔적 의미의 '인간'은 속물이거나 혹은 동물로 '전락'한다. 속물과 동물 사이를 넘나드는 인간들이 가득한 세계에서 우리는 구경꾼의 시선에 봉사하는 철창 속의 동물들과 다르지 않다. 성찰이 부재하는, 타인지향적인 삶. 타자의 욕망이 어지럽게 교차하는 가운데 속물화된 인간들은 더 이상 자의식 때문에 괴로워하지 않는다. 부각되는 것은 치열한 인정투쟁과 무감각한 삶이다.

"행복한 시대란 불행한 시대의 오직 상대적인 개념으로서 정치적으로 제시됐을 뿐이다. 우리는 불행한 시대를 살고 있는데 우리가 불행하다는 것에 더 이

상 불행해 하지 않기 때문이다."(『독학자』, 열림원, 2004, 207쪽)

우리가 사는 세계를 유지하고 구성하는 관계의 그물망 사이로 오가는 인정투쟁의 언어는 쉽게 소비되고 왜곡된다. 이럴진대, 언어를 이용하여 완성된 '이야기'를 직조한다는 것은 인정투쟁과 기만으로 전락할 수 있지 않을까. 배수아가 행하는 자발적 고립은 바로 여기서 시작되었으리라. 소통하고 있다고 착각하는 속세의 사람들에게 "진심이란 곧 하찮은 소문"(「p회색시」)에 불과하다. 또한 말을 한다는 것은 "점점 서로에게서 멀어져가고, 언어의 세계에서 멀어져가고, 서로가 추구하는 인식에서도 멀어져"(『독학자』)가는 사실을 견디는 것에 불과하다. 이 지독한, 언어와 세계에 대한 환멸은 여러 작품에서 언급된다. 『독학자』에는 "과장된 광대 마당"에 불과한 대학을 떠나는 화자 '나' 가 등장한다. '나'는 왜 대학을 떠났는가. 대학에서 배운 지식이 '자유'가 아닌 속세에서의 적응을 위한 처세술과 인정투쟁의 기술일 따름이라는 회의 때문이다.

"아무도 진보된 정치에 어울릴 만한, 그것을 포용할 만한 혹은 그것에 포용될 만한 진보된 사회에 대해서는 관심을 전혀 기울이지 않는 것이다. 전반적으로 진보된 개인과 문화를 위해서, 그들을 위한 사회를 만들기 위해 진보된 정치가 필요한 것이 아니었던가? 그러나 지금은 모두 정반대인 것처럼 보인다. 정치적인 자유 이외의 모든 지적인 자유, 정치적인 의미 이외의 사상의 자유, 예술의 자유, 그리고 가장 잔인하고 억압적인 관습으로부터의 자유, 해머처럼 가차없이 머리 위로 떨어지는 다수의 결정으로부터의 자유, 군중으로부터의 자유, 잔인한 본성으로부터의 자유, 무기와 육식으로부터의 자유, 폐쇄적인 성 정체성과 전통적 가족으로부터의 자유. 그런 것들을 원하는 목소리는 어디에서도 들려오지 않았다."(『독학자』, 126쪽)

'나'는 대학에서 '자유'를 배우지 못한다. 내가 대학에서 목도한 것은 속물성과 그것을 은폐하기 위한 언어유희, 자유를 희구하면서도 사회적 진보를 외면하는 이중성, 그리고 모순에 침묵으로 일관하는 나태와 계산이다. '나'는 "어떤 권력 앞에서도 개인은 여전히 무력하고 고독할 것"이며 결국 세계란 "내면에서 외롭게 홀로 견뎌야만 하는 폭력"이라고 인식하기에 이른다. '나'는 속물적인 언어유희에 머무는 지식과 동물화 되는 개인들이 들끓는 대학을 등진다. 대학을 관둔 '나'의 행위는 단순한 '저항'이나 '타락'과 같은 적대적인 이분법으로 구분되지 않는다. '나'의 떠남은 "배우지 못한 언어로 향해 나가는 유일한 수단이 '배운 언어'라는 사실"(『당나귀들』)과 함께, 세계의 이중성에 대한 자각으로 읽힌다. 속세에 저항하거나 종속 되는 두 갈래의 한정된 길에서 '나'는 벗어난다. 자신의 관념으로 이루어진 세계를 스스로 창조하기. 그것이야말로 세계의 '의미 없는 사물성'으로부터 '나'를 지키는 일이며, 세계의 복잡한 그물망에 포획되지 않고 스스로의 자유를 찾아가는 행위라고, '나'는 생각한다.

여기서 배수아 소설 속의 '나'는 작가 자신의 도플갱어(Doppelganger)로 읽혀진다. 배수아의 '나'들이 독백으로의 몰두는 속물과 동물들이 가득한 세계 안에서 '쓴다는 행위'의 순수성을 스스로 지켜내기 위한 몸부림이며 '상품'의 한 품목으로 전락하는 소설이라는 형식에 대한 거부의 방식으로 다가온다. 대학과 결별하는『독학자』의 '나'의 존재와 독백은 그 이후의 소설들 속에서 변주되면서 지속된다. 문학이 세계에 대한 하나의 태도라는 사실을 염두에 두고 읽는다면, 배수아의 소설은 그 자체로 세계의 획일성과 폭력을 '시시하게' 취급함으로써 그것으로부터 멀어지고자 하는 의지의 표현으로 다가온다. "글을 쓰는 방법에 있어서 나에게는 대개의 경우 선호하는 몇 가지의 사소한 방법이 있는데 동일시하거나 비판하거나 개입하거나 사랑하지 않는 것"(「작가의 말」)이라는 배수아의 진술에서 우리는 그 사실을 확인할 수 있다. 자기변명을 통한 합리화와 동질화의 욕망의 전염성에서 벗어나기 위해서 그녀는 '고립된 정신'을 표방한다. '고립된 정신'은 '고립'이라는 어감이 주는 배타성이나 외로움과는 일정 부분 차이를 지닌다. 어떤 인과율의 결과가 아닌 고유의 정체성으로 작용하는 '고립된 정신'은 배수아의 텍스트를 '에세이', '편지', '고해성사', '주관적 리뷰'의 경계를 오가는 혼종적인 글쓰기로 진화하게 만든 요인이다. 그러니까 "자신이 낭독자이자 청자가 되는 오디오북"(『북쪽 거실』)과 같은, '해독할 필요가 없는 꿈'의 기록으로. 그녀의 소설을 규정하고 해부하려는 시도는 어쩌면 필연성으로 구축된 세계와 언어에 익숙한 자들의 오류일지도 모른다. 꿈과 현실이, 과거와 현재가, 모호한 성(性)과 국적이 불규칙하게 엇갈리는 그녀의 소설들은 하나의 징후이다. 필연성으로 구축된 세계와 속세적 언어의 '틈새'에 존재하는 그녀의 텍스트들은 결과가 아니라 세계와 사무를 다른 방식으로 바라보는 응시, 그 자체이다. 그러므로 그녀의 텍스트를 규정하고 정의하려는 시도들 속에서 우리가 마주하게 되는 것은 필연성의 세계에 익숙한 우리 스스로의 경직된 사고에 불과하다. 대상을 규정하는 행위는 "자신이 창조한 세계로 다른 사람을 끌어"(『독학자』)들이고 싶다는 동질화의 욕망과 연루되어 있기 때문이다. 깊은 착각과 집요한 편견은 이 욕망을 발판으로 생성되지 않는가. 따라서 배수아가 고립된 정신을 표명하며 멀어지고자 하는 것은 바로 현실의 견고한 인과율이다.

3. 사랑과 소통의 불가해성

> "사랑은 쉽게 부정되고 그 정의는 항상 애매모호함 속에 갇혀 있고 천박하고 상스러우며 무책임하고 뻔뻔스러우며 변명을 좋아하고 완전히 사라진 다음에도 끈질기게 발언의 기회를 노리면서 모양새를 망가뜨리고 히죽거리고 킬킬거리고 새끼 밴 암컷보다 더 배타적이며 게다가 그 장황한 목소리가 부끄럽게도 한창때의 장미꽃보다 더 빠르게 잊혀지고 만다. 그것은 아무것도 아니며, 처음부터 아무것도 아니었고 지나간 다음에는 더더욱 아무것도 아니었다."(『에세이스트의 책상』, 문학동네, 2003, 113쪽)

자신의 세계로 타자를 끌어들이는 행위 중에 우리가 가장 환상을 가지고 있는 감정은 바로 사랑이다. 그렇다면 배수아의 '고립된 정신'은 사랑을 어떤 방식으로 사유하고 있는가. 어쩌면 배수아의 고립된 정신은 타자를 끌어들이는 행위인 사랑마저 배타적으로 바라보고 있는 것은 아닌가.

배수아의 텍스트에서 본격적으로 소설과 에세이의 경계를 지우기 시작한 작품 『에세이스트의 책상』은 언어에 대한 성찰이자, 언어를 매개로 감정을 전달하고 기록하는, 사랑의 움직임에 관한 소설이다. 독일에 체류하는 '나'는 독일어를 가르쳐준 M과 연인이었다가 헤어진 상태이다. '나'는 책을 읽고 음악을 듣고 산책을 하고, 연말에는 친구 요아힘과 함께 파티에 참석하는 일상을 보내고 있다. '나'는 현재의 일상과 과거에 대한 회상을 기록한다. 독일어 교사 M과의 사랑에 대한 추억이 텍스트의 중요한 줄기지만, 그것은 사랑을 나누었을 때의 환희와 달콤함, 이별한 뒤의 상처와 눈물 같은 감정의 묘사가 아니다. "언어를 알게 된다는 것은 결국은 자국어의 경계를 넘어서서 사고하는 일이며, 성장한다는 것은 단지 언어를 통해서만이 가능하며 그것은 단지 언어만이 사고의 명확한 도구이기 때문"이다. 두 연인은 자국어가 단지 의지만 있으면 얼마든지 넘어설 수 있는 경계에 지나지 않는 것이라고 믿(고 싶)었지만, '나'는 알고 있다. 나의 언어/욕망(자국어)은 당신의 언어/욕망(외국어)과 포개질 수 없다는 사실을. "서로 다른 자국어를 가지고 있다는 것에 견딜 수 없을 정도로 고통"을 받던 연인들은 사랑이 끝난 이후에도 각자 다른 언어로 사랑을 기록할 것이다. 이렇듯 사랑을 다룬 텍스트를 접할 때 우리가 발견하는 것은 어떤 상처의 풍경이다. 사랑은 서로 다른 두 세계(언어)가 격렬하게 부딪히는 갈등이며, 소유와 공존을 희구하는 몸짓이다. 사랑을 하는 자들은 언제나 사랑의 대상을 향해 묻는다. 당신은 왜 나를 아프게 하는가. 엇갈리는 마음의 미로 안에서 답이 없는 질문과 함께 탄식은 되풀이 된다. 상처가 상처를 호출하며, 욕망이 욕망을 잉태하는 악순환의 반복. 그 뿐인가. 사랑은 끝난 뒤에도 기억에 잔상을 남긴다.

왜 언어의 문제인가. 연인들은 자신의 '진실한 고백'이 전달되지 못하고 오해를 불러일으키는 이유가 서로 다른 언어에 있다고 착각한다. '서로 다른 언어'의 껍질을 벗겨내 어떤 보편과 공통적인 것에 도달해야 한다고 주장하는 행위가 오히려 사랑을 힘들게 하며 상처는 바로 거기서부터 발생한다. 자국어와 외국어에 대한 배수아의 사색은 사랑을 비롯한 모든 의사소통이 본질적으로 '번역'의 문제라는 사실을 일깨워준다. 외국어에 아무리 능통하더라도 모국어의 한계에서 벗어나지 못하는 것처럼, 우리가 상대방의 의도와 진심을 번역하려는 시도는 언제나 오역의 운명을 피할 수 없다. 여기에 불합리하게 재생되는 기억까지 가세한다. 오역과 기억의 불온함은 "과거나 혹은 미래가 존재한다는 것은 슬픈 일이다. 그것은 지나간 오류나 다가올 망각"에 불과하다는 탄식으로 이어진다. 따라서 M과의 사랑을 기록하면서 '나'는 불합리한 언어를 너머서 음악을 꿈꾼다. "더 많은 음악"이 필요하다고 말하는 '나'의 독백은 사랑하는 대상을 견디지 못한다는 회의의 표현이자 욕망을 탈색시킨 채 관념으로서의 사랑을 추구하기 위한 시도로 읽힌다. "우리가 언어에 의존했기 때문에 그런 식으로 우리의 관계에서 나는 점점 내가 아니었고 M은 점점 M에게서 멀어져갔다. 우리가 음악으로만 대화했다면 일은 다르게 진행되었을지도 모른다"는 진술에서 우리는 서로 다른 성(性) 사이에 발생하는 욕망을 거부하려는 결벽한 정신주의로의 침잠을 읽게 된다. 배수아의 소설에서는 섹스도 사랑이라는 환상을 실어 나르는 전도체가 되지 못한다.

성별의 차이에서 비롯되는 욕망의 불협화음(Cacophony)이 빚어내는 세계를 거부하는 인물들은 이미 초기작 『철수』에서 나타난 바 있다. 『철수』의 화자 '나'는 '철수'와 친구 관계이다. 그러나 이들의 친구 관계는 '철수'가 군대에서 휴가를 나오면서 깨진다. '철수'는 첫 휴가를 나와서 '나'의 몸을 요구한다.

"뭘 원하니?"
나는 참지 못하고 철수에게 물었다.
"너랑 자고 싶어."
철수가 짧게 대답했다.
"왜?"
"군대에서 너 꿈을 꾸었어."
(…중략…)
철수의 몸은 열이 있는 듯이 까칠하고 뜨거웠다. 여자애의 몸에 닿는 것만으로도 철수는 흥분하고 있는 듯했다.

(『철수』, 작가정신, 1998, 35쪽)

군대에서 휴가 나온 '철수'는 '나'의 안에 사정한다. '나'는 '철수'와 자신의 어설픈 성관계가 끝난 후에 "이런 것이 뭐 그렇게까지 하고 싶었을까. 남자 아이들은 전부 너무나 이상하다."고 느낀다. 우리는 철수가 '나'에게 섹스를 요구한 시기가 군입대 이후라는 사실을 통해서 남근적 사회의 폭력성을 쉽게 알 수 있다. 문제는 그 이후이다. 욕망을 통해서 서로 다른 성을 지닌 존재라는 것을 확인한 '나'와 '철수'는 계속 어긋난다. '나'는 '철수'를 만나기 위해 면회를 가지만 부대에 '철수'는 존재하지 않고, '나'는 다만 이름이 같은 다른 '철수'와 마주친다.

"철수는 어디에 있는가, 여기에? 아니면 그곳에? 내가 찾는 철수는 아주 사소한 사고로 죽었는가? 병원에 있는가? (…중략…) 무엇이 현실이고 무엇이 환각일까. 그리고 정말 내가 원하는 것은 무엇일까. 현실인가, 환각인가."(『철수』, 67쪽)

내가 '철수'를 면회하러 갔다가 허탕을 치고 돌아오는 장면은 몽환적이다. 마치 파트릭 모디아노의 『어두운 상점들의 거리』에 등장하는 기억상실증을 앓는 주인공 '기'처럼, '나'는 명확한 인과율을 통해서 자신이 겪은 것들을 설명하지 못한다. 어디선가 겪은 듯한 일상을 반복하며 살아갈 뿐. 『철수』에서 그려지는 두 남녀의 섹스는 긴장감이 없다. 욕망에 갈급했던 그 순간에 의미를 부여하지 않았기 때문이다. 그리고 "반복되는 시간"만이 계속된다.

"이상하게도 시간은 반복되었다. 그것은 기억보다 오래 살아남았다. 철수는 옛날에도 어디에도 없었으며 앞으로도 마찬가지였다. 무의미한 감각은 피부에 남아 지워지지 않는 이빨자국처럼 선명했다. 의도하는 것들을 밀어내며 거부하는 것들을 거부하며 노래하는 것들을 잊으며 시간은 사랑하는 사람의 백발처

럼, 외면하는 일들로 가득하다."(『철수』, 89쪽)

배수아의 텍스트들은 사랑과 소통의 불가해성(incomprehensibility)에 관한 염세적인 노트이다. 배수아식으로 말하자면 (남녀 사이의) 비틀어진 욕망은 관계를 폐허로 만들고, 서로의 언어는 의도를 배반하며 철저하게 오역된다. 마음에서 비롯된 사랑은 나르시시즘에 머물며 그것은 수음(手淫)의 다른 이름일 뿐이지 않은가. 과거를 기록하기 위해 동원되는 기억 또한 모국어로 적은 개인적인 일기일 따름이다. 그러므로 그녀의 '나'들은 눈을 감아버림으로써 보이지 않는 것을 응시(『동물원 킨트』)하고, 형식의 경계를 지우기(『에세이스트의 책상』)를 시도한다. 또한 한 권의 소설을 음악과 책에 대한 감상(『당나귀들』)으로 채우는 파격적인 실험을 감행하고, 인물들의 성별과 이름을 모호하게 처리함으로써 구분과 규정에서 발생하는 동일시의 위험을 예민하게 인식한다. 개인의 자유와 소통을, 번역할 수 없는 것이 분명한 언어로 번역하려는 행위를 거부하면서, 배수아의 '나'들은 홀로-되기에 몰두한다. 그들은 "단지 글을 쓰고 있을 때만이, 나는 비로소 내가 되며 진실로 집에 있는 듯이 느낀다."(『에세이스트의 책상』) 완벽한 음악을 갈구하고, 언어와 번역의 한계에 대하여 좌절하면서도 '나'는 역설적으로 언어로 그것을 기록한다. 이것은 실패할 수밖에 없는 번역의 되풀이가 아니다. 레비나스의 표현처럼 "사랑 속에서 우리가 소통의 실패라고 일컫는 것은 분명 타인과의 관계의 긍정성을 구성"[1]하기 때문이다. 체계는 끊임없이 사랑을 권유하지만 정작 사랑은 거기에 없다. 사랑은 번역이 아니라 번역의 가능성에, 그러니까 관계의 '사이'에 머문다. 배수아의 에세이들은 위치하는 곳은 관계와 관계의 사이, 언어의 틈새이다. 그리고 배수아의 '나'들이 떠나는 "귀향을 염두에 두지 않는 고독한 여행"은 '번역의 가능성' 위에서 전개된다.

1) 엠마누엘 레비나스, 서동욱 옮김, 『존재에서 존재자로』, 민음사, 2003, 162쪽.

4. 회색의 글쓰기, 고립된 정신의 자기애(amour-propre)

"이야기는 우리가 부재하는 중에도 진행되고 있지만, 우리는 우리의 부재 중에 우리에게 일어난 사건을 추측할 뿐이예요. 내 글은 그런 시선의 사각지대만을 사랑해요. 내 눈에는 보이지 않는 내가 사는 곳이죠."(『북쪽 거실』, 문학과지성사, 2009, 65쪽)

배수아의 소설을 색깔에 비유하자면 그건 '회색'에 가깝다. 배수아의 인물들은 드러내기와 소유라는 욕망의 법칙과 끊임없이 충돌하며 관념 속에 머문다. 소설 속의 화자들이 욕망하는 것은 음악, 혼자만의 대학, 무색무취의 시간 등이다. 이것들은 만져지고 소유할 수 있는 개념이 아니다. 소유하고자 하는 욕망이 제거된 상태에서 '나'는 외롭게 홀로 남는다. 그러나 무미건조한 회색의 공간에서도 욕망은 잔존한다. 소통에 대한 욕망이다. 이 욕망은 서사가 아니라 배수아가 채택한 형식과 문체에서 드러난다. 지루한 내면 고백과 철저한 고립이 끈질기게 반복되는 그녀의 소설은 역동적인 움직임이 느껴지지 않는다. 그렇다면 이미 오래 전에 배수아의 소설-기계는 작동을 멈췄어야 하지 않을까. 그러나 배수아는 우리 시대 어떤 작가들보다도 많은 소설들을 양산하고 있다. 심지어는 번역까지. 이것은 무엇을 의미하는가. 지루하고 건조한 회색의 소설들을 계속해서 생산하는 까닭은 무엇일까.

무엇보다도 그녀는 이야기-상품의 메커니즘과 철저하게 불화한다. (실제로 배수아의 작품을 영화나 드라마로 만들기는 거의 불가능하다.) 이 전면적인 거부 속에서 그녀는 자신의 문학적 인식과 창작에 동조하는 독자를 스스로 택하기 위한 방편을 물색하며 '마니아적 소통'을 꿈꾼다. 배수아의 텍스트는 다른 작가들의 그것과는 달리 가독성이 매우 떨어진다. 그러나 이것은 단순히 하나의 책(상품)이 읽히느냐(팔리느냐), 그렇지 못하느냐의 문제에 국한되지 않는다. 낮은 가독성은 지금-여기의 현실에 대한 배수아의 태도이자 소설 속의 '나'들이 행하는 '자발적 고립'의 한 방식과 맞닿아 있다. 다시 말해 소비자본주의적 삶과 불화하는 글쓰기인 셈이다. 체계에서 찬미하는 '유능함'은 개인들을 체계에서 점진적으로 소외시키는데 반하여 고립된 정신의 글쓰기, 즉 인문적 무능은 그 자체로 무책임한 소비와 해석의 폭력, 그리고 타락한 세계를 드러나게 하므로.

배수아의 소설은 느리게 읽힌다. 탄탄한 줄거리와 소설적 흥미를 위한 복선들이 존재하지 않기 때문이다. 그러나 에세이에 가까운 그녀의 문장들은 제각기 독립적으로 읽어도 손색이 없을 정도의 아포리즘을 지니고 있다. 그녀의 소설들은 욕망을 탈색시킴으로써 욕망으로 일그러진 현실을 돌아보게 하며, 체계에 포획되어 삶의 소모에 열중하는 우리의 삶이 지금 이 순간에도 소멸되고 있다는, 슬픈 진실을 다시 생각하게 만든다. 탈색된 욕망을 지닌 '나'들이 "정체 모를 열정으로 입술이 자주 마른 젊은 날에도 변함없이 언제나 궁금하기만 했던 것"은, "삶의 마지막을 향해서 가는 사람들의 진짜 모습"(『당나귀들』)이다. 소멸되는 존재의 슬픔을 아는 자는 고립을 회피하지 않는다. 욕망과 에고이즘으로 얽힌 세속의 번잡함은 소멸의 진행을 잠시 망각하게 하는 모르핀에 불과하다는 사실을 이미 알고 있으므로. "진정 일생을 통해 체험할 수 있는 건 자기 자신뿐이다. 다른 모든 것은 이해하고 견디는 것에 불과"(『내 안에 남자가 숨어있다』) 하다. 배수아가 찬미하는 고립된 정신은, 소멸할 수밖에 없는 인간이 잔혹한 소비와 욕망으로 얽힌 사회 안에서 행할 수 있는 순결한 저항일 것이다. 닫힌 체계 안에서 횡행하는 욕망은 인간을 병들게 하며, 언어는 사랑과 소통의 효과적인 매개체가 되지 못한다. 타자의 욕망에 종속된 속물성과 소멸에 대한 성찰이 없는 동물화야말로 우리가 겪는 불행의 근원이 아니었던가. 고독하기 때문에 불행한 사람은 없다. 배수아의 텍스트들은 이 진실을 '관통'하며, 인문적 무능으로써 현실에 '작용'한다.

이정현
문학평론가. 1978년생. 2008년 《문화일보》 신춘문예 문학평론 당선. 중앙대 국문과 박사과정. sevastian2@freechal.com

죽음, 그 이후의 글쓰기

『북쪽 거실』에서 잃/읽은 것

이 광 진

준비된 서론: 꿈을 삶

프로이트는 자신의 첫 번째 위상학을 논하면서, 무의식이 어긋남, 꿈, 기억 등의 요소들을 통해 발현된다고 설명했다. 그리고 배수아는 자신의 틈새를 이야기하면서, 이 세 가지 무의식의 요소를 텍스트로 삼는다. 배수아의 소설에서 언어는 엇나감(예컨대, 모국어와 외국어, 하나의 말과 다른 말 사이의 간극)을 통해, 존재는 엇갈림(예컨대, '내'가 바라보지만 만나지는 못한 '나')을 통해 그 틈새를 이야기 한다. 뿐만 아니라, 작가는 글쓰기를 통해 그 틈새를 비집고 들어가 꿈과 기억을 현재 시제로 써 내려가는 시도를 한다. 즉, 틈새를 무의식의 영역으로 내버려두는 것이 아니라 구체적으로 의식화 하는 작업을 하고 있는 것이다. 배수아가 『북쪽 거실』 이전까지 보여줬던 무의식의 세계를 설명하는 데에는 여기까지로 족할 지도 모른다.[1]

1) 이광진의 논의 대상은 배수아의 『북쪽 거실』(문학과지성사, 2009)이다(이 작품을 본문에서 인용할 때는 쪽수만 표기하겠다). 이 작품을 해설 혹은 해석하기 위해 우리가 선택한 방법론은 프로이트의 정신분석학(psychanalyse)이 아니라, 샤를르 모롱의 심리비평(psychocritique)이다. 즉, 배수아의 근작들을 겹쳐 읽거나 중첩시키면서 발견하는 몇 가지 모티프들과 그 연상망(모롱은 이를 '강박 은유'라 불렀다)을 바탕으로 작품을 논의하고자 한다. 배수아의 전작들이

"더 많은 [낯섦], 하고 목소리는 말했다."(『에세이스트의 책상』, 5쪽) 배수아는 이제 해석이나 번역 없이 읽을 수 없는 외계인 작가가 돼버렸다. 그녀가 꿈꾸는 언어의 엘리시움(이를테면 세계어로 글쓰기)은 은하계 저 먼 곳에서나 가능할 듯싶으니, 낯섦도 더 많은 낯섦이다. 『북쪽 거실』을 어떻게 봐야 할까. 장르의 형식과 내용을 무시한 허구적 에세이라든가. 독자의 기대와 평자의 입장에 무관심한 사적인 일기라든가. 시작과 끝은 창대하나 본문은 미미한(해석의 불투명함 또는 번역의 불가능함 때문이려니와) 철학적 소설이라든가. 더 이상 불온하지 않지만 어쩐지 불운한 사랑의 대서사시이라든가. 그것도 아니면, 언어와 현상에 대한 텍스트들을 버무리고 아우른 배수아니즘(아마도 『이바나』 무렵부터 시작된)의 바이블이라든가. 어쨌든, 『북쪽 거실』은 완전히 소설이 아니게 돼버렸다(나는 감히 배수아 식의 어투를 흉내내볼 작정이다). 이 작품에 굳이 레테르를 붙이자면, 인류의 꿈(traum)을 기록하기 위해 외계인이 보내온 희귀 판본쯤이 어떨는지. 이건 뭐, 배수아 어투도 뭣도 아니고, 너무 거창하기만 한가.

"타인과 사물의 꿈들로 연결되는 그 외계, 우리는 그것을 꿈의 유령, 혹은 꿈의 환각이라고 부르기로 한다."(185쪽)

"잊지 말아라, 삶의 목적어는 단연코 오직 꿈이라는 것을. 그러니 꿈을 살아! 꿈을 체험하고 꿈을 돌보도록 해!"(120쪽)

이 작품을 해석하기 위한 이론적인 토대이자 '준비된' 근거인 셈이다. 다만 이 방법론은 『북쪽 거실』이라는 텍스트를 연구하기 위한 것일 뿐이며, 이 글은 작가의 전기 및 작품세계에 대한 연구가 아님을 굳이 밝혀둔다. 작가의 전작으로 인용할 장편소설들은 『동물원 킨트』(이가서, 2002), 『일요일 스키야키 식당』(문학과지성사, 2003), 『에세이스트의 책상』(문학동네, 2003), 『독학자』(열림원, 2004), 『당나귀들』(이룸, 2005) 등과 같다. 「회색 時」, 「훌」, 「마짠 방향으로」, 「집돼지 사냥」, 「시취(屍臭)」, 「우이동」 등의 출처는 소설집 『훌』(문학동네, 2006)이며, 「올빼미의 없음」의 출처는 계간지 《문학동네》 59호(문학동네, 2009)이다. 이외에 인용문 없이 언급만 되는 작품들은 작가의 초기작들로, 그 중 하나는 『바람 인형』(문학과지성사, 1996)이다.

배수아의 글을 읽고 길을 잃어본 적 있는 사람이라면, '꿈을 살라'는 외계로부터의 전언이 너무 엄숙하다든가 과장됐다고 생각하지 않으리라. 이 꿈은 단지 좀 어질어질하다. 이 작품도, 이 글도, 모조리 다.

빈약한 본론

1. 기억: 나의 있/없음

좀 싱거운 말이겠지만, 배수아는 성장소설을 거부한다. 꼭 그래서만은 아니겠지만, 배수아의 인물들은 성장을 거부한다. 성장의 의미만 아니라 사회화의 차원에서 2차 성징을 거부하는 주인공들은 작가의 초기 작품 성향으로 자주 언급된 바 있다. 당시 배수아의 인물들은 영원한 '아이들'(「내 그리운 빛나」, 「포도상자 속의 뮤리」, 「프린세스 안나」, 「바람 인형」)이다. 이 아이들은 사회화를 거부하고 판타지 세상(「푸른 사과가 있는 국도」, 「갤러리 환타에서의 마지막 여름」, 「허무의 도시」, 「차가운 별의 언덕」)을 배회한다. 작가의 중기작인 『이바나』 및 『동물원 킨트』에서, 주인공들은 이름이 없을 뿐만 아니라 나이도 없다. 비교적 근작에 해당되는 『에세이스트의 책상』 및 『독학자』에서, 인물들은 나이를 먹지 않는다. 주제 의식 및 서술 방식 등이 때로는 현저하게 때로는 미묘하게 변화하고 있음에도, 작가 특유의 피터팬증후군은 여전히 계속되고 있다. 최근작에 해당되는 『당나귀들』 및 『북쪽 거실』의 '나'는 이미 나이 먹어버렸다. 늙어버렸으므로, 성장하지 않는다. 여기서 성장하지 않는다는 것은 죽지 않는다는 것과 동시에 이미 죽어버렸다는 것을 의미한다. 배수아의 '나'는 "이 세상에 제대로 태어나지도 못한 채로 여기(가 어디든 간에)에 박제되어 놓여 있는 것"이다.

『북쪽 거실』의 '나'는 책의 작가도, 소설의 화자도, 문장의 주어도 아니다.

진짜 주어는 목소리, 혹은 "단 하나뿐인 목소리의 수많은 발자국들"이다.[2] 심지어 '나'는 꿈이나 기억의 주인이 되지도 못한다. 뒤에서 다시 이야기 하겠지만, 그 진짜 주인은 죽음이다. 삶의 목적어가 꿈이라는데, 꿈의 주어가 죽음이라면, 이건 무슨 문법인지. 이 작품에 등장하는 희태, 수니, 순이, 린 등등의 인물들 중, '나'라는 일인칭화자는 없다. 다만, '나'라는 대명사(정확하게는 '나'라는 목소리)가 이들의 말속에서 이따금씩 튀어나온다. 이때 '나'는 '무의식의 등장인물'이다. 말하자면, '나'는 실재하지 않고, 꿈의 이미지와 기억의 스크린 위를 둥둥 떠다닌다. 다만, '내'가 글쓰기의 주체일 때, '나'는 자기의 존재를 '확인시킬 수 있다'('나'는 쓴다, 고로 존재한다).

이를테면, 희태(남자주인공이라고 부를 수 있을까)에게 글쓰기는 시간 속의 '나'를, 과거든 현재든 미래든 간에, 형상화하는 작업이다. 글을 통해 "무한대의 '나' 중의 하나의 '나'를 '나'라고 지칭함으로써 가시적인 존재로 만들어 보"이는 것이다. 글을 쓰는 '나'는 "자신의 이야기 속에서만 잠들고 꿈꾸고 취하고 깨어나고 읽고 사랑하고 환상에 잠기고 긴 산책을" 한다. 궁극적으로 '나'는 자기의 이야기 속에서만 태어나 살고 죽으며, 이야기 밖으로 나갈 수 없다. 그런 의미에서 이야기는 '나'의 기억이고 꿈이다.

제4장에서 수니(여자주인공이라고 부를 수 있을까)는 어릴 적 기념관의 사당으로 갔던 소풍을 기억해내려고 한다. 그리고 "수니는 없는 자신을 문득 상상해 보았다". 같이 소풍 갔던 아이들은 어떻게 됐을까, 어디에 있을까. "그들은, 원래는 없는, 그 순간 수니의 기억 속에서만 존재하던, 영웅의 무덤에서 다시 살아 나온 이름 없는 작은 진흙 병정들"이 아닐까. 소풍에서 돌아오는 기차에서, 수니는 실신한다.

"그다음에 무슨 일이 있었는지는 기억나지 않는다."(225쪽)

---

2) "이럴 때 '내가 말한다'라는 문장은 '나는 그 목소리가 내 입을 통해서 말하는 것을 듣는다'와 동의어군."(86~87쪽)

여기서 기억하는(기억하지 못하는) 자는 수니로 추정된다. 하지만, 문장들의 주어가 수니라 하여 기억의 주인이 꼭 수니라고 단정할 수는 없다. 이 문장을 기점으로, 3인칭 과거형으로 진행되는 수니의 후일담(기억)이 1인칭 현재형 혹은 미래형으로 쓰인 '나'의 이야기로 바뀌기 때문이다.[3] 그러다 1인칭의 이야기는 다시 3인칭 서술로 이어진다.

> "수니 안에 자리 잡고 있던 어떤 것이 풍선처럼 터진다. 빵! 상대편은 어리둥절하고, 그리고 놀란다. 빵! 그리고 누군가 죽는다."(226쪽)

이 문장을 끝으로, 수니에 대한 서술은 '순이'의 이야기로 넘어간다. 누군가 죽는다더니, 수니가 죽은 것인가. 누군가 죽었다 하더니, "아무 일도, 아무 일도 없었다. (…중략…) 거기에 순이가 있었던 것뿐이다."

> "사실 우리 모두는 죽지만, 순이는 우리 모두가 그러는 것보다 더 많이, 우리 중의 그 누구보다도 더 많이 죽음에 가까이 있는 능력을 갖추었다. (…중략…) 그러나 죽을 목숨인 순이가 어떻게 알겠는가, 어떤 웃음은 바로 무표정의 정점이라는 것을."(229쪽)

수니가 죽었나 했더니, 죽은 건 순이인가. 수니와 순이의 발음이 동일하다는 점뿐만 아니라, 이들의 생김새나 행동 따위를 묘사하고, 이들을 이야기속에서 엇갈리게 배치시키는 '보이지 않는 제3의 화자'의 서술에서 보듯이, 수니와 순이는 동일인물로 추정된다. 예컨대, 제1장에서, 수니는 어떤 여자의 이름이 순이라는 것을 알고 있다. 순이가 그 여자의 본명은 아니지만, 수니도 순이도, 본명

---

3) "(…중략…) 얼굴도 기억나지 않는 그 교사가 수니에게 베풀어주었던 특별한 애정은 수니에게 학교라는 파시즘 안에서 경험할 수 있었던, 변치 않는 사랑의 원형으로 각인되어 남아 있다. 앞으로 내가 만나게 될 그 누구도, 다시는 나를 이렇게 절대적으로 완전하게 대해주지는 못하리라, 하는 확신과 안도감, 나는 그것을 가졌다. (…중략…) 나는 그것을 가졌다. 보이지 않는 날개가 될 그것. 그러므로 훗날 내가 없게 될지라도, 나는 어디론가 날아갈 수 있으리라."(226쪽)

따위는 신경 쓰지 않는다. 또, 제4장에서, 화자(목소리)는 순이가 수니에게 주사를 놓았다고 했으면서, 얼마되지 않아, 주사기를 손에 든 사람이 수니라고 말한다. 수니와 순이는 똑같이 죽을 운명을 타고난 '한' 사람이다. 여기서 '한'은 수사가 아니라, 불특정 다수 속의 누군가를 가리키는 부정관사(不定冠詞)이다. "우리는 모두 죽으리라"는 목소리가 반복적으로 들린다. 이미 죽음이 약속된 우리에게 이름은 없다.

목소리는 계속 이어지고, 거기서 낯선 남자가 "수니에게 다가와 수알란, 하고 말을 건다". '나'는 수니이고, 순이이고, 수알란이다. 기억–꿈속에서 '나'는 '나'를 은폐하고 유예시킨다(문장 속에서 '나'는 '나'에게 불안정하고도 안전한 대명사이다). 그 '내'가 어떤 이름의 누구인지는 중요하지 않다. "내 본명은 더 이상 내가 아"닌 불특정 명사에 불과하기 때문이다. 수니(순이, 수알란)가 기억–꿈의 주인공이라면, '나'는 이 기억–꿈 밖에, 그 뒤에, 위치한 '목소리의 유령'(이 표현은 제3장의 부제이기도 하다)이다. 무의식의 주인공에게는 자아 의식, 아니 의식 자체가 없다. 수니는 기억의 스크린 혹은 꿈의 거울을 통해 "무관한 낯선 사람인 양 자신을 본다". "나는 없는데, 지금 여기 있는 나는 누구인가."

"나는 나비가 되"어 어느 바닷가 해변에 있다. "이 바닷가, 이 기억의 장면 어딘가에서, 수니가 시작되었다." 수니는 조그만 배에 올라탄다. "수니는 검은 배를 타고 멀어져가는 자신을 지켜본다. 그러자 배는 관으로 바뀌고, 두 손을 가슴에 모은 수니는 그 안에 눕는다." 이 모든 것을 가능하게 하는 것은 바로 죽음이다. "그것[이 무엇이든 간에]은 여기에 항상 없지만, 나는 어디에나 있다". 산 자가 시간도 공간도 없는 무의식의 세계를 떠돌고 있다면, 오히려 목소리의 유령은 죽음을 명징하게 의식한 채 지금, 여기를 살고 있다.

2. 꿈: 장소의 없음

배수아는 소설 장르의 덕목이라 할 수 있는 리얼리즘적 재현에 전혀, 절대로 성실하지 않다. 인물들을 소개하는(정말로 소개하는 일이 있다면) 방식과 마찬가지로, 장소는 모호하게 그려진다. 장소에 대한 묘사는커녕 그 언급조차 생략되어 있는 경우가 대부분이다. 예컨대, 『일요일 스키야키 식당』에서 수차례 거론되는 '일요일 스키야키 식당'은 장소가 아니라, 하나의 기호이다. 그 이름으로만 소문처럼 전해질 뿐, 아무도 식당의 실제 위치를 모르며, 식당에서 식사를 해 봤다는 사람도 없다. 독자는 오직 이국적인 이름이나 외국어 작문 따위의 언어적 장치를 통해서 장소를 유추해 볼 따름이다. 배수아의 주인공들은 "세균이니 먼지니 거창하게 표현하면서" 사람들이 많은 곳을 거리끼며(「홀」), 타인과는 "완전히 반대방향"으로 가서 은신하려 하려고 한다(「마짠 방향으로」). 때문에 장소는 "군중에게서 밀폐된 공간이면 충분"하다(「집돼지 사냥」). 말하자면, 세상은 장소가 아니라 공간이다. 장소는 지도 위에 나오는 이름들에 불과하다. 그런데 지도는 "어디에서 잃어버렸는지 알 수 없게 사라져버렸다"(『에세이스트의 책상』).

작가의 인물은 스스로를 "장소에 속하는 인간"으로 지칭하지만, 실제로는 무의식의 지형도에 속하는 인간에 가깝다(『동물원 킨트』). '나'는 집을 잃고 무의식의 지형도를 헤매고 있다. 무의식의 지형은 이차 가공(압축과 전치의 메커니즘)을 통해서만 인지 가능하며, 공간이 시간에 종속된 꿈의 장소, '없는 장소'다.[4] 즉, "실제로는 존재하지 않는 '없음'이란 무시무시한 환각의 체험"을 가능케 하는 장소이다(「올빼미의 없음」).

자신의 오래된 예언대로, 배수아는 꿈의 지형학을 글로 쓰고 있다.[5] 결국 무의식의 자기방어기제(죽음을 연상케 하는 모든 이미지의 검열)를 해제시키는

4) 없는 장소는 마크 오제의 용어로, 지나가는 사람들이 잠시 머물다 가거나 스쳐가는 장소들을 가리키는데, 공항, 역, 호텔, 카페 따위의 장소들이 이에 해당된다. 여기서 사람들은 삶에 필요한 모든 편의 시설을 누릴 수 있으나 거주할 수는 없다(Marc Augé, *Non-lieux. Introduction à une anthropologie de la surmodernité*, Paris, Seuil, 1992, p. 9).

5) "꿈이어서 정말 다행이야. 아무에게도 말하지 않겠어. 나는 반드시 그렇게 될 것 같아요. 그러면 안녕, 하면서 지금의 사람들에게 인사하고 꿈에서 깨어나서, 아니 꿈속으로, 돌아갈 수 있겠지요. (…중략…) 하지만 나는 아직도 꿈속에 있고, 조금도 깨어나지 못했습니다. 오래, 오랜 시간이 흘렀습니다. 나는 언젠가 꿈의 이야기를 글로 쓸 테죠."(「작가 후기」, 『바람 인형』, 167~168쪽)

것은 여전히 책과 글인 셈이다. 배수아의 인물들은 꿈의 세상을 꿈꾸며, 언어가 이미지화된 꿈에서 이미지는 다시 문자화된다. 『북쪽 거실』에서, 그 꿈의 공간은 극장으로 장소화되어 있다.

> "수니는 객석에 앉아 있는데, 무대가 아닌 객석에 앉아 있는 자신의 위치가 낯설었기 때문에 연극이 진행되는 내내 묘하게 불편할 것이다. (…중략…) 배우인지 관객인지 정체가 모호한 희태는 어느새 객석 수니의 옆자리에 앉아 있다. 이건 수니가 어느 날 꾼 꿈의 한 장면인지, 아니면 희태의 말을 들으면서 동시에 꾸고 있던 꿈속에서 그런 상상을 했던 것이지. 그리고 여배우는 희태를 힘껏 껴안는다. (…중략…) 여전히 모자 상점 앞에 선 그들은 말없이 공통의 상상을 이어갔다. (…중략…)
>
> ……그로부터 시간이 한참 흐른 것도 같았지만, 그들은 여전히 모자 상점의 진열대 앞에 서 있다."(151쪽)

……그로부터 시간이 한참 흐른 것도 같지 않았는데, 수니는 "수용소 가운데에 비현실적으로 드넓게 자리 잡은 황폐한 활주로"에 서 있다.[6] 여기는 대체 어디인가. 꿈의 극장이라더니, 사실은 그냥 모자 상점 앞이라고 하더니, 또 갑자기 수용소에 와 있다. 역시, 여기는 외계일까.

"장소에 관한 꿈." 여기, 없는 장소가 있다. 그래도 장소가 없으면 되겠는가.

수용소는 『북쪽 거실』의 주요 배경이며, '나'의 공간이이기도 하다. "**사람들은 여기서 살기 위해서 이곳으로 온다고 하는데, 내가 생각할 때는, 사람들이 이곳에 와서 궁극적으로 하는 일은 죽음인 것 같다.**"(142쪽: 작가 강조) '나'는 여기

6) 수용소는 역이나 호텔, 공항처럼, 온갖 편의 시설을 갖춘 비거주지, 즉 없는 장소이다. 이와 관련하여, 우리는 「올빼미의 없음」에서 흥미로운 문장을 발견한다: "너를 마중하러 가는 그 인상 깊은 템펠호프의 긴 회랑을 걸어가면서 나는 최초로 '수용소'라는 단어를 떠올렸었다. 비행기를 증기선이라고 부르듯이, 공항을 항구라고 불러도 되리라. 배가 떠나기 직전의 이런 농담. 비행기가 떠나기 직전 공항의 카페테리아. 사기 찻잔이 끊임없이 달그락거리는 소리와 계산대 점원의 반복되는 단조로운 말소리, 그리고 여행자들의 어느 정도 들뜬 웅성거림에 섞인 카메라의 셔터 누르는 소리와 바퀴달린 가방 끄는 소리."(「올빼미의 없음」, 212쪽)

를 "준비된 죽음의 자리"라고 부른다. '수동적인 자살'을 위해 '자발적으로 수감되어지는' 모순(원래 꿈은 반어적이기도 하고 역설적이기도 하다)의 장소, 없는 장소(이 말 역시 아이러니가 아닌가)인 것이다.

때때로 '나'는 종착역까지 서지 않는 기차 안에 있다. "우리는 죽음으로 돌진하는 미친 열차를 타고 있는 것인데, 단지 그 위압적인 속도를 느끼지 못하고 있을 뿐"이다. 여기는 "지금 현재에는 아무도 없는 그런, 당장은 그 누구의 기억의 집도 아닌" 곳이다. 여기를 '나'(의 목소리)는 "중간의 장소"라 명명한다.

'나'는 기차가 서지 않는 역에 홀로 서 있기도 한다. 어느 역의 이름이 적힌 표지판이 플랫폼에 나타난다. 역명을 적어놓은 글자들은 어떤 기억을 불러일으킨다. 이 역의 플랫폼에 내린 사람은 '나' 하나이며, 어디에도 사람들의 모습은 보이지 않는다. 문득 푸른 제복을 입은 사람들이 '나'에게 등을 돌린 채, 얼굴을 보이지 않은 상태에서 정중하게 모자를 벗어든다. 이 역의 풍경은 장례식의 그것과 닮았다. "이 장소, 잘못 도착했으며, 기억하거나 기록할 만한 것이라곤 하나도 없는 이 역"은 "내 기억 속에서 나보다 더 오래 살아남"을 것이다. 즉, '나'는 이미 죽었으며, 이 역은 '나'의 장례식장이다. 이 역은 '죽은 내'가 최초로 혹은 마지막으로 꾸는 꿈이다.

3. 어긋남: 편지를 잃/읽음

없는 장소 혹은 중간의 장소에는 골동품점이나 고물상에서 판매하는 엽서들과 편지들이 즐비하다. 엽서들, 편지들의 내용은 다음과 같이 요약된다. "나는 없지만, 부재하는 내 눈은 너를 보고 있다." 이걸 누누이 풀어 말하자면 다음과 같다. "그 엽서들은, 우리가 사라져가는 우리들 자신의 이야기, 개인의 기록물에 의해 비로소 진술된 꿈의 이야기 속을 부유하며 살아가고 있음에 대한 증거이며, (…중략…) 우리의 꿈과 연이어진 타인의 꿈에 등장하는 방식으로 계속해서 살아갈 수 있음에 대한 암시이다."(267쪽) '나'는 엽서들이나 편지들 중 하나를 골라 읽어보지만, 아주 오래전에 흘려 쓴 글씨라 읽을 수 없다. 글자들은 아주 오랜 시간으로부터 지금에까지, 너무나 멀리에서부터 여기까지 흘러들어왔다.

"수니가 우체국에 가지 못한 날에는 남자가 수니의 우편함을 살펴보았다가 편지가 있으면 그것을 수니에게 직접 가져다주곤 했다. 그 편지는 남자가 수니의 방으로 숨어들어가게 하는 암호와도 같았다. 그것이 그들의 은밀한 관계를 최초로 허용했다."(161쪽)

『북쪽 거실』 제3장에서 불현듯 등장한 이 남자의 정체는 밝혀지지 않는다. 수니의 낭송극에 등장하는 피아노맨, 혹은 전직 망명자의 "심부름꾼 소년"이 아니었을까, 짐작 가능할 따름이다. 편지는 희태에게서 온 것인데, 정작 수니는 (환각 상태에서) 심부름꾼 남자와 관계 맺는다. 중요한 것은 '내'가 그 편지를 읽는 순간, 편지의 내용은 사라지고, 그 기표만 덩그러니 남는다는 점이다.

"수니는 서둘러 손가방에서 편지를 다시 꺼내든다. 나의 사랑하는 여인에게. 문득 수니는 '나의 사랑하는 여인'이 분명히 수니 자신을 칭하는 것이 확실한지 혼돈스러워진다. 편지가 수니에게 온 것임은 자명하다. (…중략…) 수니의 어깨와 등뼈를 스치는 희태의 손길이 꿈이라고 생각되었다. (…중략…) 그리고 희태를 만난 순간 다른 모든 사물의 죽음을 직감적으로 깨달았다고 했다—이건 그 여배우의 말이다."(166~167쪽)

희태가 수니에게 쓴 편지는 결국 읽히지 않으며, 수니는 희태에게 결코 편지 쓰지 않는다. 수니는 꿈을 꾸는 것만이 삶을 가능하게 한다고 생각하며, 편지 읽는 것을 좋아한다. 편지가 꿈을 완성할 수 있다고 믿기 때문이다. 그러나 '나'와 타인이 공통의 꿈을 꿀 수 없다. 마찬가지로, '나'와 타인의 편지는 공유될 수 없다. 편지가 전달되는 경우도 드물거니와, 그것을 통해 소통하는 것은 더더욱 힘든 일이다. 희태는 편지로 수니를 사랑한다고 하는데,

수니는 (환각 상태에서) 희태가 여배우와 관계 맺는 장면을 본다.

애초에, 편지의 수신자가 누가 됐든, 수니든 여배우든, 희태는 개의치 않으며, 사랑의 대상이 누가됐든, 수니든 여배우든, 수니 역시 무관심하다. 수니와 희태는 과거 사실혼 관계였고, 여전히 서로를 배우자로 여기고 있지만, 각자 다른 곳에 살고 있다. 그리고 이들은 관계 맺지 않는다. 아니, 관계 맺은 적 없다. 작가를 꾸준하게 지켜보고 작품들을 끈질기게 읽어온 독자들이라면 눈치 챘겠지만, 배수아 소설에서 사랑은 부주의하고 불완전한 해프닝에 불과하다. 사랑이란 게 어디 가당키나 하다면, 그건 오로지 자기 자신을 향한 제스처이거나, 일방적으로 지어내는 로망(꿈같은 이야기)에 불과할 것이다. 그런데 『북쪽 거실』의 '나'는 그 제스처나 로망마저 불가능하다고 말한다. 수니는 희태에게, 희태는 수니에게 사랑의 대상인 실재 인물이 아니라, '나'의 기억이나 꿈을 재구성하는 데 필요한 등장인물이다. 애초에 관계가 없으니, 두 사람을 억지로라도 맺어줄 매개물이 필요한데, 그것이 바로 편지인 것이다.

> "이 편지를 쓰는 지금 나는 너를 대신해 네 꿈을 꾸고 있다. (…중략…) 너는 (…중략…) 한 마리 새가 되어 있으므로 나는 꿈속에서도 좀 충격을 받는 게, 곧 나 자신도 마찬가지의 모습을 하고 있는 걸 깨닫는다."(182쪽)

편지는 꿈꾸는지 모르는 채 꿈꾸기 위한 핑계거리이다.[7] 편지를 쓰는 행위는 두 사람이 살아 있다는 증거인 동시에 두 사람이 꿈꾸고 있다는 근거이다. 제2장은 "언어나 문장이 형체와 소리가 없는 꿈의 장면 하나하나 묘사하는" 것을 직접화법이 아닌(그렇다고 자유간접화법도 아닌) 인용문 형식의 편지로 콜라주 되어 있다. 또한, 여기서, 희태의 편지는 꿈의 형태로 쓰였으며, 희태가 꾸는 꿈은 편지의 형식으로 쓰였다.[8] 꿈은 써지고 짜깁기되고 다시 써

---

7) "그래서 우리는 오늘도 쉽게 편지에 쓴다: 나는 아픕니다. 그러니 내게서 한동안 연락이 없더라도 너무 놀라지 마시기 바랍니다…… '그러나 이것은 꿈이 아니다' 하고 서문은 계속된다."(「올빼미의 없음」, 204쪽)

8) "2002년 베를린, 희태의 꿈: 북 경찰서 자료실, 11월 X일"(121쪽)

진다. 그런데 "편지를 쓰는 인종"은 사라지고 있다. 우편물로서의 편지가 "희귀함 혹은 불가능함"에 속하게 된 것이다. 꿈을 글로 쓰는 것은 가능하지만, 그 글이 누군가에게 전달되어 읽히는 것은 불가능하다. "최종적으로는 그 꿈의 내용을 정리하여 편지로 보낼 하나의 주소를 갖고 있지 못하다면, 그건 결코 산다고 할 수 없다". 삶의 목적이 꿈꾸는 데 있다면, 그 꿈을 기록한 글의 목표는 전달되는 데 있다. 그래도 역시 "꿈을 살"라고, "더 많은 꿈"을 살라고, 그 꿈을 기록하라고, 목소리는 외친다.

그러던 어느 날 '나'는 이미 죽어버린 카프카에게서 편지를 받는다.

> "'정확하지는 않지만, 꿈속에서 난 아마도 내가 펠리체 바우어라고 생각한 것 같아. 요즘 내내 카프카의 편지를 읽고 있어서일까.' 나는 네가 펠리체 바우어가 아님을 잘 안다. 너는 수알란이야."(192쪽)

"지금 이순간이 아니라면 죽어버릴 유령"('나')이 편지를 읽고 있다. 그러나 어떤 경우든, '나'는 "타인이 쓴 편지는 영원히 읽을 수 없다"(『당나귀들』). 더군다나 유령은 유령에게서 온 편지는 결코 읽을 수 없다.[9] '나'는 편지의 내용("체험이란 이름의 모든 꿈들")을 읽지 못하고 여전히 기억의 스크린과 꿈의 미로 속을 헤매고 있다.

이와 같이 '나'의 무의식은 편지라는 기표를 통해 발현된다. '내'가 쓰는 편지는 사실 "축약된 자서전" 혹은 "같은 내용의 유언장"이다. 문제는 '내'가 "편지를 쓰긴 하지만" 제 손에 쥐어진 "그 편지의 정체를 모르고 어리둥절 한다"는 점이다. '나'의 글의 진짜 주어는 죽음이다. 내 글은 죽음 바로 앞에서, 혹은 죽음의 순간에 쓰였다. 그리고 편지는 죽음 이후에 읽히기 위해 써진 글이다. '나'라는 유령(인물의 죽음 그리고 죽음 이후의 목소리)에게 편지는 완벽하진 않지만 완전한(읽히진 않지만 마침표가 찍힌) 죽음의 서(書)인 것이다.

---

9) "무슨 편지인지도 모른다. 그러자 네가 대답한다. 아니 그럴 수 없어, 나는 곧 추락할 테니까. 그런데 나는, 네가 추락하리라는 소식보다 편지 읽는 너의 목소리를 듣지 못한다는 사실이 더욱 슬프게 다가왔다."(183쪽)

예비적 결론: 죽음이 기억함

최근 배수아의 무의식적 글쓰기에서 특이한 점은 타자 살해의 모티프다. 『에세이스트의 책상』의 '나'(심약한 M을 밤새 비 오는 문밖에 내버려둔 일화), 「회색 時」의 '나'(자신이 최초로 사랑하게 된 수미의 죽음을 재구성하는 글쓰기), 「양곤에서 온 편지」의 '그'('또 다른 그' 손을 칼로 찌르려고 작정하는 과정), 「마짠 방향으로」의 화자(보조 간호사의 자살을 사건 이전에 미리 서술한 뒤 반복적으로 자살 과정을 암시하는 전략), 「집돼지 사냥」의 요란(M이 죽음에 처할 것을 예감하고도 방치하는 행위), 「시취(屍臭)」의 '그'(자아 이상인 P의 죽음을 상상하며 이를 기정사실화하려는 작업)와 「우이동」의 환수(미혜 없이 살 수 없다고 하면서도 그녀를 죽이려하는 계획)는 모두 잠재적 살인자들이다.[10)]

여기서 우리는 타자 살해가 '예언하는 과거'의 형태로 이루어진다는 점을 발견하게 된다. "나는 미래의 일을 '기억'하곤 했다"고 말하는 가해자의 진술처럼, 미래에 일어날 사건(죽음)이 과거 시제로 완료된 것처럼 서술되는 것이다(「회색 時」). "거울의 벽을 통한 미래는 과거의 예언"이 된다. 그런데, 동일시의 대상이었다가 타자화의 희생양이 되는 피해자들에게 죽음은 삶의 이면이 아니다. 죽음 이후에는 아무것도 없다(고 한다). 그런데 죽음을 경험해본 인간은 없다. 삶의 순간순간을 인지할 수 없듯이, 죽음을 알 방법은 없다. "죽

---

10) "이 글을 쓰고 있는 순간 나는 아직 수미를 다시 만나지 못했으나 이 모든 일들을 비행기 격추사고 소식을 들었던 1983년 가을날의 아침처럼 잘 기억했다. 나는 앞으로 몇 년 뒤 수미를 만나게 되었고 그것에 대해서 쓰게 되었을 터였다."(「회색 時」, 33쪽)

"푸른 타일을 깐 부뚜막에 안아서 석유풍로 위에 끓고 있는 생선찌개의 간을 보던, 이제 곧 죽을지도 모르는 미혜가 그를 향해서 미소를 지었다."(「우이동」, 292~293쪽)

"죽음이란 과연 무엇인가. 죽음의 껍데기에 불과한 그에게. 죽음을 통해서만 인식하게 되는 P도 마찬가지다. (…중략…) 그러므로 단지 기호로 표현된 뿐인 삶과 죽음의 표피적인 결과에 그리 연연할 일은 더욱 아닐 것이다. 마침내 그는 간신히 해균의 편지를 찾아내어 다시 한번 그 내용을 확인하고자 읽기 시작했다."(「시취(屍臭)」, 255~257쪽)

"나./죽어야 하는 운명으로/태어난 나는/살아가리라./짐승의 세계와 인간의 세계가/하나 되도록/살아가리라."(『당나귀들』, 234쪽)

음은 서사적이고 연속적인 것이어서 서서히 존재 안으로 스며들어온다는 것"을 깨닫기 전까진 말이다(「시취(屍臭)」). 죽음은 예언됨으로써만, 즉, 과거형의 글로 쓰여서만 가능한 것이다. 배수아에게 죽음은 삶을 읽(잃)는 방법이며, 존재를 쓰는 언어이다. 죽음의 트라우마(죽지 않았으나 죽음을 안다고 믿는 자의 상상적인 외상)를 안고 있는 삶은 한낱 트라움(죽음에 대한 꿈)에 불과하다.

배수아의 인물들에게 꿈은 최초의 삶이며, 그 최초의 삶은 죽음을 전제로 한다. "죽음, 이라는 단어가 처음 떠오른 것은" 그것이 꿈이라고 생각했던 순간이다(『에세이스트의 책상』). "최초의 시간에 몰입"할수록 우리는 그 시간이 "죽음의 시간과 닮아 있"음을 발견하게 된다(『당나귀들』). 즉, "내 기억의 최초"는 죽음이다. 『북쪽 거실』의 '나'는 "최후의 홍수"에 대한 '최초의 기억'을 이야기한다. 최후의 홍수는 "몇 년 전 잘못 내렸던 어느 역"에 찾아왔고, 그곳에서 "나는 사람들에게 북쪽 거실에서 왔노라고 말하는 자 자신을 발견한다." 어느 날, '나'는 자기가 "이 세계의 마지막까지도 지켜볼 수 있"는 자라고 확신하게 된다. '내'가 늘 가방 속에 넣어 다니는 책('내'가 쓴 게 아니므로 '나'는 이 책을 읽을 수 있다)에 '내'가 미래를 보는 자가 되리라는 예언이 적혀 있었기 때문이다. 사람들은 그들의 "미래이자 과거에 해당하는 내 이야기에 귀를 기울"인다. 예언에 따르면, '나'는 최후의 홍수 이후 죽는다. 그리고 샤먼이 되어 스스로 사라지기를 원할 때까지 이 세상에 있을 것이며, 마지막 순간에는 승천할 것이다. 이 이야기는 세상의 종말을 가장하여 '나'의 소멸을 예언한 '미래완료형의 죽음'인 것이다. 이것이 『북쪽 거실』 제4장의 마지막 내용이다. 그런데 '나'의 죽음은 이미 제3장에서 예고된 바 있다.

"낭떠러지 위에 자리 잡은 가난한 집의 벽들은 그을음으로 어둡다. 너의 이름을 잘못 알고 있는 a여인은, 계속해서 너를 '수알란'이라고 부른다. 저기 수알란의 집이 있군요. 그녀는 벼랑 위쪽을 가리킨다. (…중략…) 점점 가까이 다가오는 해안에서 안개 속을 빠져나온 긴 옷자락의 여인들이 유령처럼 미끄러지며 더 짙은 안개 속으로 사라지고 있다면, 그 여인들이 손에 꽃을 들고 있다면, 그리고 네가 벼랑을 올려다보니 잘못된 이름 '수알란'의 집이라고 생각한 그것이

사실은 무덤이었음을 알게 된다면, (…중략…)"(189~190쪽)

그 책의 예언은 가짜였다. "시간이 홀로 우리를 앞질러 가버리는 게 분명"해서, "내일 우리는 만나게 되는데, 그것이 이미 일어난 일이므로 우리는 그것을 바꿀 수가 없게 되리라는 것"을 '나'는 이미 오래전에 예언했던 것이다. (나도 안다, 이 복잡한 문장이야말로 가짜다.) 잃어버렸던, 읽을 수 없는 진짜 예언서(시간이 거꾸로 흐르는 기억의 지형학)는 '내'가 이미 써놓았다. 예언서는 '내'가 어느 날 밤 "우리는 1960년에 태어나 49년 동안 살게 될 것이다"를 적어놓은 "일기장"이다. 그리고 그 일기는 "우리가 설명할 수 없었던 초현실의 우리 자신에 관련된 자서전"에 다름 아니다.[11] 또한 그 자서전은 "나로부터 시작되었으며, 나로 인해 씌어"진 편지이다. 그 편지는 "나의 유물이며, 나에 의한, 나로부터의, 나의 죽음"이다. '나'는 일기 혹은 자서전 또는 편지를 쓴 사람이지만, 그것을 읽을 수는 없다. 그것을 잃어버렸기 때문이다. "결정된 미래" 이후에도, 제 무덤을 이미 본 이후에도, '나'는 영원히 무엇인가를 쓰는 수밖에 없다(「올빼미의 없음」). 그로써, 죽음이 '나'를 기억할 것이다.

이미 오래전에 중견 작가의 반열에 올랐음에도, 배수아는 아직 제 갈 길이 멀다고, 제 집에 안착해서는 안 된다고 생각하는 모양이다. 『북쪽 거실』을 배수아네라 부르면 어떨까. 그 집은, 책 한권 크기에 불과하지만, 끝 간 데 없는 우주이다. 배수아네가 여전히 흥미로운 까닭은 세계를 모호하고도 지리멸렬하게 그리는 관념적 사변에 있는 게 아니라, 태곳적 물음(세상의 모든 완료형 예언들)을 무모하고도 전략적으로 파헤치는 가공할 '글발'에 있다. 마찬가지로, 배수아네가 언제나 섬뜩한 것은 사유의 벽이 높아서가 아니라, 글쓰기의 집이 넓은 탓일 것이다. 배수아네에 발을 들여놓으면, 작가는 찾지 못하고, 그 우주에서 길을 잃기 십상이다. 이 책은 "길고 고독하며 아무 일도 일

11) "우리의 영원한 현재는 시간의 자서전으로 이루어져 있다. 우리를 꿈으로 이끄는 시간의 성질들. 그런 자서전 안에서는 지나갈 시간들이 우리를 이미 오래전에 미리 어루만지게 되면, 우리는 현재의 꿈속에서 그것의 손길을 느끼고 그것이 부르는 소리를 들으며, 앞으로 지나갈 시간들, 그것을 살아왔다."(168쪽)

어나지 않은, 텅 빈 페이지처럼 공허한 여행, 그리고 귀향을 염두에 두지 않은 불안한 여행"이다. 길 잃은 자여, 나 역시 길 잃고 충고하건대, 책을 끝까지 읽는 수밖에, 출구는 없다.

이광진
문학평론가. 1976년생. 파리8대학 문학박사. 2007년 《동아일보》 신춘문예 평론부문 당선. 현재 중앙대 강사.
pas0517@hanmail.net

원고 모집 안내

■ 비판과 매혹의 공존을 지향하는 반년간지 《작가와비평》은 당대 문학에 대한 비판적 문제의식과 도전 정신, 텍스트에 대한 뜨거운 애정이 담긴 원고를 찾고 있습니다. 당대 사회, 문화 등의 문제점을 지적하고 대안을 제시하는 소장 평론가의 글을 기다립니다. 문학평론만이 아니라 문화평론, 사회평론도 환영합니다.

■ 《작가와비평》은 기성 문인과 등단하지 않은 신인 모두의 글들을 환영합니다. 그리고 원고 채택에서 학연, 지연 등을 단호히 배격합니다. 오직 글로써만 여러분들의 글을 평가할 것입니다. 문단 신인들의 많은 호응을 부탁드립니다.

■ 원고는 가급적 이메일로 보내주기 바랍니다. 수신 확인 이메일이 오지 않을 경우 《작가와비평》 독자 자유게시판에 문의하시기 바랍니다. 보내신 원고의 채택 여부는 한달 내에 이메일 답장이나 공지사항에 간략히 올리도록 하겠습니다. 채택된 원고에 한해 소정의 원고료를 지급합니다.

모집 분야 문학평론, 문화평론(70매 내외)
전자우편 writercritic@chol.com
우편주소 134-010 서울시 강동구 길동 349-6 정일빌딩 401호
유의 사항 간단한 약력과 전화번호 필히 기재.

세계문학사에 전례 없는 기념비적인 역작!

25년의 집필, 전30권, 4001편으로 완성한 만인과 시대에 바치는 연작시편

고은은 현존하는 한반도의 가장 위대한 시인이다. – *Time*

『만인보』는 오늘날의 문학에서 가장 비범한 기획의 하나이다. 영어판 독자들을 감동시키고 흥분하게 만드는 『만인보』의 작품들은 세계에 주는 선물이며, 20세기의 그 모든 인간성과 폭력에 대한 기막힌 초상이며, 한국 국민의 생명력에 바치는 찬사이다.
– 미국 계관시인 **로버트 하스**(Robert Hass)

놀라운 작품들이다. 몇천개의 삶을 시 속에 새겨서 보여주는 에끄프라시스들이다. 고은은 아케론강을 열 번이나 승자로 건넜다.
– 프랑스 시인 **미셸 드기**(Michel Deguy)

완간된 『만인보』는 그 자체로 충분히 경이로운 향연이다. 이제 독자들이 즐길 일만 남았다. – **백낙청** 문학평론가, 서울대 명예교수

시인이 그려준 거대한 벽화를 보며 운명과 사랑이 점철된 '역사'를 듣고 오늘의 삶을 생각한다. – **김병익** 문학평론가

시의 형식을 빌린 우리 민족사의 애환이 농축된 이 작품을 통하여 많은 인물들을 만나는 즐거움에 도취합니다. 내가 익히 아는 인물들, 존경과 우의를 가진 인물도 있지만 비판의 대상이 된 인물도 있습니다. 고은 시인의 안경을 통하여 나는 경이감을 느끼며 그 많은 인물들과 역사를 봅니다. – **리영희** 언론인

1~30권

각권 값 25,000원~35,000원(세트 값 350,000원)

031-955-3333
Changbi Publishers

특집 2

'국경'을 읽다

고향 상실과 멜랑콜리: W. G. 제발트의 『이민자들』

/ 고봉준

현대 영웅들의 모험: 에릭 엠마뉴엘 슈미트의 『바그다드의 오디세우스』

/ 김재영

근대 '이후'의 서사시: 코맥 맥카시의 국경 삼부작

/ 정은경

Writer and Criticism

W. G. 제발트
(Winfried Georg Sebalt)

1944년 독일 출생. 프라이부르크대학과 프리부르대학에서 독일문학 공부. 1966년 영국으로 이민. 1968년 맨체스터대학에서 석사학위를 받고 어학을 가르쳤다. 1988년부터 이스트 앵글리어 대학의 정교수로 취임해 독일문학을 가르쳤으며, 이듬해 영국문학번역센터를 창립했다. 2001년 12월, 노리치 근처에서 교통사고로 사망했다.

1980년대 후반부터 발표되기 시작한 그의 작품들은 먼저 영국과 미국에서 큰 반향을 불러일으켜 수전 손택의 열렬한 지지를 받았으며, 노벨문학상 후보로도 자주 거론되었다. 독일문단의 관심은 『이민자들』이 독일에서 발표된 이후였다. 그는 사회의 주변인, 이민자, 유대인들의 삶에 주목하면서 역사와 문명의 크고 작은 재앙들을 성찰하는 작품들을 발표했다. 그는 유럽문단에서 가장 활발히 논의되는 독일출신 작가 중의 한사람이다. 『이민자들』 외에 주요 작품으로 『자연 이후. 기초시』(1988), 『현기증. 감정들』(1990), 『토성의 띠. 영국의 순례』(1995), 『아우스테를리츠』(2001) 등이 있고, 다수의 에세이를 발표했다.

페도르 말효 시문학상, 베를린 문학상, 요한네스 보브로프스끼 메달, 북독일 문학상, 에두아르트 뫼리케 문학상, 하인리히 뵐 문학상, 로스앤젤레스타임즈 북 어워드, 하인리히 하이네 문학상, 요제프 브라이트바흐 문학상, 브레멘 문학상, 내셔널 북 크리틱스 써클 소설상 등을 수상했다.

고향 상실과 멜랑콜리

W. G. 제발트의『이민자들』

고 봉 준

고향상실 생활 속에서는,
어떠한 것을 달성하려 해도, 그것은 끊임없이 상쇄된다.
영속적으로 뒤에 남겨져 왔던 것에 대한 상실감에 의해서.
—에드워드 사이드

1.

한 사내가 경계선 위에서 한 발을 공중에 들어 올리고 멈춘다. 사내의 발밑에는 각각 빨갛고 파란 두 개의 선이 가로로 그어져 있다. 경계의 이편에 놓인 한 발은 그의 위태로운 신체의 지지대가 되고 있지만, 다른 한 발은 이미 경계를 넘기로 작심한 듯이 허공에서 경계의 저편을 향해 나아가고 있다. 그러나 허공에 떠 있는 사내의 발은 결코 경계의 저편에 도달할 수 없다. 좁은 콘크리트 다리 한 가운데 그어진 그 경계선은 국경이기 때문이다. 이것은 그리스 출신의 감독 테오 앙겔로풀루스의 영화『황새의 정지된 비상』도입부에 등장하는 장면이다. 영화는 포스트 소비에트 시대에 사람들을 난민으로 만드는 괴물의 정체에 대해 묻는다. '국경'의 의미와 '난민'의 삶이 화면 가득 음울한 그림자를 드리우고 있다. 사내는 "국경이 무엇인지 아는가?"라고 묻곤 스스로 "한 걸음만 넘어가면 나는 외지에 있게 되거나 죽을 것이네."라고 답한다. 그러니 이 영화는 경계를 넘는 이야기가 아니라, 제목이 암시하듯이, 또는 허공에 멈춰 선 사내의 발이 보여주듯이, '경계'의 의미를 묻는 영화이다. 이 짧은 정지화면을 통해 영화는 터전을 잃어버린(out of place) 난민적 삶의 고통스러움을 암시한다. 낭만적인 환상을 걷어내고 말하면, '경계'란 국경이기 이전에 삶의 극한이다. 한 걸음만 넘어가면 죽게 된다는 사내의 말처럼.

그렇지만 어떤 삶은 실제로 그 경계선 너머에서 영위된다. 극한을 넘는 순간 인간은 '외지'에 들어선다. 외지란 말 그대로 생의 바깥이다. 그곳은 삶의 공간이라기보다는 삶의 외부공간이고, 그런 까닭에 그곳에서의 삶은 외부적인 삶이라는 딜레마 속에서 펼쳐질 수밖에 없다. 경계선을 넘어온 이민자들이 쉽게 '산 주검(living dead)'이 되는 이유가 여기에 있다. 에드워드 사이드의 말처럼, 현대는 "머무를 장소를 빼앗긴 백성의 대이동 시대", 즉 '난민'의 시대이다. '외지'에 들어선다는 것은 자신과 고향 사이의 끊기 어려운 연속성의 균열을 경험한다는 것이며, 아무런 행위 없이도 그의 삶이 난민적인 것이 된다는 것을 의미한다. "자신의 고향을 아름답다고 생각하는 사람은 아직도 상냥한 초보자이다. 모든 땅을 자신의 고향으로 보는 사람은 이미 강한 사람이다. 그러나 전 세계를 하나의 타향으로 생각하는 사람은 완벽하다. 상냥한 사람이란 이 세계의 한 곳에만 애정을 고정시켰고, 강한 사람은 모든 장소들에 애정을 확장했고, 완전한 인간은 자신의 고향을 소멸시켰다."(성 빅토르 위고) 고향이 소중하기 때문에 잃어버려서는 안 된다는 말이 아니다. 사실 '소중한 것'이란 모든 잃어버린 것들에 붙여진 이름이다. 그러나 '고향'이 아니라 '외지'에 산다는 것은 행위가 아니라 존재 자체가 문제가 되기 때문에 의미심장하다.

W. G. 제발트의 『이민자들』은 '기억'과 '시간'이라는 두 개의 축을 중심으로 산 주검의 운명을 살다가 끝내 스스로 생을 마감한 네 사람의 이민자들(헨리 셀윈 박사, 파울 베라이터 선생님, 암브로스 아델바르트 큰외삼촌, 화가 막스 페르버)에 관한 이야기이다. 소설은 개인적 기억을 통해서 그 이면에 숨겨져 있

는 집단적 기억의 문제를 환기시키고, 홀로코스트라는 상징적인 사건이 전쟁에 노출된 사람들의 삶을 어떻게 황폐하게 만들었는가를 증언한다. 그렇다. 제발트의 『이민자들』은 창조하려는 욕망보다는 증언하려는 욕망에 사로잡힌 텍스트이다. 그것을 위해 작가는 사실과 허구의 경계를 흐리고, 흑백사진이라는 재현의 양식을 배치하고, 심지어 서술자가 이야기의 전달자나 이야기를 듣는 위치에 머물도록 강제한다. 여기에는 타자의 고통을 언어화할 수 없다는 재현에 대한 윤리적 불신이 개입되어 있다. 이러한 소설적 장치들은 마치 이 소설이 기억과 시간을 통해서 이방인의 삶을 살다가 죽음을 맞이한 사람들의 비극적 일생을 재현하려는 욕망을 지닌 것처럼 읽게 만든다. 일반적으로 기억은 과거의 시간을 재현재화(Representation)하려는 의지라고 말해지지만, 제발트의 소설에서 기억(재구성)은 그들의 삶을 고통의 원풍경에서 벗어나게 하려는 애도의 의지에 관계된다. 이것이 전후세대의 독일인 제발트가 자신을 연상시키는 화자로 하여금 이민자들의 삶을 증언하게 만든 이유이다.

물론, 제발트의 글쓰기는 '애도'를 통해서 그것의 불가능성이라는 비밀을 폭로하는 작업이다. 모든 슬픔이 애도작업으로 봉합되는 것은 아니다. 어떤 삶은 '역사'나 '과거'라는 이름으로 봉합될 수 없다. 프로이트는 「애도와 우울증(Trauer und Melancholia)」에서 '애도'가 사랑하는 대상에서 리비도를 분리시키는 과정이라고 설명했다. 이것은 애도 작업이 정상적으로 수행되지 못해서 자아의 일부가 상실된 대상과 동일시되면 자아는 상실된 대상을 자신의 일부분이 상실한 것으로 여겨서 우울증에 빠지게 된다는 논리이다. 이런 시각에서 보면 제발트의 『이민자들』에 등장하는 네 사람은 확실히 멜랑콜리한 면모를 지니고 있다. 실제로 이 소설의 주인공들은 대상의 상실을 자아의 상실로 간주하고, 멜랑콜리에 휩싸여 살다가 자살한다. 그들은 자신의 리비도를 대상으로부터 회수하지 못한 멜랑콜리커들이다. 가령 「헨리 쎌윈 박사」는 이렇게 종결된다.

1914년 여름에 실종된 것으로 알려진 베른의 등산 안내인 요한네스 네겔리의 유골이 칠십이년 만에 오베라르 빙하에서 발굴되었다는 소식이었다. 사자(死者)들은 이렇게 되돌아온다. 때로는 칠십 년이 넘는 세월이 흐른 뒤에도 얼음에서 빠져나와, 반들반들해진 한 줌의 뼛조각과 징이 박힌 신발 한 켤레로 빙퇴석 끝에 누워 있는 것이다.

이것은 정상적인 애도작업이 수행되지 못했던 요한네스 네겔리의 죽음이 72년 만에 유골로 되돌아오는 상징적인 장면이다. 빙하의 크레바스 사이에 잠들었던 네겔리의 주검이 되돌아와야 했던 이유는 불충분한 애도작업 때문일 것이다. 그렇지만 이 장면은, 그리고 제발트의 『이민자들』은, 모든 애도작업의 불가능성을 증언한다. 데리다는 '애도'가 타자를 이상적으로 내면화는 행위라고 규정했다. 이 경우 애도는 타자의 타자성을 제거하는 폭력적이고 비윤리적인 행위가 되며, 따라서 성공한 애도작업은 결국 애도의 실패이거나 불충분한 애도에 불과하다는 논리가 가능하다. 그러므로 최고의 애도는 애도작업의 실패이다. 친구 네겔리를 잃고 평생을 어둠 속에서 살다가 사냥총으로 자살한 쎌윈 박사, 유대계 독일인으로 태어나 자신의 고향에서 이민자의 삶을 살아야 했던 파울 베라이터, 자신의 정신세계를 모두 황폐하게 파괴하는 방식의 죽음을 선택한 암브로스 아델바르트, 유대계 독일인으로 태어나 평생 부모와 헤어져 런던에서 살아야 했던 막스 페르버……, 친숙한 세계를 상실하고 낯선 세계에서 영원한 이방인으로 살아야 했던 이들의 고통은 어떤 방식으로든 애도되지 못한다. 작가는 이들의 삶을 사실적으로 기록하고 증언하는 과정을 통해서 애도작업의 일단을 보여주지만, 대상에 대한 주인공들의 애도작업이 실패했듯이, 작가의 애도작업 또한 실패로 끝난다. 아니, 작가는 대상에 대한 주인공들의 애도작업이 실패하는 장면을 통해서 자신의 글쓰기(애도작업) 또한 실패할 것임을 보여주는 듯하다. 그러나 이 후자의 실패야말로 어떠한 이상화도 동반하지 않는다는 점에서 그들의 상처를 온전하게 애도하는 작업인지도 모른다. 모든 상속의 진정한 조건이 실패한 애도이듯이.

2.

제발트의 주인공들은 애도작업에 실패한 멜랑콜리커의 운명을 예언한다. 그들은 대상에서 리비도를 회수하는 데 실패했고, 애도의 실패에서 비롯되는 이 자아 상실이 그들을 이방의 유령으로 만든다. 헨리 셀윈 박사에서 그 대상은 그가 세계대전 직전에 알프스 고지에서 만난 예순다섯의 등산안내인 요한네스 네겔리이고, 파울 베라이터에게 그것은 한 순간 이향으로 변해버린 고향이며, 암브로스 아델바르트에게 그것은 고향 세계와의 단절이며, 막스 페르버에게 그것은 자신을 영국으로 망명시키고 나치 수용소로 끌려간 부모님이다. 그런데 이들의 개인적인 상실은 모두 역사적인 시간을 배경으로 삼고 있다. 이것은 이들 대부분이 유대계 독일인이라는 사실에서도 두드러진다. 그러나 제발트의 『이민자들』은 나치의 파시즘을 배경으로 하는 여느 소설들과 달리 희생자 서사가 아니라 이민자 서사임을 강조하고 있다. 이들의 비극적인 삶은 역사적인 파국의 한 가운데에서 시대의 격랑에 휩쓸림으로써 생겨난 것이 아니라, 역사적 사건의 진원지에서 조금 떨어진 곳에서 이민자의 운명으로 살아야 함으로써 생기는 것이기 때문이다. 그러나 '희생자'와 '이민자' 사이의 거리는 먼 것이 아니다. 어쩌면 이 이민자 서사가 희생자의 범위를 확장함으로써 얻어진 것인지도 모른다. 희생자의 범위를 확대한 제발트의 소설에서 이민자의 서사가 여전히 희생자의 서사로, 때문에 유대인에 대한 독일인의 애도작업으로 읽히는 이유가 여기에 있다. 프로이트는 실제 대상을 상실했을 때의 반응인 '애도'를 멜랑콜리와 구분했다. 즉, 애도의 경우 상실한 것은 현존했던 것이며 때문에 일정한 시간이 지나면 치유될 수 있는 것인 반면, 멜랑콜리는 그 대상이 무의식적인 것이기에 슬픔의 대상을 알 수도 없고, 충분한 애도 또한 불가능하다. 그래서 프로이트는 멜랑콜리커가 표면적으로는 대상의 상실을 슬퍼하는 듯 보이지만 실제로는 자아의 상실감으로 인해서 고통 받는다고 썼다. 이런 맥락에서 본다면 제발트의 주인공들은 실제 대상을 상실했으나 애도에 실패한 자들이라고 규정할 수 있을 것이다. 그러나 그들의 슬픔과 고통이 실제 대상의 상실에서 기원하는 것인지, 아니면 자아의 상실감에서 비롯되는 것인지는 명확하지 않다. 그들 대부분은 그것에 대해 말하기를 거부하거나, 심지어 말하지 못하는 곤혹스러움을 하소연하기도 한다.

제발트의 『이민자들』에서 주인공들의 멜랑콜리한 상태는 '기억'의 문제와 연결된다. 「헨리 셀윈 박사」의 주인공은 유대인 혈통의 소유자이다. 그는 1차 세계대전 이전에 리투아니아의 그로드노 근처 마을에서 살다가 7살 되던 해에 가족과 함께 '이민길'에 올랐고, 그들 가족은 "신세계의 땅을, 약속된 도시 뉴욕의 땅을" 갈망했으나 런던에 도착하고 말았다. 이민자의 일원으로 성장하던 그는 헤르쉬라는 이름을 헨리로, 셰베린이라는 성을 셀윈으로 바꾸었고, 이후 장학금을 받고 케임브리지 의대에 입학을 한다. 1913년에는 케임브리지대학 의학 기초과정을 수료한 그는 학업을 위해 스위스의 베른으로 갔다가 그곳에서 요한네스 네겔리라는 등산안내인을 만나 친분을 나누게 되지만, 전쟁소집령을 받은 네겔리가 오베라르로 향하던 도중 빙하의 크레바스에 빠져 추락사함으로써 그와의 인연도 끊어진다. 전쟁이 끝나고 사치스러운 생활을 즐기던 그는 아내에게 자신의 혈통이 발각된 이후부터 "암흑과도 같은 불운의 시기"를 보내었고, 그것은 "현실 세계와의 마지막 접촉을 끊어버렸습니다. 그뒤론 그저 식물과 동물 들만이 거의 유일한 대화 상대지요."처럼 자신을 세계로부터 격리시키는 방식으로 살고 있다. 그는 자신의 집을 찾아온 '나'에게 스스로를 "일종의 장식용 은둔자"라고 소개한다.

그러나 스스로를 '별채'에 유폐시킨 채 살아가는 그는 지독한 '향수병'에 시달리고 있고, 심지어 일곱 살 무렵 동유럽 유대인 사회에서 겪었던 일들을 또렷하게 기억한다. 수십 년의 시간을 거슬러 셀윈 박사에게 도달한 '기억'이란 실상 의지의 산물이 아니다. 그것은 네겔리와의 만남/이별이 그러했듯이 의지를 벗어난 영역의 문제이다. 그렇기 때문에 '향수병'이란 새로운 현실에 의해서 봉합되거나 치유될 수 있는 것이 아니다. "하지만 어떤 일들은 아주 오랫동안 잊은 후에도 갑작스럽고 느닷없이 다시 떠오르는 법이다."라는 화자의 말은 셀윈 박사의 멜랑콜리가 비자발적 기억에서 비롯되는 것이며, 그것이 애도에 의해 봉합될 수 없다는 판단이 담겨 있다. 자신의 기억을 모두 지워버리려고 안간힘을 쓰다 죽음을 맞이하는 암브로스 아델바르트의 죽음이 한층 비극적으로 와 닿는 것도 이 때문이다.

「암브로스 아델바르트」의 주인공 아델바르트는 1차 세계대전 이전 유럽 사회에 만연하고 있던 유대인 박해를 피해서 일찍이 고향을 떠나 스위스로, 일본으로, 그리고 미국으로 건너가 대부호 솔로몬 집안의 집사이자 관리인이 되었다. 소설은 삶의 터전(고향)을 상실한 인간에게서 '기억'이 어떠한 의미를 갖는 것인가에 대해서 되묻는다. 솔로몬과 아델바르트는 1911년 함께 유럽을 여행했는데, 화자의 이모는 그것이 "과거를 되찾아보려고 떠난 여행"이었다고 평가한다. 그들이 여행에서 돌아왔을 무렵 유럽에서는 전쟁이 발발했고, 전쟁 소식을 들은 코즈모는 "정원 구석의 별채"에 자신을 유폐시킨 채 살아간다. 그는 "유럽에서 일어나고 있는 일들, 화재와 죽음과 들판에 뻗어 있는 시체 들이 햇살 아래에서 썩어가는 광경을 자기 머릿속에서 본다"고 고백했고, "뉴욕에서 상영되던 독일영화가 신경증을 재발"시켰을 때에는 자신의 삶이 '미로'에 갇혀 있다고 느끼기도 했다. 코즈모의 신경증은 "지금 자신이 어디 있는지 알 수 없어서 너무 괴롭다"라는 말처럼 존재의 방향성을 상실한 데서 오는 것이었다.

> 외삼촌의 이야기를 들으면서 나는 외삼촌이 수많은 일을 아주 정확하게 기억하기는 하지만, 그런 기억들을 자기 자신과 연결시켜주는 추억은 거의 갖고 있지 못하다는 것을 점점 확실히 알게 되었다. 그래서 과거에 대해 이야기하는 것이 외삼촌에게는 고통이기도 했고, 자신을 해방시키려는 시도이기도 했지. 말하자면 구원이자 가차 없는 자기 파괴이기도 했던 거야.

아델바르트는 매우 정확한 기억의 소유자이다. 그는 신중하지 못한 사람들이 흘려버리기 쉬운 부분까지도 매우 상세하게 기억하는 능력을 지니고 있다. 그런데 정작 그 '기억'은 실존적인 것이 아니라 한낱 지성의 산물일 뿐이다. 이것은 인간이 고향/터전을 상실하게 되면 시간 경험도 동시에 훼손된다는 것을 뜻한다. 이제 '기억'은 '추억'이 되지 못하고, 공간과 분리된 '추억'은

'기억'의 층위로 떨어진다. 이것이 아델바르트의 우울증의 원인이다. "당신의 할아버지만큼 심한 우울증에 걸린 사람을 본 적이 없습니다. 그의 사소한 말들, 몸짓들, 죽는 날까지 그대로 유지하던 습관들, 이 모든 것들이 실은 세상에 거듭 작별인사를 하는 것이었다고 생각합니다." 하여, 그는 '과거'에 대해 말하지 않는다. 과거에 관한 모든 이야기가 '기억'에 불과하다는 것을 알기 때문이다. 기억의 수준으로 떨어져버린 과거는, 실존적인 의미에서, 더 이상 과거가 아니다. 실존으로서의 과거란 아델바르트의 비망록에 등장하는 "향수. 항해자의 글은 무엇보다도 먼 땅에 대한 기록이다."라는 문장처럼 공간과 분리되지 않은 시간 경험이다. 그래서 그가 "기억이란 때로 일종의 어리석음처럼 느껴진다. 기억은 머리를 무겁고 어지럽게 한다. 시간의 고랑을 따라가며 과거를 뒤돌아보는 것이 아니라, 끝 간 데 없이 하늘로 치솟은 탑 위에서 까마득한 아래쪽을 내려다보는 것 같은 기분이 들기 때문이다."라고 말할 때, 그것은 고향/터전과 분리된 '기억'의 비정상성을 가리키는 것이었다. 결국, 그는 '기억'을 파괴하기로 결심한다. 그는 "자신의 사고능력과 기억능력을 가능한 한 근본적이고 철저하게 말살시키"기로 결심하고, 고문이나 학대에 가까운 판슈톡 교수의 충격요법에 기꺼이 자신을 내맡긴다. 기억을 파괴한다는 것은 "구원이자 가차 없는 자기 파괴"이다. 기억으로부터의 실존적 해방이 곧 생물학적인 죽음을 불러올 것이기 때문이다. 결국 그는 그 파괴행위에 스스로를 내던짐으로써 자신을 살해하게 되고, 죽음과 더불어 기억의 속박에서 해방된다. 그러나 이 소설에서 이러한 비극적 죽음은 결코 예외적인 개인의 문제로 다뤄지지 않는다. "여기 오면 내가 아주 멀리 떨어져 있다는 생각이 들거든, 어디로부터 떨어져 있는지는 모르겠지만 말이야." 외삼촌의 말은, 자의든 타의든, 고향을 떠나온 모든 사람들이 분리의 고통 속에서 살아가며, 멜랑콜리의 대상이 불분명하듯이 그들이 분리되었다고 경험하는 '어디'의 정체 또한 모호하다는 것을 의미한다. 이 모호함이 "어떤 눈으로도 헤칠 수 없는 안개무리"(「파울 베라이터」)의 정체일 것이다.

3.

'공간'에 대하여 파울 베라이터와 막스 페르버가 보여주는 문제는 확실히 다른 것이다. 나치의 인종주의가 파울 베라이터를 이방인으로 만든 것은 사실이지만, 그는 고향이나 조국을 떠나는 대신 자신의 땅에서 이방인으로 살아가기를 선택한다. 그는 자신의 땅에서 자신의 땅으로 추방되었고, 민족국가의 내부로 버려졌다. 이 내부로의 투기(投企)가 의미하는 것은 '타자화'와 '배제'이다. 실제로 그는 재판이 진행되는 과정에서 자신이 "S시에 속하는 사람이 아니라 이민자의 한사람이라는 사실"을 인정하게 된다. 막스 페르버의 경우는 사정이 조금 다르다. 그는 부모의 희생을 배경으로 런던으로 이민을 와 목숨을 건진 이민자이기 때문이다. 한 사람은 자신이 살아온 땅에서 공간적인 추방 없이 이방인이 되고, 또 한 사람은 유럽으로 이주함으로써 이방인이 된다. 그러나 하이데거의 '고향상실'에 관한 진술("철학은 본래 향수이다. 그것은 모든 곳에서 (고향에서처럼) 안주하려는 충동이다.")이 말하듯이, '상실'이란 공간의 문제가 아니라 근거나 편안함을 잃어버리는 심리적 실재와 한층 밀접한 실존적 사건이다.

「파울 베라이터」는 '나'의 초등학교 선생님이었던 파울 베라이터가 스스로 "목숨을 끊었다는 소식"이 도착하는 장면으로 시작된다. 그의 죽음과 함께 날아든 '조사(弔詞)의 내용'에 불만을 느낀 화자가 베라이터의 삶의 궤적을 추적하게 되고, 그 과정에서 미처 알지 못했던 실존적 고뇌들을 발견한다는 것이 이야기의 대강이다. 화자는 무엇을 발견했는가? 먼저, 파울 베라이터가 유대계 독일인이었고, 나치가 독일을 지배했던 제3제국 시기에 교사직에서 해임된 적이 있으며, 로마교회를 혐오했고, 그의 걸음걸이가 독일 반더포겔 운동의 모범적인 걸음걸이였다는 것이 밝혀진다. 그는 1935년 S시를 방문한 헬렌 홀렌더라는 여인을 좋아했고, 그녀와 그녀의 어머니가 강제수용소로 이송되는 과정에서 자신이 아무런 역할도 하지 못했다는 자책감에 시달리며 살았다. 그가 기차의 종착역을 '죽음'과 결부시켜 생각한 것은 유대인을 태운 기차가 죽음의 수용소로 향했다는 역사적 경험과 무관하지 않은 듯하다. 나치의 인종주의는 독일에서 태어나 성장한 유대인들, 그러니까 독일을 자신의 조국으로 여기고 살았던 유대인들에게 특별히 문제적이었다. 파울은 반(半)유대인 아버지를 둔 "4분의 3만이 아리아인"이었다. 잡화점을 운영한 파울의 집안은 비교적 부유한 중산층의 생활을 누리고 있었는데, 인종주의를 동반한 유럽의 전쟁은 그들의 재산은 물론 삶 자체를 위기에 빠뜨렸다. 나치의 등장을 전후해서 파울의 고향에서는 유대인에 대한 나치의 처참한 공격이 생겨나기 시작했다. 문제는 이 공격이 이방인에 대한 공격이 아니라 오래 전부터 그곳에서 살아온 사람들, 즉 고향 사람들에 의한 공격이었다는 데 있다. 이런 상황에도 불구하고 그는 유대인에 대한 나치의 폭력과 탄압이 극심했던 1939년에 프랑스를 떠나 제국의 수도 베를린으로 돌아간다. 그리고 베를린에 도착한 그는 징집에 응해서 6년 동안 독일군으로 복무한다. 유대인이었던 그가, 그래서 고향 마을에서마저 테러의 공공연한 표적이었던 그가, 독일로 돌아갔고, 마침내 독일군으로 참전했다는 사실을 어떻게 이해해야 할까?

1939년과 1945년에 파울이 독일로 돌아갔던 것은 그가 뼛속 깊이 독일사람이었기 때문이에요. 아마도 그로서는 달리 어떻게 할 수가 없었을 거예요. 그는 알프스 아래의 고지에 위치한 고향에서 벗어날 수 없었어요. 물론 진심으로 S시를 혐오했고, 골수에 사무치도록 역겨워하던 그곳의 주민들과 함께 그 도시를 파괴하고 갈아버리고 싶은 마음도 있었을 거예요. 그건 확실해요. (…중략…) 하지만 그는 죽기 전 십이년 동안 여기 이베르동에서 살면서도 그 집을 포기하지는 못했어요. 오히려, 그의 표현대로 하자면, 모든 게 잘 있는지 살펴보려고 해마다 몇번씩 S시에 가보곤 했지요. 대개 이틀 동안 그렇게 S시에 다녀올 때마다 그는 우울한 모습이었어요.

파울 베라이터는 전쟁이 끝난 후 고향 S시로 돌아가 교편을 잡았고, 죽기 직전까지 S시에 위치한 집을 포기하지도 않았다. "파울 베라이터가 자기 집을 끝까지 팔지 않았다는 사실을 곧 알게 되었다. … 파울은 이 집을 포기하지 않았지만 거기서 살지도 않았다고 한다." 그의 그런 행동들은 결코 '정상적인 일'은 아니었지만, 그렇다고 비정상적인 것이라고 말하기도 어렵다. 왜? 그는 유대인의 혈통이었지만 "뼛속 깊이 독일사람"이었기 때문이고, 독일의 S시를 자신의 고향으로 생각하고 있었기 때문이다. 다시 말하지만, 여기에서 '고향'은 공간의 문제라기보다는 자신의 과거가 고스란히 살아 있는 실존적 세계이다. 그렇기 때문에 설령 유대인에 대한 공격이 행해진다고 하더라도 그곳이 자신의 고향이라는 사실이 부정될 수는 없다. 이것이 그가 S시를 혐오하면서도 그곳에서 벗어날 수 없었던 이유였고, 유대인 혈통이었지만 분명한 독일인이라고 생각했던 근거였다. 그러나 숱한 역사적 사건들이 증언하듯이, 역사의 예외적 시기에 국민국가의 일원으로 인정받기 위해서는 그곳에서 출생했다거나 그 나라의 국적을 갖고 있는 것 이상의 무엇인가가 있어야 했다. 두 차례의 세계대전에 직면해서 유럽 각지에 흩어져 살고 있던 유대인들에게 요구된 것이 바로 이 '이상의 것'이었던 셈이다. 그 무엇이란 곧 혈통의 순수성이다. 그것도 민족국가의 경계와 일치하는 혈통의 순수성이. 이것은 국가 없는 민족의 대부분이 겪는 문제이기도 하다.

심리적 현실에서는 S시가 고향이지만, 정치적 현실에서는 S시가 이방이 되는 이 이상한 현실의 균열이 결국 그를 S시에서 떠나게 만들었다. 그렇지만 그는 고향을 떠난 이후에도 해마다 몇 번씩 S시를 방문할 만큼 애정을 갖고 있었으며, S시의 주택을 처분하지도 않았다. S시는 더 이상 베라이터의 생활세계는 아니었지만, 그렇다고 그가 S시로부터 리비도를 완전히 철수한 것도 아니다. 그리하여 그는 S시에 다녀올 때마다 깊은 우울증에 시달린다. 이 우울증의 정체, 그러니까 애도작업에 실패한 멜랑콜리커의 내면을 고향상실의 문제와 연관시켜 보여주는 것이 바로 그가 사진 아래에 적어 놓았다는 문장이다. "우리는 항상 이천 킬로미터쯤 떨어진 곳에 있었다. 하지만 어디로부터?" 이 문장은 「암브로스 아델바르트」에서 외삼촌이 어둠의 경계를 배경으로 들려주었던 분리감에 대한 진술과 사실상 동일하다. 이민자들이 경험하는 고향상실의 고통, 즉 "영속적으로 뒤로 남겨져 왔던 것에 대한 상실감"은 죽음으로 종결되지 않는 한 애도가 불가능한 것이다. 그가 '고향'으로부터 리비도를 회수하지 못함으로써 비극적인 운명을 맞이하게 될 것임은 그가 "자살했거나 자살할 뻔했던 문필가의 책"(이들의 대부분은 유대인이다)을 읽으면서 지냈다는 사실에서도 확인된다. 이 비극, 그러니까 심리적인 층위에서 고향에 정주하려는 시도는 자신이 "더 이상 S시에 속하는 사람이 아니라 이민자의 한사람이라는 사실을 깨끗하게 인정"하는 순간에 사라진다. 그는 고향을 떠났지만, 그가 돌아온 곳이 '고향'은 아니었다. 공간적인 동일성에도 불구하고. 그가 마침내 S시의 주택을 판 것은 이러한 결핍을 현실의 층위에서 받아들였다는 것을 뜻한다.

「막스 페르버」는 화자 '나'가 1966년 가을, 고향을 떠나 영국의 맨체스터로 이주해서 만난 화가 막스 페르버에 관한 이야기이다. 유대계 독일인인 페르버는 2차 대전 당시 나치의 박해를 피해서 15살에 영국으로 이주한다. 그가 영국으로 탈출한 뒤 화랑을 뮌헨에서 운영하던 그의 부모들은 1941년 11월 강제 이송되어 살해되었다. 그 사실을 알지 못한 채 영국생활에 적응하기 시작한 그는 부모와의 이별에서 해방감을 느끼기도 했는데, 훗날 죄책감이라는 갚을 수 없는 부채가 되어 그의 삶을 수렁에 빠뜨린다. 그는 자신의 삶에서 모든 것들이 너무 늦게 도착한다고 말한다. 부모의 죽음을 알리는 부고처럼. 페르버의 멜랑콜리는, 파울 베라이터의 경우와 마찬가지로, 적절한 시간성을 놓친 데서 비롯된다. 맨체스터에서 그는 "1940년대말부터 매일 열 시간씩, 일요일도 거르지 않고 작업하는 화가"로 유명한데, 노동에 가까운 이 작업은 변제할 수 없는 채무를 변제하려는 불가능한 노력을 의미하거나, 죄책감에서 벗어나기 위해 자신에게 부여하는 형벌처럼 느껴진다. 실제로 그는 가죽처럼 두꺼운 종이에 선을 긋고 그림을 그리면서 동시에 이미 그린 것을 모직걸레로 다시 연거푸 지워내는 "먼지생산의 대장정"에 돌입하고, "일단 물감을 두껍게 칠하고서 화폭에서 물감을 긁어내는 식으로 작업"을 하며, 전날의 그림을 망설임 없이 지운다. "그것은 연속적인 파괴로 인해 이미 상당히 훼손된 배경에서 결국은 불가사의로 남을 수밖에 없는 표정과 눈매를 발굴해내기 위한 과정이었다." 그의 작업은 대부분 그가 "너무 지쳐서 더 작업을 할 수 없"을 때 끝난다. 이러한 그의 창작방법은 어떤 것을 지워내려는 무의식적인 노력, 그러한 망각을 통해서만 도달할 수 있는 불가사의의 세계를 지시하는데, 그는 이러한 방식으로 자신의 과거와 관계 맺고 있는 것이다.

이 관계에서 '기억'이 차지하는 비중은 거의 절대적이다. 제발트의 『이민자들』에 등장하는 희생자들은 모두 '기억'의 중력에 짓눌린 채 살아가며, 결국 기억의 무게에 압도되어 자살한다. "아마도 그 회색의 여자는 모국어인 독일어만 할 줄 아는 것 같네. 내가 1939년, 그러니까 오버비젠펠트에 있는 뮌헨 공항에서 부모님과 작별한 후에 단 한 번도 다시 사용하지 않은 언어, 이제는 이해할 수 없는 희미한 중얼거림이나 속삭임 같은 것으로만 내 안에 남아 있는 그 언어 말이야." 기억에 억눌린 존재의 시간은 외상적 사건에 고정된다. '나'와 페르버의 만남은 종전(終戰) 후 한참의 시간이 흐른 뒤의 일이지만 페르버의 실존적 시간은 여전히 1930년대에 멈춰 있다. "과거도 없고 미래도 없네" 그렇기 때문에 폐기종에 걸려 병원에 입원중인 페르버가 "어떤 식으로든 하루빨리 그런 상태를 끝내고 싶어한다"는 것은 매우 자연스럽게 느껴진다.

4.

「막스 페르버」에서 흥미로운 것은 페르버와, 그를 통해서 전달받은 그의 어머니의 "육필 기록물들"을 대하는 화자의 태도이다. 이것은 결국 유대인의 고통을 대면하는 독일인의 태도이기도 하고, 아우슈비츠에 대한 작가 자신의 태도이기도 하다. 이 소설은 대부분은 페르버의 어머니가 1939년과 1941년 사이에 슈테른바르트 가의 집에서 작성한 기록을 객관적으로 전달하는데 할애된다. 화자 '나'는 그녀의 기록을 읽고 살았던 곳과 묘지를 순례하면서 홀로코스트를 애도하려는 모습을 보여주고, 그것은 "하지만 나를 에워싸고 있는 독일인들의 정신적 빈곤과 기억상실, 그리고 과거의 흔적을 철저히 지워버린 그들의 교묘함으로 인해 내 머리와 신경이 공격받고 있다는 사실을 점점 더 또렷하게 의식할 수 있었다"처럼 독일인에 대한 비판적 인식을 일깨우는 방향으로 진행된다. 그러나 그것이 역사인식의 문제가 아니라 글쓰기의 문제일 때 사정은 달라진다. 글쓰기는 타자의 재현이나 고통의 표상화라는 결코 쉽지 않은 문제를 관통해야만 가능하다. 화자는 페르버의 생애와 그가 건네준 어머니의 기록물을 읽으면서 어떤 형태로든 그들의 이야기를 기록해야겠다고 결심한다. 기록은 망각에 대한 투쟁이다. 그러므로 화자의 글쓰기는 유태인들이 겪었던 고통스런 삶이 망각되는 역사적 비극을 거슬러 그들의 삶을 증언하려는 책임감에서 비롯된다고 말할 수 있다. 그러나 글쓰기 '작업'을 진행할수록 '나'는 "마비상태"에 빠져들게 된다. "내가 소심해져간 것은 어떤 방법을 동원하더라도 묘사하는 대상을 적절하게 재현하지 못할 것 같은 무력감 때문이기도 했지만, 글쓰는 행위 자체에 회의를 느꼈기 때문이기도 했다." 제발트가 간접화법을 포기하고 수기와 사진 등을 직접적으로 드러내거나, 과도할 만큼 화자를 발화자가 아니라 청자의 위치에 머물게 하는 방식으로 글쓰기를 진행하는 이유가 이 때문이다.

여기에는 적어도 두 개의 문제가 걸려 있다. 하나는 타자의 삶과 고통을 '언어'로 재현할 수 있는가라는 문제이고, 다른 하나는 재현 행위에서 '소설'이 어떠한 위상을 차지할 수 있는가라는 문제이다. 제발트의 글쓰기가 윤리적이라고 말할 때, 그것은 이 질문을 함축하고 있다는 의미와 다르지 않다. 물론 제발트의 소설은 이 질문들에 대한 대답의 일종이지만, 그렇다고 그가 명시적으로 이 질문에 답했다고 말하기는 어려울 듯하다. 그것은 우선 소설이, 또는 소설의 윤리가 '대답'이 아니라 '질문'에서 비롯된다는 사실 때문이다. 제발트의 소설을 '기록'이나 '증언'이라는 범주에서 접근할 수밖에 없는 까닭은 그가 '질문'을 놓으려 하지 않기 때문이다. 타인의 고통은 언어로 재현될 수 있는가? 물론 불가능하다. 그러나 '소설'은 그 불가능성을 언어로 돌파하려는 "실패의 증거"이다. 소설이 소설인 까닭은 그것이 성공했기 때문이 아니라 실패했기 때문이며, 실패할 것임을 알면서도 포기하지 않기 때문이다. 문학은 어디까지나 성공담이 아니라 실패담이다. 그렇지만 이러한 대답이 두 번째 질문, 즉 재현 행위에서 '소설'의 위상을 해명해주는 것은 아니다. 이 질문에 대한 가장 손쉬운 대답은 문학(예술)은 재현과 무관하다는 것이다. 이것은 정확한 대답이지만, 문제에 대한 대답이라기보다는 그 질문을 회피하는 대답에 속한다. 어떤 문학은 '기록'과 '증언'을 추구하며, 재현 가능성을 전제하지 않더라도 재현 자체를 포기하지는 않기 때문이다. 그렇지만 재현의 측면에서 보더라도 '소설'은 그다지 유리한 글쓰기가 아니다. 그것은 픽션이라는 성격 때문이 아니라 타자의 고통이 '나'라는 화자의 목소리를 통과함으로써 필연적으로 굴절될 수밖에 없다는 문제와 맞닿아 있다. 제발트의 스타일은 이 난제에 대처하려는 자의식의 실험처럼 보인다. 그의 소설에서 화자는 목소리의 주체가 아니라 듣는 자, 기억하는 자, 그리하여 유령들과 함께 거주하는 자이다.

고봉준

본지 편집동인. 1970년생. 2000년 『서울신문』 신춘문예로 등단. 제12회 고석규 비평문학상 수상. 평론집 『반대자의 윤리』, 『다른 목소리들』이 있음. bj0611@hanmail.net

에릭 엠마뉴엘 슈미트

(ERIC EMMANUEL SCHMITT)

1960년 프랑스 리옹 출생. 파리고등사범학교에서 철학 박사 학위를 받고 강단에 서다가 작가 활동 시작. 그는 다수의 희곡과 철학에세이를 발표한 극작가이자 철학가이기도 하다. 1991년 『발로뉴의 밤』을 발표하며 극작가로 데뷔, 1993년 『방문객』을 통해 그 해 몰리에르 연극상 3개 부문을 수상했다.
1994년에는 첫 소설 『이기주의자들의 종파』를 발표하며 소설가로 데뷔해 『변주의 수수께끼』, 『방탕아』 등을 연이어 발표하며 소설과 희곡 부문을 동시에 석권한 작가로 주목받았다. 『오스카와 장미 할머니』, 『이브라힘 할아버지와 코란에 핀 꽃』, 『밀라레파』, 『노아의 아이』를 발표해 프랑스를 넘어 세계적인 명성을 얻었다.
에릭 엠마뉴엘 슈미트의 소설은 나오는 작품마다 베스트셀러가 될 만큼 평단과 독자들로부터 동시에 찬사를 받는 작가이다. 세계 30여 개국에서 그의 작품을 출간할 만큼 세계 도처에 많은 독자를 확보하고 있다. 펜과 종이만으로 집필을 고집할 만큼 아날로그적 글쓰기를 고집하는 그는 프랑스에서 가장 주목받는 작가 중의 한 사람이다.
주요 작품으로 『바그다드의 오디세우스』 『내가 예술작품이었을 때』, 『이기주의자들의 종파』, 『빌라도 판 복음서』, 『오스카와 장미할머니』, 『이브라힘 할아버지와 코란에 핀 꽃』, 『밀라레파』, 『노아의 아이』, 『프레데릭 혹은 범죄로(路)』, 『타인의 몫』 등이 있다.

현대 영웅들의 모험

에릭 엠마뉴엘 슈미트의 『바그다드의 오디세우스』

김 재 영

1. 현대의 오디세우스

에릭 엠마뉴엘 슈미트는 문단과 극단을 동시에 석권한 프랑스의 대표적 중견작가이다. 다수의 희곡과 철학에세이를 쓴 극작가, 철학가로 알려져 있으며 《방문객》을 통해 1993년 몰리에르 연극상 3개 부분을 수상했고 소설 『내가 예술작품이었을 때』, 『이브라힘 할아버지와 코란에 핀 꽃』 등으로 세계적인 명성을 얻었다.

그의 장편소설 『바그다드의 오디세우스』[1]는 이라크 바그다드 출신의 청년 사드가 고향을 떠나 카이로, 몰타, 시칠리아, 나폴리를 거쳐 영국의 런던에 도착하기까지의 모험담이다. 모험담의 정전이라 할 수 있는 호메로스의 『오디세이아』에 나오는 영웅 오디세우스 이야기를 모티프로 한 만큼 긴장감 넘치는 사건들이 빠르고 흥미롭게 전개된다. 작가는 날카로운 지성과 신랄한 문체, 번득이는 재치와 유머로 고통스럽고 슬프지만 결코 무겁지만은 않은 탈국경 서사를 선보인다.

1) 에릭 엠마뉴엘 슈미트, 권윤진 옮김, 『바그다드의 오디세우스』, 밝은세상, 2009.

호메로스의 『오디세이아』는 영웅 오디세우스가 트로이 전쟁에서 승리를 거둔 뒤 귀향하는 과정에서 포세이돈의 노여움을 사 10년간 방황하며 온갖 위험에 직면하다가 겨우 고향으로 돌아간다는 이야기다. 바다를 항해하면서 수많은 위험과 맞닥뜨릴 때마다 계책에 능한 오디세우스는 매번 위기를 넘기고 생환하는데, 이런 오디세우스란 인물에 대한 평가는 시대별로 선인, 혹은 악인으로 매우 큰 차이를 보인다.

단테의 경우 오디세우스를 부정적 인물로 평가했다. 그가 집을 떠나는 이유가 호기심과 모험심이라는 나쁜 기질에 있다고 생각했기 때문이다. 셰익스피어는 『트로일러스와 크레시더』에서 오디세우스를 모든 질서가 파괴될 위험에 처해 있는 무의미한 전쟁에서 이성적으로 행동하는 실용주의적인 정치가로 그렸다. 영국의 장미전쟁이라는 역사적 상황이 반영된 것인데, 당시 튜더 왕조가 불안한 정세를 통제하기 위해 안정된 질서를 최고의 덕으로 삼아 퍼뜨리고자 했던 것과 관련이 있다. 17세기 에스파냐 극작가 켈데론은 희극 『사랑의 마력에 대하여』에서 오디세우스를 키르케나 칼립소라는 여성의 유혹에 넘어가지 않는 금욕적 인물로 그렸으며, 괴테 역시 『오디세이아』의 영향을 받아 오디세우스 이야기에 대한 독특한 사유의 흔적을 여러 작품에서 보여준 바 있다.

20세기에 들어서면서 오디세우스 이야기를 모티프로 한 작품은 훨씬 많아졌다. 노벨문학상 수상자인 게르하르트 하우프트만은 『오디세우스의 활』을 썼는데, 그는 돼지치기 에우마이오스의 오두막이 소외된 사람들 이야기를 사회적인 관점에서 드러내기에 적합하다고 보았다. 제임스 조이스는 『율리시즈』를 통해 오디세우스의 모험을 희화하면서 위대한 모험이 가능하던 고대의 영웅시대와 현대의 소시민 사회의 차이를 묘사했다. 니코스 카잔차키스는 1938년 출간된 『오디세이아』에서 오디세우스를 낡은 고향이 아니라 자유와 새로운 삶의 의미를 찾아 헤매지만 실패하는 완전히 다른 현대적인 인간으로 만들어 냈다.[2] 이처럼 수많은 작가들이 당대의 문제적 인물을 영웅 오

2) 호메로스, 김원익 평역, 『오디세이아』, 서해문집, 2007, 16~25쪽 참조.

디세우스에 투영해 재창조해 냈다.

그렇다면 작가 에릭 엠마뉴엘 슈미트는 바그다드 출신의 청년 오디세우스를 통해 이 시대의 무엇을 말하고자 한 것일까.

이 소설은 주인공 사드가 국경을 넘기 위해 사막과 바다, 여러 나라를 거치는 동안 겪게 되는 다양한 에피소드를 연대기순으로 독자에게 들려주는 선형적 구조를 띠고 있다. 주인공은 모험에 따른 위기를 극복할 때마다 자기 자신과 가족에 대해, 그리고 민족이나 국가공동체, 인류의 미래 등에 대해 고민하고 성찰하면서 내면적으로 성장한다.

주변의 다양한 인물들과 사드가 나누는 '대화'를 통해 작가는 자신의 세계관, 특정 사안에 대한 견해를 비교적 직접적으로 독자들에게 전달한다. 이는 소설의 리얼리티나 독자의 감정이입을 방해하는 주된 원인이 되기도 한다. 대체로 등장인물의 행위와 의식을 치밀하면서도 구체적으로 묘사할 때, 등장인물을 관찰하는 거리가 극도로 가까워졌을 때 독자는 감정이입이 쉬워지고 공감과 연민의 감정을 느낀다. 하지만 이 소설의 경우 등장인물과의 거리가 일정간격으로 유지되고 있어 주인공의 여정이 고통과 슬픔으로 점철되어 있음에도 심장을 뒤흔들거나 눈물을 빼게 하지는 않는다. 오히려 밝고 진솔한 성격의 친구나 애인, 애정 어린 충고와 재치있는 대화를 이끌어가는 아버지의 영혼, 지성적인 자원봉사자 등을 통해 이성적이고 긍정적으로 상황을 관찰하고 판단하게끔 유도한다. 아마도 철학을 전공하고 희곡을 많이 쓴 작가 특유의 사변적 충동과 특성이 작용한 것 같다. 영웅의 모험담을 모티프로 한 것 역시 세밀하게 '보여주기'보다는 속도감 있게 '들려주기' 위한, 그리고 인물들 간의 '대화'를 통해 철학적 담론을 이끌어내기 위한 서사전략에 부합하기 때문이 아닐까 싶다. 그 사실을 염두에 둔다면, 주인공에 동화되어 함께 울고 웃기를 기대하기보다는 차라리 작가의 의미심장한 발언을 주의 깊게 듣고 현대의 제 문제에 대한 인식의 지평을 넓혀가는 것이 이 책을 읽는 더 나은 방법일지도 모르겠다.

2. 고국으로부터의 탈출, 혹은 강제 추방

21세기 현대판 '오디세이아'라 할 수 있는 이 소설의 주인공은 자기 이름을 사드 사드, 즉 아랍어로 '희망 희망', 영어로 '슬픔 슬픔' 이라 소개한다. 똑같이 발음되는 이름이 두 개의 언어 사이에서 엄청난 의미의 차이를 낳듯이, 사드는 인간이란 존재 역시 그가 어느 땅, 어느 문화권에서 사느냐에 따라 전혀 다른 삶을 살게 된다고 믿는다.

> "난 내 출생지를 바꾸고 싶다. 다른 나라, 다른 도시에서 태어나고 싶다. 이번에도 내 엄마의 배 속이길 바라지만 걱정 없이 꿈을 키울 수 있는 곳, 적어도 스무 살에 피신할 궁리나 짜내야 하는 곳이 아니었으면 좋겠다."[3]

사드는 '세상천지를 다 돌아봐도 내 고향만큼 아름다운 곳이 없더라고 굳건히 믿는 사람', 즉 영웅 오디세우스처럼 평생 아름다운 꿈에서 깨어나지 않고 살아갈 수 있기를 바란다. 그러나 그가 태어나 자란 이라크의 현실은 그렇지 못하다. 전쟁과 독재, 로켓포 공격, 자살폭탄테러, 끝없는 혼란, 각종 질병이란 질식할 것 같은 고통과 죽음으로 가득하다.

사드는 해방군이라 믿었던 미군에 의해 아버지가 살해당하고, 매형들과 어린 조카들까지 목숨을 잃는 걸 보고는 더 이상 이 땅엔 미래가 없다고 판단한다. 한때 이라크와 가족의 '희망'으로 불리던 그는 결국 바그다드를 탈출한다. 일자리가 많다는 런던으로 가서 열심히 일해 고향 어머니에게 돈을 부치겠다는 약속을 남기고.

사드는 자발적 탈출의 형식을 띠고 이라크를 떠나지만 실제로는 전쟁과 가난, 불안전한 상황에 의해 살던 고향을 떠난다. 사실 대다수의 사람들을 고향 혹은 고국으로부터 떠나게 만드는 것은 전쟁과 가난이다. 서구 식민주

---

3) 에릭 엠마뉴엘 슈미트, 권윤진 옮김, 『바그다드의 오디세우스(Ulysse from Bagdad)』, 밝은 세상, 2009, 8쪽. 이하 쪽수만 표시하겠음.

의가 제국주의화하면서 식민지인들은 값싼 노동력을 제공하려 국경을 넘거나 병사로 징발되어 전선으로 끌려갔다. 세계대전이 끝난 뒤에도 정치적 망명자들, 전쟁과 가난을 피해 국경을 넘는 난민과 유민 등 이산의 흐름은 끊이지 않았다. 심지어 현대사회는 '이주의 세기'라 불릴 정도로 해마다 고국을 떠나 살아가는 사람들의 수가 급격히 증가하고 있다.

자크 아탈리는 "모든 노마드들이 꼭 불안정한 상황에 놓이는 것은 아니다. 반면, 불안정한 상황에 놓인 사람들은 모두 결국 노마드가 되고야 만다."[4] 라며, 앞으로도 이산자, 혹은 노마드는 계속 늘어날 것이고, 2050년경에는 지구인의 절반가량이 노마드가 될 거라 예측했다. 특히 어쩔 수 없이 노마드가 된 열악한 처지의 사람들이야말로 역사의 주요 동인이 될 것이라고 보았다. 에릭 엠마뉴엘 슈미트 역시 프랑스 국경지대에서 불법체류자들을 돕는 쉴셔 박사의 입을 빌어 그와 같은 생각을 드러낸다.

> "수천 년이 흐르는 동안 지구상에는 수많은 이동이 있었지. 앞으로도 이주민의 숫자는 계속 늘어날 거라 생각하네. 사람들은 정치, 경제, 기후 등을 이유로 이 나라에서 저 나라로 이동하지. 인간은 나비같은 존재인데 문제는 자기들을 꽃으로 착각한다는 것이라네. 한 곳에 정착하게 되는 순간, 인간에게는 뿌리가 없다는 사실을 망각하는 거야."(258쪽)

그렇다면 작가는 '바그다드로부터 온 오디세우스'인 사드 이야기를 통해

---

4) 자크 아탈리, 이효숙 옮김,『호모 노마드 유목하는 인간』, 웅진지식하우스, 2005, 419쪽.
자크 아탈리는 인류를 세 가지 부류로 나눈다. 첫 번째 부류는 비자발적 노마드 또는 '인프라 노마드'로서 대물림에 의한 노마드(원시 부족의 마지막 후손들)과 어쩔 수 없이 노마드가 된 이들(주거지가 없는 사람, 이주 노동자, 정치 망명객, 경제 관련 추방자, 트럭운전수나 외판원과 같은 이동 근로자)이 포함된다. 두 번째 부류는 농민, 관료, 교사 등과 같은 정착민, 세 번째 부류는 '하이퍼 노마드'로서 창의적인 직업을 가진 사람들, 연구원, 예술가 등과 '유희적 노마드'로서 관광객 운동선수 등이다. 저자는 이들 사이에 불평등의 골은 갈수록 깊어지게 되고, 인프라 노마드는 이주 이동의 큰 부분을 차지하게 될 것이며 역사의 주요 동인이 될 것으로 보고 있다.

21세기 현대의 핵심인 '이주' 혹은 '노마드', 나아가 노마드들에 의해 환기되고 심각하게 대두되는 '정착'과 '이동', '근대국가'와 '세계공화국'에 대한 다양한 문제의식을 던지면서 그 대안까지 모색하는 힘든 모험을 감행하고 싶었던 게 아닐까.

3. 국경 넘는 사람들

골동품 밀매업자의 하수인이 된 사드는 지프를 타고 사막을 지나 홍해를 건넌다. 그 때 죽은 아버지의 혼이 나타나 사드에게 말을 건넨다. "아무리 어려워도 나라를 잊으면 안 돼." 하지만 사드는 "나라가 뭔데요? 내 의지와는 상관없이 떨어진 곳일 뿐이에요."라며 반발한다. 그때부터 사드는 고향으로부터 멀어지려 무단히 애를 쓴다. 어떻게든 고향으로 가려는 열망으로 모험하는 영웅 오디세우스와는 정반대로. 영웅 오디세우스의 모험이 '정착'의 역사를 향한 긴 여정을 상징한다고 한다면 바그다드의 오디세우스는 다시 '유목'과 '이동'의 사회로 가는 필연적 과정을 연상하게 한다.

여권과 비자는 물론 여행자금도 없는 사드로서는 국경을 넘는 일이 그리 수월치만은 않다. 바그다드에서 경비 마련을 위해 테러집단을 찾아가 보기도 하고 불법 밀매업자 밑으로 들어가기도 한다. 이러한 과정에서 오랜 독재와 전쟁으로 인해 비참하고 절망적으로 변한 이라크 현실이 고스란히 드러난다.

우여곡절 끝에 카이로에 도착한 사드는 거리를 활보하며 오랜만에 자유를 만끽하나 곧 무일푼 신세가 된다. 정식으로 난민신청을 하지만 비웃음을 당할 뿐이다. 그제야 사이드는 중요한 사실을 깨닫는다.

> "겉으로 드러내진 않았지만 난 줄곧 아랍세계를 떠나리라 다짐해 왔다. 그러나 내가 아랍세계를 벗어나는 순간 곧장 애물단지 아랍인으로 전락할 수밖에 없다는 건 미처 깨닫지 못했다. (…중략…) 아랍인이라는 그 자체만으로도

이미 쇠창살로 둘러쳐진 움직이는 감옥이라는 사실을 미처 알지 못한 것이다."
(147쪽)

민족과 근대국가라는 공동체 단위로 갈라진 이 세계는 한 인간을 '생명' 그 자체로 받아들이지 않는다. 인간으로 태어나는 순간 '시민'이 되고 '국민'이 되게끔 되어 있다. 그리고 특정 국가, 민족 출신이란 꼬리표는 두고두고 한 개인의 삶에 관여하게 된다. 사드가 발견한 것은 바로 그러한 지점이었다. 그렇다면 민족, 혹은 국가라는 공동체는 과연 무엇인가. 자크 아탈리는 "본질적으로 유목민적인 성격이 강한 부족의 공격에 대항하기 위해, 본질적으로 정착민적인 성격이 강한 최초의 국가가 생겨난 것"이라고 했다. 베네딕트 앤더슨[5]에 의하면 근대국가란 근대 자본주의 발전 과정에서 인위적으로 생겨난 역사적 구성물, 즉 '상상의 공동체'이다. 그런데 그 '상상의 공동체'를 유지하기 위해서는 끊임없이 적을 만들어내야만 한다. 작가는 프랑스인 쉴셔 박사의 입을 통해 공격적인 내셔널리즘의 원인을 진단한다.

"인간의 문제가 뭔 줄 아나? 타인과 맞서 싸울 때만 뜻이 통한다는 거라네. 적이 있어야만 뭉치게 되지. (…중략…) 19세기에 국가의 개념이 생긴 이후로 적은 곧 타국이었지. 국가 간의 수없이 많은 전쟁으로 수백만 명의 희생자가 발생했지. (…중략…) 공동체가 존재하게 되었다는 사실을 피부로 느끼기 위해서는 뭐가 필요하겠나? 공동체 밖에 있는 사람들이 필요한 거라네."(258쪽)

하지만 역설적으로 근대 국민국가 이데올로기와 제국주의에 의한 침략전쟁, 그리고 시장경제 글로벌리즘에 의한 착취는 지금 이 순간에도 끊임없이 새로운 디아스포라, 불법 체류자들을 만들어 내고 있다. 사드는 국경을 넘으려고 몰려든 정치적 망명자, 이주 노동자, 아프리카 난민들 틈에 끼어 월경의 기회를 엿본다. 사드는 계책을 찾아내거나 선인의 도움을 받아 점점 더 유럽

---

5) 베네딕트 앤더슨, 윤형숙 옮김, 『상상의 공동체』, 나남출판, 2004.

에 가깝게 다가간다. 사이렌이란 유명한 록그룹의 일용직 질서요원으로 들어가 이집트 국경을 넘어 리비아로 가기도 하고, 위험할 정도로 정원을 초과한 밀입국 선박을 타고 지중해를 건너기도 한다.

그런데 사드가 그토록 가고 싶어 하는 유럽은 어떤 곳인가. 그리고 유럽인들은 불법으로 국경을 넘는 사람들을 어떻게 대하고 있는가. 유럽 나라들은 국경 수비에 촉각을 곤두세우고 있고, 유럽인들은 자국 영토를 지키는 건 당연하다고 보며 외부로부터 몰려든 디아스포라들에 대해 내정한 시선과 엄중한 처벌을 내린다. "가만히 내버려두어도 알아서 잘들 사는데 뭐 하러 도와야하냐고 빈정대기" 일쑤고, "아무리 힘들어도 네 나라보다 나으니까 머물러 있는 것 아니냐"며 간단하게 치부한다. 유럽인들은 그들을 "없는 사람 취급하고, 아무리 추워도 끄떡없고, 아무리 때려도 피 한 방울 안 나올 사람"이라 여긴다. 어디 유럽인뿐인가. 미국도, 일본도, 우리나라도 마찬가지 아닌가. 사드는 이렇게 묻는다.

> "누가 야만인일까요? 사람이 분명한데도 사람취급 안 하는 저 사람들일까요? 아니면 사람이면서 사람취급을 못 받는 우리들일까요?"(231쪽)

이런 현실에 대해 사드의 친구이자 불법체류자 레오폴드 역시 심하게 반발한다.

> "유럽 놈들이 자기 영토만 지켰어? 지난 수세기 동안 안 찔러본 나라가 없잖아. 이 나라 저 나라 닥치는 대로 침략해 약탈하고, 장사하고, 땅 파고, 건물 짓고, 새끼 낳고, 식민지 만들고 온통 난리가 아니었지. 한데 이제 우리가 자기들 땅에 들어가 살겠다고 하니까 온통 역정을 부리잖아. 나 원. 기가 막혀서! 자국 영토? 그게 다 우리한테 빼앗아서 넓혀놓은 거 아냐? 국경에 먼저 손 댄 자들이 누구지? 이젠 우리 차례야. 유럽 놈들, 아마 마음 단단히 먹어야 할 걸. 아프리카, 아랍, 라틴아메리카, 아시아 할 것 없이 우르르 몰려들어 신세 좀 질 테니까. 난 유럽인들과는 본질이 달라. 총칼을 앞세우고 들어가진 않잖아. 내 나라

의 언어, 종교, 관습을 강요하지도 않아. 난 남의 나라를 빼앗을 마음도, 내가 추구하는 걸 강요할 마음도 없어. 그저 두 다리 쭉 뻗을 수 있는 공간이면 족해."(217쪽)

사드는 지중해 한가운데서 방글라데시에서 온 보트피플들이 조난당해 죽어가는 참혹한 현장을 목격하게 된다. 그 뒤 우여곡절 끝에 부두에 다다를 즈음 밀항선이 해안경비대에게 발견된다. 수용소에 갇힌 사드는 기억상실증을 핑계로 자신의 국적도, 가족도, 언어도 거부한다.

"룸메이트가 뭔가 물어와도 우린 입을 굳게 다물었다. 그에게 질문하는 일도 없었다. 우린 두려움이라는 콘크리트로 굳게 다져진 불법체류자의 세계로 빠져들고 있었다. 서로 경계하고, 제복을 입든 사복을 입든 하나같이 수상하게 보는 세상, 나를 고발할 스파이가 아니면 내 자리를 빼앗을 경쟁자인 세상, 동정심도 연민도 도움의 손길도 없이 혼자의 힘으로 살아남아야 하는 세상으로."

간신히 수용소에서 탈옥한 사드와 그의 절친한 흑인 친구 붑은 보트를 얻어 타지만 맹렬한 파도가 보트를 덮쳐 결국 난파당한다. 수영을 못하는 붑은 다른 사람들과 함께 바다에 빠져 죽는다. 그러나 그들의 죽음을 부른 경비대를 비롯한 공권력의 수행자들에게는 살인죄, 혹은 살인 방조죄가 적용되지 않는다. 왜일까. 그들은 모두 '호모 사케르'[6]였던 것이다. 즉 '살해는 가능하되 희생물로 바칠 수는 없는 생명'인 근대인들. 따라서 다른 짐승들처럼 제물로 쓰이지는 않지만 언제든 합법적 학살의 대상이 될 수 있는 사람들. 하물며 그들은 불법으로 국경을 넘으려했으니 최소한의 인권조차 박탈당한, 짐승이나 다를 바 없는 자들인 것이다. 적어도 국경을 수비하는 자들의 눈엔.

---

6) 조르조 아감벤, 박진우 옮김,『호모 사케르』, 새물결, 2008; 'sacer'라는 라틴어는 '성스럽게 되다'라는 의미와 함께 '저주를 받다'라는 의미를 동시에 갖고 있다. 45쪽. 각주 재인용.

4. 근대를 넘어서려는 벌거벗은 생명들

다행히 사드는 시칠리아 해안에 도달해 겨우 목숨을 건진다. 벌거숭이가 된 채 해안가에 쓰러져 잠든 그를 섬의 교사인 착하고 아름다운 여성 비토리아가 구한다. 이 대목 역시 오디세우스 이야기의 에피소드 중 하나를 모티프로 차용한 거지만 '벌거벗은 생명'이 된 사드의 처지를 드러내기 위한 장치로 읽힌다. 해안경비대에 발각되기 직전에 사드는 추방당하기 싫어 신분증조차 바다에 던져버린다. 그 순간 그는 완전한 무국적자가 된다. 조에[7]를 폴리스의 영역에 도입하는 것, 즉 '벌거벗은 생명' 자체를 정치화시킨 것이 근대의 결정적 사건에 해당한다고 할 때, 신분증을 던져버리는 사드의 행위야말로 근대를 넘어서려는 모험이 아닐까. 공동체에 소속된 자는 그 공동체가 요구하는 의무를 감수하는 조건으로 안전을 보장 받고 권리를 행사하게 된다. 무국적자가 된 사드에게는 이제 의무가 없는 대신 권리도 없다. 따라서 그는 이라크 뿐 아니라 세계의 모든 국경을 초월한 존재가 된 것이다.

사드는 시칠리아 섬에 조난당한 자로 인정받는다. 비토리아의 사랑과 주민들의 환대 속에서 오디세우스라는 이름으로 살면서 일 년 이상 평화로운 나날을 보낸다. 이처럼 고난의 여정 속에서 그를 살리는 '행운'은 모두 개인들의 '선의'이다. 국민국가 이데올로기와 국경이란 허상의 장막에 눈이 어두워진 공권력이 던져버린 '생명'을 벌거벗은 '자연인', 양심적 '개인'이 살린다. 그러나 그런 '개인들'은 소수일뿐더러 아직까지는 무기력하다. 따라서 더 많은 디아스포라들이 해마다 죽음의 바다에 던져진다.

시간이 지남에 다라 사드는 점차 무기력과 우울감에 사로잡힌다. 낯선 땅, 낯선 문화, 그리고 무엇보다 낯선 언어 속에서 살아가는 이방인이 겪어야 하는 상실감과 정체성 혼란이 그를 힘들게 한 게 아닐까 싶다. 그는 '과거는 결코 쉽게 버리고 떠날 수 있는 세계'가 아니며, 새로 배운 언어는 '모국어의 세

7) 그리스 인들은 우리가 삶(생명)이라는 개념으로 표현하는 것을 두 개의 용어로 표현했다. '조에'는 모든 생명체에 공통된 것으로 살아있음이라는 단순한 사실을 가렸다 반면 '비오스'란 어떤 개인이나 집단에 특유한 삶의 방식이나 방식을 가리켰다. 조르조 아감벤, 앞의 책, 33쪽.

상처럼 선명'하지 않고 마치 '적절한 언어가 아닌 듯하다'고 느낀다. '사물의 고유의 맛도, 이야기도, 추억도 깃들지 않은' 언어를 사용하면서 자신의 '정체성'을 잃고 무기력해지면서 불행감에 빠져드는 것이다.

사드는 런던으로 가야겠다는 결심을 하고 다시 길을 떠난다. 스케리아에 상륙해 나우시카아 공주의 도움으로 살아남은 영웅 오디세우스가 끝내 고향을 향해 배에 오르는 것처럼. 그 뒤로도 사드는 국경을 넘을 때마다 엄청난 고통과 슬픔을 경험하게 된다. 불법 체류자인 그는 말도 안 되는 액수에 자신의 노동력을 팔고 심지어 마피아를 도와 범법행위를 하기도 한다. 그렇게 해서 모은 목돈을 다시 브로커 손에 건네야만 짐승과도 같은 굴욕과 고통을 견디면서라도 국경을 넘을 수 있는 기회가 열린다. 결국 불법체류자들은 살아남기 위해 발버둥 칠수록 비리와 착취, 범법행위가 소용돌이치는 악순환 구조 속으로 무기력하게 빨려들게 되는 것이다.

사드는 스위스를 거쳐 파리로 간 뒤 다시 런던으로 가는 배들이 몰려있는 항구로 간다. 그곳에서 죽은 줄 알았던 애인 레일라를 극적으로 만난다. 우여곡절 끝에 런던행 배를 탈 기회를 얻은 그들은 출항 하루 전날, 자원봉사자 폴린의 배려로 극장에서 춤 공연을 보게 된다. 거기서 그들은 건강하게 춤추는 무용수들을 보며 충격 받는다. 국경을 넘으려 애쓰는 동안 어느새 젊고 건강했던 그들이 지치고 녹슨 몸이 되었다는 사실을 깨닫는다.

그렇다. 불법체류자 신세가 되어 하루하루 고된 노동에 시달리고 열악한 환경에서 숙식을 해결다보면, 무엇보다 체포와 추방에 대한 불안과 공포에 떨며 오랜 세월 지내다 보면 누구든 건강을 잃고 너덜너덜한 육체만 남게 마련이다. 공연단을 따라 런던으로 가기로 한 날 새벽, 연인 레일라는 단속 경찰의 기습을 받아 붙잡히고 추방당하고 만다. 끈질긴 유럽의 '거부'가 끝내 사드와 레일라를 떼어놓고 만 것이다.

그러나 그토록 잔인하고 집요한 거부에도 불구하고 여전히 국경을 넘는 사람들은 줄지 않을뿐더러 그 수가 늘어만 간다. 또한 이미 국경 수비 장벽에도 균열이 생기고 있다. 불법 체류자를 돕기 위한 자원봉사자, 비밀 조직원들은 물론, 심지어 불법 체류자 감옥의 공직자조차 국경을 막는 일에 회의

적이다. 국경 검문소에서 발각된 사드를 상대하는 면담실의 담당자가 들려주는 진실한 고백이 그걸 잘 보여준다.

> "(…전략…) 국경선을 긋는 것만이 인간문제를 해결하는 최선의 방법인지, 사람들이 함께 살아가기 위해 국경은 반드시 필요한지 의문이라는 뜻입니다." (235쪽)

> "(…전략…) 앞으로 국경의 범위는 더 확대될 거라 생각합니다. 자꾸 국경을 없애는 쪽으로 변모해갈 겁니다. 이런 시점에 국경을 수호하는 일을 한다는 게 어불성설은 아니지 고민해보게 됩니다."(236쪽)

5. '희망'이란 이름의 미래를 위해

이방인을 돕는 유럽의 정착민들은 자신들이 그렇게 행동하는 이유에 대해 말한다. "이 세상에 아직 인간애가 살아있기 때문"이라고. "진정한 인간애는 국경을 초월하는 것"이라고. 그런 생각을 가진 여러 사람들의 도움을 받아 사드는 결국 혼자 런던에 도착한다. 그리고 소호라는 허름한 동네의 낡은 다락방에서 지낸다. 가짜 체류증이라도 구해서 정착하고, 레일라를 불러들여 결혼하는 '희망', 그 '희망'의 미래를 가슴에 간직한 채 살아간다.

그러나 사실 그가 정착할 땅은 그 어디에도 없다. 찾아가는 곳마다 불법체류자 신세를 면치 못하는 사드에겐 고향조차 돌아가 정착할 곳이 못된다. 영원한 이방인, 고향을 잃은 디아스포라가 된 것이다. 사드는 말한다. "저의 오디세이아는 미래를 찾아 더 나가는 모험이에요. 그를 반긴 건 친근한 고향인데 반해 제가 도착한 곳은 모든 게 낯설 뿐인 타향이죠."라고.

작가는 이리저리 떠도는 디아스포라, 불법체류자, '호모 노마드'야말로 현대판 오디세우스라는 사실을 말하고 싶었던 게 아닐까. 그리고 그들 앞에 닥친 위험은 험한 파도로 상징되는 거침없는 자연의 힘이 아니라 근대가 만들어 낸 엄격한 국경이며 냉혹한 국가이데올로기라는 사실도. 그렇다면 사드와 같은 사람들, 근대가 발명한 국가라는 '상상의 공동체'로부터 벗어난, 혹은 그로부터 추방당한 자들이야말로 근대를 넘어서려는 현대판 영웅들이라 할 수 있지 않을까.

이 소설에 등장하는 선한 인물들은 모두 지역에 대한 애착과 보편적 도덕 사이의 갈등, 즉 자신이 사는 지역의 일원이 되는 것과 더 넓은 인류 공동체의 일원이 되는 것 사이의 갈등(『세계시민주의』, 26쪽)[8] 속에서 생각하고 실천한다. 그들은 인류 공동체 차원에서 공존의 습성을 길러야할 필요성을 말한다. 그리고 새로운 미래, '희망'의 미래를 꿈꾼다. 그것은 더 이상 사람이 사람을 차별하지 않는 세상, 인류가 똑같은 세계 시민의 권리를 가지며 '벌거벗은 생명' 자체만으로도 충분히 존중받을 수 있는 세상이다. 사드는 말한다. "언젠가 내 입에서 우리라는 말이 나온다면 그건 평화를 추구하는 인류공동체를 두고 하는 말이었으면 좋겠어요."(253쪽)라고. 그의 말이 끝내 독자의 마음을 흔든다.

결국 작가는 이 작품을 통해 영웅 오디세우스가 위험에 직면할 때마다 특유의 지략과 인내, 그리고 우연한 행운의 힘을 얻어 위기를 넘기듯이 인류도 전쟁과 테러, 차별과 착취가 난무하는 야만의 역사로부터 벗어나기 위해 좀 더 '이성'을 발휘하라고 호소하고 있다.

현대의 디아스포라, 호모 노마드들을 기다리고 있는 미래는 과연 어떤 모습일까. 이 책이 세상에 던지는 문제의식은 그 질문만큼이나 진지하고 절실하며 파장이 크다.

---

8) 콰메 앤터니 애피아, 실천철학연구회 옮김, 『세계시민주의』, 바이북스, 2008, 26쪽.

김재영
소설가. 1966년생. 2000년 계간 『내일을 여는 작가』 신인상으로 등단. 창작집 『코끼리』, 『폭식』이 있음.
kjy0773@yahoo.co.kr

코맥 맥카시
(Cormac McCarthy)

윌리엄 포크너, 허먼 멜빌, 어니스트 헤밍웨이와 비견되는, 미국 현대 문학을 대표하는 소설가이다. 1933년 미국 로드아일랜드 주 프로비던스에서 태어났다. 1951년 테네시 대학교에 입학해 인문학을 전공했고 공군에서 4년 동안 복무했다. 시카고에서 자동차 정비공으로 일하며 쓴 첫 번째 장편소설 『과수원지기』(1965)로 포크너 상을 받았다. 이후 『바깥의 어둠』(1968), 『신의 아들』(1974), 『서트리』(1978)로 작가로서의 입지를 다지기 시작했다. 1976년 텍사스 주 엘패소로 이주했고, 서부 장르 소설 『핏빛 자오선』(1985)을 발표했다. 초기의 고딕풍 소설에서 묵시록적 분위기가 배어 있는 서부 장르 소설로의 전환점에 해당하는 수작으로 '《타임》이 뽑은 100대 영문 소설'에 선정되었다.
이후 미국과 멕시코의 접경지대를 배경으로 한 소설 '국경 3부작'을 발표하여 서부 장르 소설을 고급 문학으로 승격시켰다는 뜨거운 찬사를 받았다. 그중 첫 번째 작품 『모두 다 예쁜 말들』(1992)은 처음 여섯 달 동안 20만 부에 달하는 판매고를 올리며 《뉴욕 타임스》 베스트셀러에 올랐고 전미 도서상과 전미 비평가협회상을 받았다. 이어 발표한 『국경을 넘어』(1994)와 『평원의 도시들』(1998) 역시 초판 20만 부를 한 달 만에 소진하며 그의 인기를 다시 한 번 증명했다.
2005년 『노인을 위한 나라는 없다』를 발표했고, 2007년에 『로드』(2006)로 퓰리처 상을 받았다.

근대 '이후'의 서사시

코맥 맥카시의 국경 삼부작

정 은 경

들어가며

현대 문학과 삶이 처한 곤경 두 가지; 첫째, 우리 시대에 사람들은 문학에서 삶의 방향, 즉 어떻게 살 것인가 하는 따위의 실존적 고민에 대한 답을 구하지 않는다는 것, 혹은 전후야 어떻든 그럴 수 없게 되었다는 것이다. '어떻게 살 것인가'의 질문에 대해 컴퓨터 언어처럼 정교화된 현대사회는 보다 구체적으로, 실증적으로 물을 것을 요청한다. '재테크에 성공하는 법?', '설득의 심리학?', '직장 내에서의 처세술?', '성공적인 결혼 생활?', '현대인의 심리학?', '이십대에 하지 않으면 안 되는 100가지?', '세계를 간다: 프랑스 편' 등등. 둘째, 우리는 우리의 삶을 구성하는 현실의 맥락, 총체성이라 할 수 있는 지반을 문학에서 탐구하지 않는다는 것. 마찬가지로 그것은 정치경제학, 사회학, 법학, 심리학, 의학, 물리학, 천문학 등으로 전문화된 영역에서 더욱 치밀하게 궁구할 수 있는 것이기에. 요컨대 우리 문학은 역사적 총체성을 가능케 했던 리얼리즘의 총체성과는 이미 먼 모더니즘의 어느 한 파편더미 위에 있다는 것이며, 이는 물론 현대적 삶의 성격 그 자체가 지닌 곤경이기도 하다.

정보화 시대, 첨단 기술은 우리에게 실시간으로 전 세계에서 벌어지는 일들을 알려주고 있지만, 개별적 삶을 결정짓는 메커니즘 전체를 파악하기란 요원한 일이 되어버렸다. 더불어 정보 자체가 이미 정확한 사실(fact)이 아니라 선택 가능한 일종의 자료로서 작용하고 있는 사태에 이르면, 우리 삶 자체는 이미 미궁 그 자체가 되어버렸다는 것이 더 정확한 진단일 수도 있겠다. 현대 문학의 이러한 곤경을 니체는 다음과 같이 말한 바 있다.

> "모든 〈문학적 퇴폐주의〉의 특징은 무엇일까요? 그것은, 삶이 전체적으로 살아지지 않는다는 것입니다. 단어는 제일 중요하게 부각되어 문장 속에서 튀어나옵니다. 문장은 겹쳐져서 부분의 의미가 진해집니다. 부분은 전체를 희생시켜가면서 자기 생명을 획득합니다. 전체는 이제 더 이상 전체가 아닙니다. 그런데 이것은 〈퇴폐주의〉의 모든 문체의 유사점입니다. 항상 원자적 무정부 상태, 의지의 해산, 도덕적으로 말하면, 〈개체의 자유〉, 정치 이론으로까지 확장된 〈모든 것의 균등한 권리〉 등이 그 특징입니다. (…중략…) 전체는 도대체 더 이상 살고 있지 못합니다. 전체란 모아진 것이며, 추론된 것이며, 인위적인 것이고, 구시대 역사의 유물인 것입니다."(니체, 김대경 옮김, 『바그너의 경우』, 니체 전집 1, 청하, 1998, 173쪽)

삶이 더 이상 전체에 깃들어 있지 않은, 문장들의 튀어오름이라는 저러한 문학적 데카당스의 진단은 근대문학의 종언과도 닮아있다. 정치, 사회, 현실적 변혁에 개입하지 않는 문학이란 일종의 현재적 삶의 기획으로부터 이탈한 문자들의 향연이며, 그것은 단자적 운명을 살아가는 현대인들의 피로를 상징적으로 보여주는 것이다.

루카치가 『소설의 이론』에서 제기한 성숙한 남성의 형식으로서의 근대소설이란 현대인이 잃어버린 서사시적 총체성을 재구성하는 장르이다. '문제적 개인이 자신을 찾아가는 여행', 동경과 모험에 가득 찬 자기 인식과 존재 증명으로서의 근대소설이란 결국 개별성을 통해 보편성과 총체성을 드러내야 한다는 근대 문학의 소명인바, 그것은 19세기 부르주아 발흥기를 훌륭하게 포착해낸 일련의 리얼리즘 소설들이 성취한 바이기도 하다. 그러나 근대국민국가 확립 이후 고도의 질서화는 발흥기의 소박한 국면에서 벗어나 '문제적 개인들'을 숱한 파편들의 계기들 속에서 밀어넣었다.

이것은 서사시가 더 이상 불가능하게 된 현대소설의 운명을 말해주는 것이기도 하다. 헤겔이 "온갖 정황과 관계들의 전체적인 효과 속에서 어떤 행위가 발행하는 것", "확고한 종교적 교리나 시민법 또는 도덕법이 되는 모든 것은 단일한 개인들로부터 분리되지 않고 여전히 살아 있는 태도로 남아있다"라고 했던 서사시 형식의 규정은 궁극적으로 '살아있고 개별성과 분리되지 않는 총체성의 세계'를 의미하는 것이다. 그리고 그것은 당연하게도 영웅을 그 주인공으로 한다. 그러나 헤겔이 진단했듯, "역사의 진화는 영웅들의 시대에 종지부를 찍었다". 왜냐하면 "국가적 삶이 확립되자마자 보편성과 개별성의 통일은 해체되었기 때문이다". '윤리적인 것과 정의'는 오직 개인들에게만 의존하기를 그치고 법과 기구 속에서 객관화된다. 여기서 개별성은 총체성에 형식을 부여해서는 안 되며 그저 그것에 순종하는 것으로 그쳐야 한다.[1)]

근대 국가의 확립과 함께 역사 속으로 사라진 서사시, 그것의 현대적 구현을 모레티는 행동 속에서가 아니라 상상, 꿈, 마술 속에서 가능할 수 있다고 진단했으며, 한편 율리시스의 수동적 영웅의 '의식의 흐름' 속에서 되찾고 있지만, 그것은 오히려 근대 주체의 비주체성과 왜소함을 증명하는 반서사시적 모더니티를 증명하는 것에 다름 아닐 수도 있다.

세계화의 진척과 더불어 총체성이 더욱 요원해진 이 시대에 이채로운 방식으로 '서사시적 상상력'을 되살려 놓고 있는 작가가 있다. 윌리엄 포크너와 허먼 멜빌, 헤밍웨이의 명맥을 잇는 작가로 평가받고 있는 코맥 맥카시, 그가 국경 삼부작, 『핏빛 자오선』, 『로드』에서 그리고 있는 세계는 과거 『일리아드』, 『오딧세이』, 『길가메시』 등과 닮아있으면서도 한편 그것과는 다른 근대 '이후'의 서사시적 풍경을 보여준다. 성서에 비견되는 『로드』가 상징적으로 보여주는 것처럼 코맥 맥카시는 묵시록, 신화, 영웅서사, 목가시적 토대에서 출발하고 있으나, 그는 이러한 문학적 유산을 그만의 독특한 문체로, 가장 미국적인 방식인, 포스트모던 테일로 다시 쓰고 있다.

---

1) 프랑코 모레티, 조형준 옮김, 『근대의 서사시』, 새물결출판사, 2001.

돌아온 카우보이

코맥 맥카시는 시카고에서 자동차 정비공으로 일하며 쓴 첫 번째 장편 소설 『과수원 지기』(1965)로 포크너 상을 수상하면서 작품 활동을 시작했으나 비평계와 대중의 관심을 받기 시작한 것은 1985년 『핏빛 자오선』을 발표하면서부터이다. "초기 고딕 풍 소설에서 묵시록적 분위기가 배어 있는 서부 장르 소설로의 전환점에 해당하는 수작"으로 언급되는 이 작품은 이후 국경 삼부작에 해당하는 『모두 다 예쁜 말들』(1992), 『국경을 넘어』(1994), 『평원의 도시들』(1998)[2]의 원형에 해당하는 것으로 근대 이후의 서사시적 장치들을 고스란히 담고 있다. 『타임』지가 뽑은 100대 영문 소설에 선정되기도 한 이 작품은 1846~1848년 미국과 멕시코의 영토 분쟁 이후의 잔혹한 현실을 그리고 있다. 미국과의 영토 분쟁으로 골치를 앓는 동시에, 수시로 발생하는 쿠데타와 인디언의 반란에 시달리던 멕시코는 미국 용병을 고용하여 아파치를 처치하기에 이른다. 『핏빛 자오선』은 '머리 가죽' 벗기기로 상징되는 이들 미국 용병들의 잔혹한 모험과 멕시코의 혼란상을 냉정하면서도 시적인 문체로 그리고 있다. 작품을 집필하기 위해 현지를 답사하고 스페인어를 익히고 사료를 조사했다는 작가의 노력에서 짐작할 수 있듯, 이 작품은 대체로 19세기 후반의 서부 역사를 보여주고 있다. 그러나 코맥 맥카시의 관심은 현재를 불러온 과거사적 실상에 대한 탐구에 있지는 않다. 『노인을 위한 나라는 없다』와 국경 삼부작에서 짐작할 수 있듯, 서부 역사는 코맥 맥카시의 다른 비전을 위해 요청된 것이다.

그렇다면 코맥 맥카시에게 '서부'란 무엇인가. 서부 장르 소설을 고급 문학으로 승격시켰다고 평가받고 있는 만큼 코맥 맥카시의 서부물은 기존의 서부극 관습, 즉 보안관 혹은 정의로운 카우보이의 모험담을 서사 장치로 활용하면서도 이를 빗겨가고 있다. 코맥 맥카시의 서부물은 대체로 활극에 바

2) 코맥 맥카시의 작품은 번역본 『핏빛 자오선』(김시현 옮김, 민음사, 2009), 『모두 다 예쁜 말들』(김시현 옮김, 민음사, 2008), 『국경을 넘어』(김시현 옮김, 민음사, 2009), 『평원의 도시들』(김시현 옮김, 민음사, 2009), 『로드』(정영목 옮김, 문학동네, 2008)를 참고했다.

쳐진 무법천지의 황야와 영웅적 주인공의 활약상이라는 서부 장르의 핵심 코드를 들여오지만, 그것은 야만과 원초적인 세계에 대한 공포를 없애는 것이 아니라, 되살리기 위해서이다. 코맥 맥카시에게 '서부'란 미국 프론티어 정신과 정의를 증명한 개척지가 아니라, 국가 이전 시기의 서사시적 비전을 위해 호명된 '원시림'이다. "실로 삶은 오늘날 종종 아주 우울하고도 따분한 것이 되었다. (…중략…) 밤낮을 가리지 않는 치안으로 인해 서사시적 원시성은 이제 전혀 불가능하게 되었다."라고 했던 조이스의 언급대로 치안이 부재하는 '서부'는 서사시적 원시성이 활약하기에 가장 적합한 시공간으로 호출된다. 국가, 법, 분업, 권력 체계 등이 확립되지 않은 '무법천지'란 현대 사회의 과도한 복잡성을 제거하고 개인의 확고한 지배를 다시 불러올 수 있는 그러한 곳이기 때문이다.

연작 『모두가 예쁜 말들』, 『국경을 넘어』, 『평원의 도시들』은 1940~1950년경의 미국 남부, 멕시코와의 국경 지대를 배경으로 하고 있다. 주인공들의 출발점인 샌앤젤로, 애니머스, 엘패소 등은 1848년 미국과 멕시코의 과달루페 이달고 조약에서 미국 영토로 편입되어 건설된 지역으로, 멕시코의 히스패닉 문화와 인디언 문화가 남아있는 곳이다. 에스파냐의 식민지 통치 시절의 흔적과 더불어 겹겹의 역사가 새겨져 있는 이 지역들은 미국 편입 이후 근대화의 물결에 의해 재편성되면서, '젊음'의 강력한 창조적 본능을 간직한 '신생'의 개척지로 탈바꿈된다. 그러나 코맥 맥카시의 주인공들은 일면 19세기 신흥 부르주아 시절에 비견되는 이 '신세계'를 통해 세계와 자아가 하나가 되는 리얼리즘 비전으로 나아가지 않는다. 그들은 이 땅에 다시 쓰이고 있는 인간의 역사를 최소한의 모멘텀으로 하면서도 이를 무화시키는 곳, 광대하고 길들여지지 않은 '자연'이라는 신화적 비전으로 향한다.

국경 삼부작의 주인공들은 리오그란데 강을 사이에 둔 미국과 멕시코의 국경처럼, 국가와 국가, 사회와 개인, 개인과 개인의 경계를 규정하고 구획하는 법률과 제도 등이 미처 분화되지 못한 허술한, 그렇기 때문에 충분히 목가적이면서 야만적인 평원을 가로지르며 과거 서사시적 영웅이 누렸던 보편적 개인이 된다. 아직 '경계'지어지지 않은 이 미답의 영역에서 그들의 개별적인 삶은 총체성에 육박하는 전체를 거머쥐게 되는 것이다. 이들의 총체성의 경험은 과거 서사시가 그러했듯, 집이 아니라 길 위에서 펼쳐진다. 대체로 16세의 소년으로 설정된 젊은이들은 자신의 영혼을 증명하기 위해 동경과 모험에 찬 여행길을 떠나게 된다. "별이 빛나는 창공을 보고, 갈 수가 있고 또 가야만 하는 길의 지도를 읽을 수 있었던 시대는 얼마나 행복했던가?"라고 했던 루카치의 서사시적 낭만과 동경의 모험이 서부라는 신세계에서 펼쳐지는 것이다.

"잃어버린 나라의 사내들이 자신들의 삶이 되어버린 전쟁을 위해 무장을 한 채 색색깔 조랑말을 타고, 여자와 아이들과 아기들 안은 여자들이 피로써 맹세하고 피로써만이 그 맹세를 씻는 옛 시절의 꿈결처럼 옛길"(『모두 다 예쁜 말들』, 12쪽)에 발을 내디딘 첫 번째 주인공은 존 그래디 콜이다. 1941년 즈음의 서부 지역과 멕시코를 배경으로 한 『모두 다 예쁜 말들』에서 존은 친구인 롤린스와 고향 미국 텍사스 주 중부 샌앤젤로를 떠나 멕시코로 향한다. 그가 고향을 떠나게 된 결정적 계기는 부모의 이혼이지만, 근본적인 것은 목장의 삶이 불가능해졌기 때문이다. 외할아버지가 돌아가시자 아버지는 재혼을 위해 떠나고, 어머니는 목장을 처분하고 샌앤토니오로 떠난다. 어쩔 수 없이 도회로 거주지를 옮겨야 하는 존은, 어머니가 출연한 연극에서 "현재 세상이나 앞으로의 세상에 대해 알 수 있으리라 기대했지만" 실망하고 만다. 그리고 할아버지가 남긴 콜트 총을 챙겨 말을 타고 멕시코 국경을 넘는다.

> "소년은 그 땅이 본디 자신의 땅이었으며 자신이 곧 그 땅이라는 듯, 더구나 악의나 불운으로 말이 없는 기묘한 땅에 태어났다 하더라도 기필코 말을 찾아내고 말겠다는 듯 말 위에 앉아 있었다. 그는 올바른 세상이 되는데 필요한 무언가가 혹은 자신이 세상에 올바로 서기 위해 필요한 무언가가 빠져 있음을 알고 있었고, 그것을 찾기 위해 언제까지고 방랑할 것이며, 우연히 마주친다면 그것이 바로 자신이 찾던 것임을 깨달을 것이고, 그 깨달음은 옳을 것이었다."(『모두 다 예쁜 말들』, 36쪽)

자신이 곧 그 땅이며, 세상에 올바로 서기 위해 방랑길에 오른 소년, 거대한 세계를 종횡무진 휘젓고 다니며 인류와 하나가 되겠다는, 이 서사시적 영웅은 신도시의 모던 보이가 아니라 서부 지역의 카우보이의 길을 택한다. 이 카우보이의 길은, 짐작할 수 있듯 세련된 옷차림과 매너, 살롱과 대중문화와 군중, 자본의 세계가 아니라, 말과 소, 대자연, 피와 땀, 독주, 평원, 고독 등으로 가득한 거친 남성의 세계이다. 이 마초적 세계에서의 욕망은 도시의 그것처럼 복잡하거나 무한 증식하지 않고, 그것을 성취하는 일 또한 그러하다. 그러나 그렇기 때문에 그것은 도시적 욕망보다 한층 강렬하며, 그것의 성취 또한 훨씬 더 강인한 의지와 힘을 요구한다.

국경을 넘은 존과 롤린스는 국경 근처 아시엔다(대목장)에 바케로(카우보이)로 취직한다. 말을 다루는 솜씨로 인해 능력을 인정받은 존은 목장주와 가깝게 지내는 동안 목장주의 딸 알렉한드라와 사랑에 빠진다. 그러나 미국 가난뱅이에 불과한 젊은이를 여주인인 고모 할머니와 목장주는 받아들이지 않는다. 딸 알렉한드라와의 관계를 알게 된 목장 주인은 존과 롤린스를 멕시코 경찰에 넘기는데, 이들의 범죄 혐의는 여행길에서 만난 열 서너살의 소년 블레빈스 때문이다. 존 일행이 멕시코로 가던 길에 만난 무모한 어린 소년 블레빈스는 자신의 잃어버린 말과 총을 되찾기 위해 우연히 살인을 저지르고, 존은 이 소년의 일행으로 체포된 것이다. 존과 롤린스는 다시 블레빈스를 만나게 되고, 살티요의 감옥으로 가던 중, 아무런 법적 절차도 없이 블레빈스가 총살되는 것을 목격한다. 사형제도가 없는 멕시코 현행법을 야유하는 '실재'의 보복인 것이다.

부패와 폭력이 난무하는 살티요의 감옥에서 존과 롤린스는 끊임없이 잔혹한 폭력에 노출되고 급기야 청부살인으로 고용된 쿠치예로(칼잡이)의 공격을 받은 존은 싸움 끝에 살인을 저지른다. 그 뒤, 존과 롤린스는 존과의 결별을 담보로 보낸 알렉한드라의 돈으로 감옥에서 풀려난다. 아시엔다로 돌아온 존은 알렉한드라를 다시 만나지만, 이미 운명을 정한 그녀는 그를 떠나버리고 만다. 존은 잃어버린 네 마리 말들을 되찾아 고향에 돌아오지만, 다시 서부 지역으로 영원한 방랑길에 오른다.

이상에서 존의 행로는 대체로 '동경과 사랑, 정의'라는 서사의 축을 따라가지만, 그를 근본적으로 추동하는 것은 '말'로 상징되는 역사 이전, 혹은 역사 이후를 포함한 세계 그 자체에 대한 열망이다. 존에게 있어 '말'은 근대 도시적인 것의 반대편에 있는 것, 혹은 국경 너머에 있는 것을 상징한다. "모든 말은 하나의 영혼을 공유하기에 말 한 마리가 별도의 영혼을 갖게 되면 대단히 무시무시해진다는 것, 그렇게 떨어져 나온 영혼을 이해하게 되면 모든 말을 이해할 수 있게 된다", "사람은 결코 영혼을 공유하지 않으며, 타인을 완전히 이해한다는 것은 환상에 불과하다"라는 늙은 카우보이의 말은 곧 존의 마음이기도 하다. 하나의 영혼이란 곧 "하느님의 행위와 인간의 행위가 하나 되어 그 둘이 구분되지 않는 곳", "소년과 세상이 하나가 되는", "세상사와 세계가 분리되지 않는", "궁극적으로 모든 인간의 길은 다른 모든 인간의 길이며", "인간은 모두 하나"인 그러한 세계를 의미하는 것이다. 이는 아직 인간적인 것이 침범하지 않은 서부의 미개척지의 야생의 세계, 즉 라깡식으로 말하자면 상징계와 상상계와 실재계를 포함한 세계 그 자체이다. 코맥 맥카시에게 있어 서부 국경, 말, 그리고 늑대가 표상하는 것은 이러한 전 우주적 세상 만물이 깃들어 있는 단 하나의 전체인 것이다.

"지난밤 사라진 풍요로운 생명의 매트릭스를 태양이 아직 되살려 놓지 않은 시간, 촉촉이 젖은 산속 풀숲을 별빛을 받으며 달리는 늑대가 보였다. 사슴과 토끼와 비둘기와 들쥐가 늑대의 기쁨을 위해 대기에 풍성히 기록되고, 늑대를 분리하지 않고 일부로 포함하는 하느님에 의해 세계의 모든 국가들이 다스림을 받았다. 늑대가 달리매 문이 닫히고, 모든 것은 두려움과 경이뿐이라는 듯 코요테들은 입을 다물었다. 소년은 늑대의 뻣뻣한 머리를 들어 올렸다. 혹은 쥘 수 없는 것을 쥐려는 듯 손을 뻗었다. 살을 먹고 사는 꽃처럼 더없이 아름답고 섬뜩한 늑대는 이미 산속을 달리고 있었으므로, 피와 뼈로 만들어졌으나 전쟁의 그 어떤 상처에도 희생될 수 없는 그 무엇. 비가 그러하고 바람이 그러하듯 시커먼 세계의 형태를 깎고 다듬고 파낼 수 있는 힘이 우리에게 있다고 믿고 있으리라. 하지만 쥘 수 없는 것은 결코 쥘 수 없고, 삽시간에 지지 않는 꽃은 없으며, 여자 사냥꾼과 바람마저도 두려워하며, 세계는 이로부터 벗어날 수 없다."(『국경을 넘어』, 167쪽)

『국경을 넘어』에서 소년 빌리 파햄이 늑대에 집착하는 것은 위 인용문에서 그려지는 시원의 세계에 대한 갈망 때문이다. 늑대를 바깥으로 분리하지 않고 늑대를 그 일부로 받아들이는 그대로의 세계, 이 서사시적 원시성이 살아 있는 세계는 코맥 맥카시의 소년들이 궁극적으로 지향하는 세계의 온전성이며, 세계의 본질이기도 하다. 그러나 이 세계의 온전성은 단지 소년들의 열정에 찬 모험 그 자체에 의해 증명되는 것일 뿐, 인간의 역사에 의해 결코 포섭되지 않는 그런 것이다. 숱한 전쟁에도 희생되지 않는 비와 바람처럼, 인간의 행위와 상관없이 존재하는 이 비의적인 세계는 마치 "늑대란 알 수 없는 존재야", "늑대는 눈송이 같은 거야. 잡은 뒤 손을 펼쳐보면 어느새 사라지고 없지"의 늑대처럼 절대로 손에 쥘 수 없는 "세상" 그 자체를 의미한다. 그러나 인간이 상징계 바깥의 아무 질서도 없는 이 세상을 붙잡는 것은 불가능하지만, 그것이 존재한다는 것을 증명할 수는 있다. 코맥 맥카시에 의하면, 그것을 증명할 수 있는 유일한 길은 이야기이다. 전직 신부였던 노인에 의해 펼쳐지는 이야기와 세상에 대한 묵시록적 전언은 코맥 맥카시의 세계관이자 문학관을 의미한다.

"상상 가능한 모든 것이 필요한 세계가. 돌과 꽃과 피로 이루어진 물질처럼 보이지만 사실 이 세계는 전혀 물질이 아니라 이야기라네. 이 세계에 있는 모든 것은 이야기이고, 각 이야기는 보다 작은 이야기의 합이지만, 동시에 모두 똑같은 이야기이며, 모두 다른 이야기를 각 이야기 안에 담고 있네. 따라서 모든 것이 필요하지. 아무리 사소하고 하찮은 것이라고 해도 말이야. 어려운 교훈이지. 그 어떤 것도 필요하지 않은 것은 없어. 그 어떤 것도 무시할 수 없지. 경계선은, 아니 접합선은 우리 눈에 감추어져 있기 때문이야. 세계는 이런 식으로 만들어지지. 무엇을 버릴 수 있을지, 무엇을 뺄 수 있을지 우리는 알 수 없어. 이러한 접합선은 우리 눈에 감추어져 있지만 이야기에는 당연히 담겨 있어. 이야기는 건물도 장소도 없이 그저 이야기될 뿐이지만 그 안에 삶이 있고 집이 있어. 우리는 이야기 없이는 아무것도 아니지. 이야기에는 끝이 없어. (…중략…) 모든 이야기는 하나야. (…중략…)

세상사는 세계와 분리되어 존재할 수 없어. 하지만 세계는 세상사에 대해 생각하지 않지. 다른 것에 비해 어떤 것을 특별히 편애하지 않아. 군대가 지나가든 사막의 모래가 지나가든 다 마찬가지야. 전혀 차별하지 않아."(『국경을 넘어』, 188~195쪽)

위 인용문에서 경계선과 접합선이 없는 세상 그 자체란 역사 사회적 총체성을 넘어선, 인류 시원적 총체성을 뜻한다. 작가는 그 세계는 오로지 인간의 길을 떠나 대지에 나선 영혼에 의해서만, 그의 모험이 만들어내는 이야기에 의해서만 드러날 수 있다고 말한다. 루카치의 서사시적 비전의 귀환이다. 그러나 맥카시에게 그 잃어버린 서사시적 세계는 근대적 삶으로 이루어진 역사적 공간이 아니라, 좀처럼 인간을 발견할 수 없는 광활한 대륙이다. "다른 이야기를 각 이야기 안에 담고 있는 하나의 이야기"란 코맥 맥카시에게 모든 이야기의 '원형'을 담고 있는 신화적 세계를 뜻하며, 이러한 비전은 서부 국경 지역의 카우보이로 하여금 신과 인간, 자연과 역사, 사물과 인식 등과 같은 시원적 총체성 탐구에 나서게 한다. 카우보이는 이제, 집과 공동체를 지키기 위해 악당과 맞서 싸우는 아리조나 카우보이의 소영웅이 아니라 인류와 자연사적 세계의 운명을 떠안은 대영웅으로 바뀌고, 그의 행위를 통해 분리되고 배제되었던 모든 사물들은 다시 서로를 비추는 통일된 세계로 복구된다. 맥카시에게 영웅의 행위란, 곧 이 시원적 총체성을 증명하는 고난에 찬 모험이며, 이를 재현(presentation)하는 이야기란 주인공의 패배와 상관없이 세계를 구원하는 힘이다. 그러나 이를 통해 그가 부여잡은 총체성이란, '현재'와 '인간'이 부재하는, 황야의 총체성이라고 할 수 있다. 서부극의 서사시적 전환은 이러한 작가의 거대한 비전에 의해 탄생된 것이다.

국경, 부정된 한계

맥카시의 국경 삼부작에서 '국경'은 1950년 전후의 미국과 멕시코의 실제 국경을 의미하지만, 서사시적 세계로 나아가는 관문, 즉 인류 태초와 최후로 통하는 길 자체를 의미하는 것이다. 그것은 우선, 주인공들이 집을 떠나는 것으로부터 출발하는데, 국경 삼부작의 주인공들이 모두 '소년'으로 설정된다는 것은 이 작품들이 갖고 있는 성장소설적 성격을 드러내준다. 『모두 다 예쁜 말들』의 16살 존 그래디 콜은 안전한 일상으로 상징되는 집을 떠나 '세상'과 만나기 위해 국경을 넘는다. 『국경을 넘어』의 16살 빌리 파햄은 히달고 카운티를 떠나 늑대와 함께 국경을 넘는다. 『평원의 도시들』에서 앞서 두 작품의 주인공 존과 빌리는 앨패소(미국 텍사스 주의 국경 도시. 리오그란데 강을 사이에 두고 후아레스와 다리로 연결되어 있다)의 한 목장에서 일꾼으로 만나고, 존의 '사랑'을 위해 또다시 국경을 넘나든다. 낭만과 늑대, 사랑을 좇아 국경을 가로지르는 이들의 모험은 일차적으로 어른으로 성장하기 위한 입사의식을 뜻하는 것으로, 이들은 길에서 사랑과 죽음, 불의와 폭력 등을 겪으면서 성숙해간다. 국경이란 그러니까 일차적으로 "소년기와 그 끝자락의 경계로서 자아와 세상에 대한 진실을 터득하는 매개체"[3]를 의미하는 것이다. 그러나 코맥 맥카시의 소년들은 세속적 일상과 복잡다단한 현실을 통해 자아와 세상과의 좌표를 가늠하며 '사회화'되는 것이 아니라, 오히려 인간 사회로부터 멀어지며 비사회화된다. 『모두 다 예쁜 말들』의 존 그래디 콜은 목숨에 찬 모험 뒤에 고향에 돌아왔을 때, "여긴 썩 괜찮은 나라야"라는 롤린스에게 "나의 나라는 아니야"라고 말한다. 길을 경험한 그에게 '집'으로 상징되는 미국은 그의 운명의 거푸집이 될 수 없으며, 그것은 『국경을 넘어』의 빌리 파햄에게도 마찬가지이다.

---

3) Blair, John, "Mexico and the Borderlands in Cormac McCarthy's All the Pretty Horses.", *Critique: Studies in Contemporary Fiction 42*.3(Spring 2001): pp. 301~307; 이향만, 『'서부' 정신의 새 비전: 코맥 맥카시의 『모두 다 예쁜 말들』』, 《현대영어영문학》 제53권 3호(2009.8), 142쪽에서 재인용.

빌리 파햄은 『국경을 넘어』에서 세 번 멕시코에 가는데, 한번은 늑대와 함께, 또 한번은 그의 부모를 살해하고 말들을 약탈한 인디언들을 좇아, 세 번째는 소녀와 멕시코에 남은 동생 보이드의 안부를 알기 위해서이다. 빌리는 늑대의 시체를 묻고, 말을 되찾고, 동생 보이드의 시체를 찾아 뉴멕시코로 돌아오지만 다시 길을 떠난다. 2차 대전이 발발하자 그는 군대에 들어가려 하지만, 심장의 잡음으로 번번이 거절당하고 텍사스 주 일대의 목장을 전전한다. 빌리는 미국의 영토 안에 머물지만 그것은 미국 사회의 변경, 서부 목장에 속함으로써 근대적 공동체를 등지게 되는 것이다. 이들의 비사회화는 '국경'을 넘음으로써 달라진 삶을 뜻한다. "저주받은 모험은 삶을 그때와 지금으로 영원히 가른다"라는 고백처럼 모험 이후의 맥카시의 인물들은 국경 이쪽에 있거나 저쪽에 있거나 간에, 이미 '국경 너머'에 있는 것이다.

일차적으로 유년기와 집 바깥의 세계를 뜻하는 '국경 너머'는 성장소설의 성격에서 벗어나 더 광활한 지평으로 확대된다. 『국경을 넘어』에서 늑대의 길을 걷는 빌리에게 국경이란 바로 일체의 '인간적인 것' 너머이다. 필라레스 산맥의 늑대가 국경에 대해 모르듯, 그의 모험은 이미 규정된 모든 것들을 부정한다. 때문에 국경 너머는 라깡의 실재계처럼 "200년 전의 백주 대낮에 뭐가 나타날 지 아무도 모르는" 불안과 공포의 현장으로 바뀐다. 처음에 빌리는 마을에 출몰하는 늑대를 좇다가 늑대를 사로잡자 국경 너머 필라레스 산맥에 데려다 주기로 마음을 바꾼다. 그가 따라 걷는 늑대의 길은, 국경으로 상징되는 일체의 사회적 구속과 경계—국가, 민족, 인종, 법, 규율과 관습, 계급, 제도—를 넘어선 대지이다. 늑대를 사로잡기 위해 사용한 덫, '매트릭스'가 자궁, 모체를 뜻하는 라틴어(mater)에 기원하고 있듯, 늑대에 대한 동경과 집착은 세상 만물의 시작과 풍요에 대한 궁구이다. 빌리는 늑대가 속한 더 큰 질서, 인간을 넘어선 세계의 시원을 상징하는 필라레스로 향하지만, 이러한 여정에서 이 순수한 원시성과 염원을 훼손하는 인간의 폭력들을 만난다. 빌리는 여권, 통행증, 영수증과 같은 각종 서류를 요구하는 멕시코 경찰들을 만나 체포되고, 늑대는 투견장에서 30마리의 개들과 2 대 1로 싸우며 죽어간다.

맥카시의 소설에서 낭만적 이상을 추구하는 젊은이들을 절망으로 이끄는 것은 황야의 냉혹한 자연섭리가 아니라, 황야보다 더 황폐한 인간의 폭력이다. 어린 블레빈스를 총살하는 서장 일당의 잔인함, 늑대를 투견장으로 몰아넣는 인간들의 광란어린 축제, 말을 약탈하는 악당들, 돈과 폭력, '언제든지 기꺼이 누군가를 죽일 준비가 되어 있느냐'는 기준만이 인간의 평등을 증명하는 살티요 감옥, 그리고 어린 소녀(막달레나)를 유린하고 잔혹하게 살해하는 부패한 경찰들과 포주, 인디언은 물론 멕시코 시민의 머리 가죽을 벗기고 귀목걸이를 훈장처럼 걸고 다니는 미국 용병에 이르기까지 모든 폭력과 전쟁, 죽음 속에 깃들어 있는 인간 존재의 심연은 그들을 묵시록적 절망으로 깊숙이 밀어넣는 것이다.

> "그는 거대한 덩치에 손도 거대했는데, 그 손으로 어린 포로의 머리를 움켜쥐더니 키스라도 하려는 듯 상체를 숙였다. 하지만 그것은 키스가 아니었다. 독일인의 포병의 얼굴을 꽉 쥐고 있어서 다른 살마들 눈에는 프랑스 군대식으로 양쪽 뺨에 뽀뽀하는 듯이 보였지만, 실은 그 자의 뺨이 움푹 팰 때마다 포로의 눈알이 차례로 빨려나왔던 것이다. 독일인이 눈알을 내뱉자 눈알은 축축이 적은 기이한 줄에 매달려 포로의 뺨에서 대롱거렸다. (…중략…) 포로들이 숟가락으로 눈알을 도로 안구에 넣으려고 했지만, 아무도 성공하지 못했고 눈알은 그의 뺨에 포도처럼 늘어진 채 말라갔다."(『국경을 넘어』, 365~366쪽)

멕시코 혁명군에 가담하였다가 눈을 잃은 노인이 진술하는 저러한 폭력성은 맥카시의 황야를 핏빛으로 물들인다. 『핏빛 자오선』의 머리 가죽 사냥은 물론, 『노인을 위한 나라는 없다』의 살인마 안톤 시거의 잔혹성, 그리고 멕시코 혁명과 반란, 학살에 이르기까지, '아우슈비츠'는 전무후무한 희대의 사건이 아니라, 유사 이래 늘 인간세계에 만연한 '실재'임을 작가는 폭로하고 있다. 『핏빛 자오선』에서 악마의 화신인 판사는 인간이 전쟁을 악으로 여기든 말든, "전쟁은 늘 존재했네. 인류가 태어나기도 전부터 전쟁은 인간을 기다렸어. 자신의 궁극적 실행자를 기다리는 것이야말로 전쟁의 궁극적 과업이었지"(323쪽)라고 말한다. 전쟁과 악의 편재성은 코맥 맥카시가 세계를 파악하는 중요한 관점으로, 그의 소설에서 폭력이 난무하는 것도 이러한 이유에서이다. 맥카시의 소년들이 풍요로운 대지를 향하는 과정에서 맞닥뜨린 인간의 폭력성은 사회 울타리 바깥이 아니라, 울타리 안에 존재하는 야만성을 가리키는 것이다. 맥카시의 인물들이 모험 끝에 더욱 인간 사회로부터 멀어지는 것은 바로 이 폭력성과 야만성을 목격했기 때문이며, 여기에서 발생하는 환멸과 절망은 그들이 선택한, 치안 부재의 황야와 자연의 광폭함에 대비되면서 더 잔혹한 것으로 드러난다.

인간의 문명사회의 구획들을 부정하는 '국경 너머'의 지평은 한편 순수와 경험, 선과 악, 과거와 현재, 환상과 현실, 개인과 공동체, 희망과 절망, 고통과 행복, 인간과 동물 등의 이분법적 경계를 무너뜨리는 것이기도 하다(Mark Busby).[4] 타인 없이 '자아'란 있을 수 없듯, 상반되는 두 개의 개념들은 결코 분리되어 있는 것이 아니라 함께 있는 것이며, 그것들의 실제 경계는 국경선만큼이나 가변적이고 인위적이다. 『평원의 도시들』의 창녀 막달레나에 대한 포주 에두아르도의 사랑 또한 존의 사랑만큼이나 '순수'한 것이고, '순수'란 '선과 악'이 공유하는 하나의 영토이며, 치열한 절망과 고통도 행복 못지않게 '아름다움'을 차지할 수 있는 강력한 힘을 지니고 있다. 사랑은 가난뱅이 미국 젊은이 존과 대지주의 딸, 그리고 창녀이자 간질병 환자인 막달레나의 신분을 넘나든다. '국경 너머'는 이렇듯 인식의 지평에서 영토분쟁과 변경처럼 개념적 카테고리를 바꾸면서 관습적 지각을 흔들어놓고 그 실체를 심문한다.

---

4) 'Border' also signifies the interplay of oppositional categories such as innocence and experience, good and evil, past and present, illusion and reality, individual and community, hope and despair. -Mark Busby, 'Into the darkening land, the world to come: Cormac McCarthy's boader crossings, pp. 229~231, in *Myth, legend, dust: Critical responses to Cormac McCarthy* ed. Rick Wallach, Manchester University Press, Manchester, 2000, Brian Edwards, Refiguring the West(ERN): Cormac McCarthy's Border Triology and Old Markers in American Cultural History, *Australasian Jornal of American Studies*, December, 2003, p. 3에서 재인용.

맥카시의 작품에서 '국경'은 무엇보다 '한계' 영역에서 더 강력한 의미를 지닌다. 늑대, 말, 자연과 교감하려는 소년들은 인간적 범주를 뛰어넘어 무한한 세계에 가 닿으려는 욕망을 드러낸다. 그것은 근본적으로 인간의 유한성에 대한 부정을 뜻한다. 소년들은 황야에서 겪는 일체의 육체적, 정신적 시련을 통해 그 한계를 지속적으로 부정해나간다. 며칠씩 먹지도 자지도 못하고, 다리에 박힌 총알을 스스로 빼내고 불에 달군 총신으로 지지는 지독한 고통을 겪으면서도, 무서운 적들이 매복되어 있다는 것을 알면서도 그들은 계속 길을 가는 것이다. 국경을 넘어 황야로, 필라레스 산맥으로 뻗은 그 길이 대지와 우주와 만날 때까지. 사랑과 늑대, 말을 통해 수많은 타자들을 만나는 그 길은 곧 자아를 세계에 관철시키는 과정이며, 또 세계를 자아에 품는 과정이다. 늘 격렬한 전투와 죽음을 침목처럼 밟고 나가야 하는 그 길은 끊임없이 여행자의 한계를 시험한다. 모든 한계는 부정이다. 맥카시의 인물들은 강인한 의지로 끊임없이 그 부정을 부정한다. 집과 가정이라는 울타리, 계급적 구속, 육체성, 폭력, 법, 국경, 그 어떤 '한계'에도 굴복하지 않는다. 그것은 그들이 모든 한계를 극복한다는 것을 뜻하지 않는다. 그 한계에도 불구하고, 결코 그만두지 않는다는 것이다. '영웅은 방황하지 않고 운명대로 한다.'(모턴 블룸필드)라는 말처럼 그들은 그 한계가 다 할 때까지 한계를 밀어붙인다. 그리고 필연적으로 유한성의 극한인 '죽음'을 만난다. '서부로 간다는 것, 갈 수 있는 한 가장 멀리 간다는 것은, 죽음을 뜻한다'는 제인 톰킨스(Jane Tompkins)[5]의 말처럼 '국경 너머'는 궁극적으로 죽음이라는 한계를 품고 있는 삶의 극한을 의미한다. 맥카시의 소년들의 무한한 자유를 향한 질주는 필연적으로 죽음이라는 부정과 조우한다. 이들 영웅의 과묵과 멜랑콜리[6]는 "삶에서 필연적인 것은 죽음 밖에 없다"는 인간의 유한성에 대한 깊은

---

5) "To go west, as far west as you can go, west of everything, is to die. Deathe is everywhere in this genre"— Brian Edward, 위의 글에서 재인용.

6) 그 슬픔은 모든 유한한, 곧 시간적 한계를 지닌 생명에 붙어있는, 슬픔입니다. 그러나 그 슬픔은 결코 실제가 되지 않으며, 단지 싫은 것을 젖혀 돌리듯 기쁨에만 봉사하는 그런 슬픔입니다. 현실화되지 않기에 그것은 우울이라는 베일을 뒤집어씁니다. 그것이 모든 삶에 깊숙이 배

인식에서 비롯된 것이다.

정의, 어느 곳에도 없는

"삶에서 필연적인 것은 죽음 밖에 없다"는, 코맥 맥카시가 세상에서 읽어낸 유일한 진실이자, 법칙이다. 이 교훈은, 코맥 맥카시의 소년 영웅들이 국경 너머의 큰 질서를 경험하면서 얻어낸 결론이다. 그 외에 정의, 윤리, 민주주의, 사랑, 믿음, 배려, 법, 종교, 이데올로기 등 인간적 가치와 제도는 단지 이상일 뿐 인간의 실재도, 자연 법칙도 아니다. 그것은 언제든 바뀌고 무시될 수 있는 국경처럼, 허술한 일시적인 약속일 뿐이다. 미국법은 미국에서나 통용되며, 멕시코법은 멕시코에서조차 '헛소리'에 불과한 현실, 이것이 소년이 황야에서 마주친 삶의 진실이다. 인간은 국가의 이름으로 인간 머리를 벗기고, 혁명의 이름으로 민간을 학살하며, 공권력의 이름으로 죄없는 이들을 고문하고 처단한다. 악은 반드시 응징되며, 역사는 진보한다는 믿음 따위는 맥카시의 서사시적 세계에는 존재하지 않는다.

멕시코 혁명 당시 두랑고 전투에서 눈을 잃은 노인은, 멕시코 군인이 반란군 지지자를 학살한 현장에 대해 회상하며 장의사의 입을 빌어 다음과 같이 얘기한다.

> "사람들은 그런 짓을 한 자들을 하느님께서 벌주실 거라고들 말하지만, 그건 말뿐이고 지금껏 겪어 본 바에 의하면 사람은 하느님의 뜻을 감히 알 수 없다고. (…중략…) 이 세상에 너무 많은 정의를 기대하는 것은 잘못이라고. (…

어 있는, 파괴할 수 없는 멜랑콜리입니다.

"Dies ist allem endlichen Leben anklebende Traurigkeit, die aber nie zur Wirklichkeit kommt, sodern nur zur ewigen Freude der Ueberwindung dient. Daher der Schleier der Schwermut, der ueber die ganze Natur ausgebreitet ist, die tiefe unzerstoerliche Melancholie alles Lebens." -Schelling, Ueber das Wesen der menschlichen Freiheit 1809.

중략…) 정의로운 자가 찾고 있는 체계는 결코 정의 자체가 아니라 그저 체계일 뿐이며, 악의 무체계는 사실상 악 그 자체임을 그는 모른다고. 정의로운 자는 악에 대한 무지로 인해 매번 모퉁이에서 비틀거리지만, 악한 자에게는 어둠이든 빛이든 똑같이 명백하게 보인다는 것 또한 그는 모른다고. 우리가 이야기하는 하는 이 사람은 애초에 질서와 체계가 없는 것들에 질서와 체계를 부여하려고 든 것이라고. 그는 세계 자체가 진실에 대해 증언하기를 요구하지만, 사실 진실은 자신의 욕망일 뿐이라고. 최종적으로 그는 피로써 자신의 말을 보장하려고 하지만, 그 무렵이면 말은 향취를 잃고 바래며 고통은 늘 새롭다는 것을 깨닫는다고."(『국경을 넘어』, 387쪽)

선의와 정의가 반드시 승리하지도 않고, 때로 그것을 믿는 자들은 그 진실의 취약성으로 인해 패배하며, 영웅의 불굴의 의지란 결국 늘 새로운 고통과 피로에 바쳐지게 된다는 노인의 말에는 작가의 목소리와 또 길 끝에 서있는 소년 영웅들의 목소리가 겹쳐 있다. 정의 자체가 아니라 그저 세상의 체계를 찾는 정의로운 자란 맥카시의 소년 영웅이다. 그들이 국경을 넘은 것은, 정의를 구하기 위해서가 아니라 그 자신의 운명을 결정짓는 더 큰 세상의 질서, 보편적 총체성을 알기 위해서이다. 황야로 나선 그들에게 중요한 큰 질서란 국가, 법, 관습 등 인간의 이데올로기가 아니라, '신'의 뜻에 육박하는 세계의 근본적인 질서이다. 태초에서 최후의 인간에까지 미치는 인류 보편성을 궁구한다는 의미에서 그들은 인류 전체를 짊어진 일종의 순례자이다.

가족과 늑대를 잃은 빌리는 "내 인생이 딱 중간에 이르렀을 때 지도에 인생의 길을 그려 한참을 살펴보았지요. 패턴을 찾으려고요. 삶의 패턴을 알아내 분석하면 남은 삶을 더 잘 살 수 있을 것 같았거든요. 앞으로 남은 인생길이 어떨지 미래를 볼 수 있고요."(『국경』, 375쪽)라며 방랑길에 오르지만 그가 터득한 것은, "세상 모든 것 중 유일하게 확실한 한 가지는 세상 그 무엇도 확실하지 않다"는 것이다. 빌리가 방랑길에서 만난 남자(신, 혹은 실재하지 않는 존재)에게 털어놓는 꿈의 순례자 이야기는, 곧 그 자신의 이야기이다. 순례자들이 모인 산중, 그곳에서 순례자들과 그는 신의 노여움을 달래기 위한 제물로 바쳐진다. 그러나 곧 그는 꿈에서 깨어나 제단 위에서 추위와 공포로 떨고 있는 자신을 발견한다. 그 뒤의 세상은 여전히 "황량한 산맥, 아까와 다름없는 세계"였다는 고백은 '신'으로 상징되는 정의와 질서를 추구하는 순례자들이 필연적으로 맞닥뜨릴 수밖에 없는 비극적 운명과 패배를 의미한다. 세계는 신을, 정의를, 결코 드러내지 않는다. 그것을 드러내는 것은 그것을 믿는 자들의 죽음뿐이다. 이 전언은 '세상의 궁극적 어둠'에 대한 증언이면서 동시에 부인이기도 하다. 신의 존재를 증명하려는 변신론적 사유와 맞닿아 있는 이러한 맥카시의 묵시록적, 신화적 비전은 『로드』에서 지구 대재앙 이후를 떠도는 아버지와 아들의 순례로, 또 『평원의 도시들』에서 창녀 막달레나에 의해서도 변주된다.

신과 세계의 본질에 대한 사유는 서사시적 광활함과 성서적 비유, 신화적 압축을 '서부' 지역에 새겨 넣으면서 초월성과 형이상학적 비전을 불러온다. 소년과 세상의 대결은, 일종의 선과 악의 대결이라는 알레고리이다. "내 걸 모두 되찾기 전에는 절대 못 떠나요"라며 죽어간 블레빈스, 말들을 진짜 주인에게 찾아주어야 한다는 빌리는, '평형의 공평성, 분배의 균등화'라는 정의의 이념과 맞닿아 있다. 확정되지 않은 자신의 몫을 확정 짓는 순간에 작동하는 개념으로서의 정의, 즉 '각자에게 해당하는 자신의 몫을 부여한다'[7]를 뜻하는 정의의 관점에서 볼 때, 소년들의 행위는 정당하다. 그러나 맥카시가 강조하고 있는 것은, 이 정의의 이념에 있지 않다. 그것은 이미 서부 장르에서 악당과 싸우는 카우보이들에게서 진부하게 반복되던 낡은 이념에 불과하다. 앞서 언급한 대로, 이들은 때로 자기의 정당한 몫을 되찾기도 하지만, 필연적으로 패배한다. 블레빈스와 보이드, 존의 죽음이 그 증거이다. 이들의 죽음은 정의보다 훨씬 더 강력한, 세상의 궁극적 어둠에 대한 패배를 의미한다.

"너 같은 인간들은 세계가 정상이라는 걸 견디지 못해. 이런 세계가 아닌 다른 세계를 꿈꾸지. 하지만 멕시코의 세계는 장식으로 뒤덮여 있어도, 그 속은

7) 이양수, 『롤스&매킨타이어: 정의로운 삶의 조건』, 김영사, 2007, 55쪽.

> 지극히 명료해. 반면 너희 세계는 (…중략…) 무언의 의문들로 이루어진 미로 위에서 비틀대지. 우리 세계가 너희 세계를 모조리 삼켜 버릴 걸, 친구. 너랑 너의 그 파리한 제국 전부를."(『평원의 도시들』, 352쪽)

위에서 막달레나를 살해한 포주 에두아르도가 말한 대로, 다른 세계를 꿈꾸는 자, 세계의 궁극적 어둠과 무질서를 부인하는 자는 모두 '집어 삼켜진다.' 『핏빛 자오선』의 악마적 인물 판사와 소년과의 마지막 대결에서, 우리의 기대와 달리 판사는 살아남아 춤을 추고, 『노인을 위한 나라는 없다』에서도 살인마 안톤 시거는 카우보이 모스를 처치하고 유유하게 자신의 길을 간다. 유일하게 살아남은 인물, 빌리는 세 번 국경을 넘지만, 한 번도 원하는 것을 갖지 못했으며, 결국 세상에서 알 수 있는 것은 아무것도 없다는 사실을 증언하는 목격자로 남는다. 그의 모든 영웅적인 행동에도 불구하고, 그는 종내 폐허 위에 비루먹은 개처럼 파괴된 자신을 발견할 뿐이다. 『국경을 넘어』의 마지막 장면에서 빌리가 만난, 뒷다리를 심하게 저는 데다 머리가 몸통에 비스듬히 붙어 있는 떠돌이 늙은 개란, 다름 아닌 세상 그 자체를 겪고 나온 그 자신인 것이다.

맥카시의 고딕적인, 암울한 시적 문체는 이러한 무질서한 세계의 승인에서 비롯되는 것이며, 악인들에 대한 과도한 형상화 또한 이러한 맥락에 놓여있다. 그럼에도 불구하고, 맥카시의 작품이 매혹적인 것은, 세상의 궁극적 어둠에도 불구하고, 그 어둠 속으로 모험을 떠나는 소년들의 강인함 때문이다. 그들의 영웅성은 정의의 구현에 있지 않다. "사람이 사랑을 추구할 때는 언제나 옳은 법이오. 설령 그 때문에 죽어도"(『평원』, 279쪽)라고 말하는 눈먼 피아니스트, 그리고 "용기를 잃는 것은 죄악"이라고 말하는 인물들을 통해 맥카시가 강조하고 있는 것은, 정의와 선의가 아니라, 그것을 추구하는 열정과 의지, 용기이다. 맥카시의 진정한 주인공은, 인간의 자유가 제한된 자유일 뿐이고, 종국에는 죽음밖에 없다고 하더라도, 선택하고 결정하는 자의 용기, 그것을 끝까지 밀고 가는 불굴의 의지, 그리고 어떠한 끔찍한 현실이더라도 이를 감당해내는 모든 인간의 '삶 자체'라 할 수 있다. 코맥 맥카시는 정의, 선악, 그리고 이야기조차 뛰어넘는 삶의 절대성과 숭고함을 일흔 여덟의 늙은 빌리의 입을 빌어 다음과 같이 이야기하고 있다.

"당신은 삶의 세상의 그림이 아니에요. 세상 그 자체죠. 그리고 삶은 뼈나 꿈이나 시간으로 이루어지는 것이 아니라 경배로 이루어집니다. 다른 그 어떤 것도 세상을 품을 수 없고, 세상에 품어질 수 없죠."(『평원의 도시들』, 400쪽)

나오며

"우리가 여행할, 지도로 그릴 수 없는 세계. 산속의 고개. 피로 얼룩진 돌. 그 위에 새겨진 강철의 흔적. 부식될 석회 위의 돌 물고기와 고대의 조개 껍데기 사이에 새겨진 이름들. 희미하거나 희미해져 가는 것들. 말라 버린 바다의 바닥. 유목민 사냥꾼의 도구들. 그들이 칼날 위에 조각된 꿈들. 선지자의 유랑하는 뼈들. 비의 점차적인 소멸. 밤의 도래."(『평원의 도시들』, 401쪽)

『평원의 도시들』의 저 마지막 장면은, 코맥 맥카시가 파악한 세계의 실상에 대한 비유이다. 국경 너머에서 목격한 정의의 허상과 부재, 신과 악의 내속은 결국 허무주의와 맞닿아 있는 세계의 무상함을 말하는 것이다. 그것은『이방인』의 뫼르소가 교도소에서 바라본 무상한 밤하늘과 같은 것으로, 루카치의 '별'과는 달리 '길을 떠나는 자아'와 아무런 관련 없이 저 홀로 떠 있다. 맥카시의 소년들이 국경을 넘어, 더 큰 질서 속에 놓인 인간적 실체와 대자연을 만나고, 세상 만물을 하나의 전체로 조망한다 하더라도, 그것들은 다시 뿔뿔이 흩어져 밤의 도래를 맞을 뿐이다. 그렇다는 의미에서 맥카시의 서부활극을 통한 서사시적 비전은, 그들 인물들과 마찬가지로 실패했다고 할 수 있다. 그러나 역설적이게도 작가는 이러한 패배를 통해 그의 문학과 세계 자체를 봉합하여 놓고 있다.

“꿈을 이루고 있는 사건들은 잘 기억나는 반면 전체 이야기는 모호하고 애매할 때가 많죠. 하지만 꿈의 생명은 이야기이고, 사건은 종종 대체되기도 하지요. 반면 현실 세계에서는 사건은 확고하고, 이야기는 이런 사건들을 잇고 있는 뜻밖의 축이죠. 그래서 우리로 하여금 이들 사건을 재고 분류하고 체계화하게 하죠. 사건을 이야기로 조립하는 것은 우리이기 때문에 이야기는 곧 우리입니다. 모든 사람은 누구나 자기 존재를 이야기하는 시인이죠. 이를 통해 세계와 하나가 되는 거지요. (…중략…) 꿈에서야 아무리 터무니없는 일도 자연스럽게 느껴지고, 아무리 불가능한 환상도 평범해 보이곤 하지 않습니까. 세상을 편리하게 만들기 위한 우리의 열망은 온갖 역설과 난국을 초래하죠. 그 결과 우리 수중의 모든 것은 내적 불안으로 끓어오르고요. 하지만 꿈에서 우리는 가능성의 거대한 민주주의를 누리고, 우리 자신은 방랑자가 되죠. 우리는 나아가며 만나야 할 것을 만납니다. (…중략…) 바로 이 점에서 두 세계가 만납니다. 사람이 원하는 대로 미래를 만들 수 있다고 보나요? 현실에서든 꿈에서든 우리가 세상을 마음대로 빚을 수 있을까요? (…중략…) 우리는 그저 하느님이 창조한 세계를 불러올 뿐입니다. 그토록 애지중지하는 우리 인생 역시 마찬가지죠. 하지만 우리는 이야기하기를 선택할 수 있습니다.”(『평원의 도시들』, 394~395쪽)

위 인용문에서 작가가 강조하는 것은 세계에서 패배한 자들의 꿈으로서의 이야기, 그것이 지닌 서사시적 총체성이다. 세계 그 자체는 무한한 파편들로 조각 나 있지만, 사건들을 연결하고 체계화하는 것은 이야기하는 시인이다. 생의 주체가 되고자 하는 주인공들의 강인한 의지 못지않게 시인의 강인한 ‘의지의 표상으로서의 세계’ ― 이야기, 작가는 비록 무상한 세계와 다를지라도 그 꿈 안에서 우리의 열망은 그 세계와 만나고 하나가 될 수 있다고 말한다.

작가의 이 이 서사시적 보편주의에 대한 갈망은 서부 평원을 지나 인류의 시원과 우주로 뻗어나간다. 그러나 그가 국경 삼부작에서 보여주는 서부 세계, 그리고 『로드』에서 변주되는 지구 종말의 세계는, 근대 이전의, 이후의 세계라는 점에서 우리의 현재는 아니다. 그런 의미에서 맥카시의 서사시는 근대가 아니라 근대 이후의 서사시이다. 위 인용문 뒤에 맥카시는 세계의 실상이 어떻든, 또 영웅과 시인이 아무리 모험과 이야기를 통해 총체성을 불러온다고 해도, 가장 중요한 것은 '삶'이라고 말하고 있다. 그러나 맥카시가 강조하는 삶은 신화적 원형 속으로 사라진 단 하나의 추상적인 삶일 뿐, 무수한 개별성으로 갈라지는 현재의 삶은 아니다. 그렇다는 의미에서 그의 서사시는 모레티가 말한 "더 이상 변화의 힘을 가진 행동 속에서가 아니라 상상, 꿈, 마술 속에서 형성"되는 근대의 서사시에서 그다지 멀지 않다.

살아있는 개별적인 것과 분리되지 않는 총체성, 그것은 그것을 열망하는 시인의 꿈 속에서 펼쳐진다. 그 꿈은 미국—멕시코 국경의 리얼리티에 근거하고 있으나, 강렬한 보편주의적 열망에 의해 그 리얼리티는 신화로 성급하게 봉합된다. 대중에게 친숙한 서부물을 차용하고, 근대 소설에서 후퇴하고 있는 묘사력을 되살려, 일체의 주석 없이 황야의 영웅 서사를 강렬한 핏빛으로 그려나가고 있는 맥카시의 작품은, 분명 모더니즘의 협소함과 난해함을 비껴간, 보기 드문 본격 소설의 성취라고 할 수 있다. 그러나 카우보이 모험담이라는 대중적 서사 장르를 서사시적 원시성으로 부활시킨 근대 이후의 서사시, 이 꿈에 불과한 이야기 외에는, 우리의 분열된 삶을 구원할 방도란 없는 것일까?

정은경
본지 편집동인. 1969년생. 원광대 문창과 교수. 2003《세계일보》신춘문예 문학평론 당선. 평론집으로『디아스포라 문학』등이 있음. lenestrase@hanmail.net

손제섭 시인은
1960년 경남 밀양
출생이다.
2001년
문학과 의식으로
등단했으며,
2002년 시집
그 먼 길 어디쯤을
출간했다.

PoéSiE

리토피아포에지 10

오, 벼락같은

손제섭 시집

리토피아 발행 값 7,000원

당신과의 시간이 소멸되고 있음을 인정하는 것, 당신은 이미 나의 시간 속에서는 죽은 사람이며 다만 꽃으로 꿈틀거리고 있다는 것을 발견하는 것, 그리고 이러한 인정과 발견을 통해서야 역설적으로 "살아 있다는 징후"를 느낄 수 있다는 것. 이러한 인식을 얻게 된 시인은, 이제 소멸의 장소인 폐허나 무덤에 시선을 보내게 된다. 가령 **실상사**實相寺에서 시인은 "마른 흙 밑에 묻혀 있는 먹물빛 뼈들의" 질긴 숨소리를 들으며 시인은 "쓰러져 산란"한 "천 년을 버티다 깨진 기와의 꿈"에 대해 탄식한다. 그런데 한편으로 "폐허를 모르고 피어"난 "앞산 골짜기 두견화"를 주목하는 것을 시인은 잊지 않는다. 폐허가 된 실상사를 주목하고는 곧 이어 두견화에 대해 포커스를 맞춘 것은 소멸하는 사물을 인식함과 동시에 그 속에서 움트는 삶 역시 드러내고자 하는 것이라 하겠다./이성혁(문학평론가)의 작품해설에서

LITOPIA
LITERATURE&UTOPIA

이 작가를 주목한다

2호(2004.11) ………… 소설가 **이명랑**, 시　인 **이원**
3호(2005.6) ………… 소설가 **김지우**, 소설가 **한지혜**
4호(2005.12) ………… 소설가 **손홍규**
5호(2006.6) ………… 소설가 **김이은**, 시　인 **이승희**
6호(2007.1) ………… 소설가 **김윤영**, 소설가 **김애란**
7호(2007.8) ………… 소설가 **심윤경**, 시　인 **이병률**
9호(2009.4) ………… 소설가 **이시백**, 시　인 **진은영**
10호(2009.10) ………… 소설가 **김미월**, 시　인 **이근화**

진은경

김미월

이근화

이승희

김윤경

김애란

심윤경

이병률

이시백

이명랑

이 원

김지우

한지혜

손홍규

김이은

이 작가를 주목한다

소설가 명지현 · 시인 송경동

소설에 바침: 명지현의 소설 혹은 귀신 목소리

/ 김정남

직설의 미학과 그 너머: 송경동론

/ 이성혁

이 작가를 주목한다

소설가 명지현

1966년 : 서울 출생. 여덟 달 반도 채우지 못하고 튀어나온 미숙아. 어쩌면 평생 미숙아. 어머니는 백 년 만에 등장한 백말띠라는 사실에 절망하며 호적을 고쳐버림. 덕분에 학창시절 내내 동생 취급 받으며 맨 앞자리 고수

1980년 : 나름 유복하게 자라다가 아버지 사업 쫄딱 망해 극빈층이 되어버림. 군부독재 시절 언니오빠들이 분노로 절규하는 것 목도하며 부조리한 현실에 눈을 감아버림. 숱한 양서 사이에 붉게 빛나는 《플레이보이》誌와 《선데이서울》 등등에 눈을 뜸

1988년 : 국민대학교 중어중문학과 졸업. 졸업 전에 광고회사 카피라이터 입사. 학자금 융자 등등의 빚을 갚기 위해 10원만 더 주면 냉정하게 회사를 옮기는 등 나름 자본주의 형 인간이 되어버림

1989년 : KBS 기획제작실 다큐멘터리 작가. 아무렇게나 써도 성우의 실력에 따라 좋은 문장이 될 수 있다는 사실을 알고 박복한 문장을 마구 써내려감. SBS 작가와 화제작, EBS 문학기행 등 문학관련 프로그램을 제작하면서 서영은, 이외수, 전상국, 박완서, 하일지, 등등 다수의 문인들과 만남. 언론계 종사자들이 치밀하고 냉정하게 작업하는데 비해 문인들은 시간이 많고 느긋하고 인간적이라는 사실에 주목. 17년 동안 역사물, 해외, 특집 프로그램 등등을 제작하고 방송기획 등을 강의

2004년 : 교통 불편한 파주로 이주하면서 여의도로 출퇴근하기 피곤해짐. 휴먼다큐 방영된 뒤, 담당 국장이 소설 같다고 비판을 함. 그래, 나 소설 쓸 거다, 선언하고 관둬버림. 그해 겨울 아오모리의 다자이 오사무 생가를 방문. 문학을 시작도 못한 그때 내 나이는 그가 자신의 문학을 마무리 짓고 인생조차 끝맺은 나이. '문장은 운명이다' 라는 다자이 오사무의 말을 줄곧 떠올림

2006년 : 문창과 대학원에 다녀볼까 궁리하던 차에 《현대문학》에 단편 「더티와이프」로 덜컥 등단

2007년 : 문예진흥기금 수혜, 자다가도 일어나 홀로 작업할 수 있는 개인 집필의 재미를 만끽. 벌이는 신통치 않아도 집에 틀어박혀있으니 소비도 절제되므로 대만족

2008년 : 테마집 『피크』 출간. 소설가가 되었구나, 라는 감도 없이 돌아가는 형국에 대한 파악도 하지 못한 채, 설익은 작품을 줄줄이 발표

2009년 : 소설집 『이로니이디시』, 장편 『정크노트』 출간. 동시에 두 권의 책을 내면서 공연히 복잡한 심사에 시달림. 모두들 겪는 과정이라는 말에 은근슬쩍 치유됨

2010년 : 테마집 『캣캣캣』 출간. 현재 장편 집필 중

소설에 바침

명지현의 소설 혹은 귀신 목소리

김 정 남

작품을 통해 한 작가의 인식의 지평을 그려내는 작업은, 작품을 쓰는 일만큼 고독하다. 명지현의 소설에 나오는 말처럼 '글이란 게 다 귀신 목소리 아닌가.'라고 했을 때, 그 음성의 진의를 파악해 들어가는 일은, 역시 귀신의 귀가 아니고서는 들을 수 없는 일이기 때문이다. 보이지 않는 귀신의 소리를 엿듣는 비평가의 자의식 속에도 귀신은 수없이 들어차 있다. 듣지 않고 살 수 있음에도 불구하고, 그 이름의 암호를 풀고, 그 언어의 가면을 벗기는 일은, 비평가의 생리이며, 이 고독한 시선은, 기실 작가의 그것처럼 주목의 대상이 되지도 못해 더 아프다. 시쳇말로, 시나 소설을 쓰지 못해 비평가가 된 것이 아니라, 작품을 대할 때마다 작가의 옆에 붙은 귀신 목소리가 들려오기 때문에, 그 소리를 듣고는 입이 근질거려 살 수 없기 때문에, 작가도 알지 못하는 목소리의 본의를 풀어내는 것이다. 이 비평가의 숙명, 비평가의 고독, 비평가의 아픔을 당신들은 아는가.

명지현의 소설은 하나의 이야기에 모아진다. 그녀의 소설은 소설 혹은 소설가에 대한 이야기다. 『이로니, 이디시』(문학동네, 2009)에 수록된 작품들은 모두 이런 관점에서 읽을 수 있다. 이야기는 왜 생겨났으며, 글쓰기란 무엇이며, 글쟁이의 운명은 어떠하며, 글은 현실과 어떻게 관계 맺으며, 글쟁이는 무엇을 찾아 헤매는지, 그녀의 소설은 바로 이러한 것들이 내밀하게 알레고리화 되어 있다. 그러한 의미에서 명지현의 소설은 소설에 대한 소설, 소설가에 대한 소설이다. 소설과 소설가에 대한 뼈아픈 성찰과 확신으로 가득 채워진 첫 작품집이, 앞으로 이 작가가 오랫동안 자신의 작품 세계를 일구어나가는 데 정신적 밑거름이 될 것 또한 당연한 귀결일 것이다.

복수는 나의 힘

자신의 남자친구를 여자 후배에게 빼앗긴 여자의 심정은 어떨까. 「목표는 머리끄덩이」에서 화자는 놀이에서 속칭 날라리 '너구리 소녀'들에게 면도칼 씹는 법을 배우며 복수의 칼날을 벼린다. 그녀의 분노는 진지하되, 어쩐지 상황은 희극적이다. 이 아이러니가 바로 이 작품을 이끌어가는 힘으로 작용한다. 후배 계집애가 사는 다세대 연립주택이 애인인 '상열'이의 방과 맞붙어 있어, 그녀의 불안은 이미 예고된 것이나 다름없다.

화자는 상열과 후배 계집애가 함께 여행을 떠난 곽의 풍광을 컴퓨터 모니터로 바라보며, 그 언젠가 그와 함께 갔었던 그의 고향집 풍경을 겹쳐 떠올린다. '뿌연 안개와 초록빛의 아름다움'으로 상징되는 자연의 모습도 그렇지만, 화자는 거기에서 '그이 어머니'의 온화함과 정겨운 시골 사람들의 모습에 깊은 감명을 받고 돌아온다. '그리웠던 엄마의 따스한 온기'를 느낀 화자는, 그의 어머니가 돌돌 말아 손에 쥐어주었던 지폐의 온기를 잊지 못한다.

그러나 이미 파국은 선견되었던 것. 화자는 여행에서 돌아온 그들을 향한 결전의 순간을 준비한다. '양다리 퇴치법과 삼자대면에 관한 상세 매뉴얼'까지 마스터한 화자는 그가 주었던 자질구레한 선물들을 빠짐없이 정리하며 그와의 시간을 소거한다. 화자는 여러 가지 만남의 경우의 수에 대비하지만, 결국 상열과 대면하게 된다. 후배 계집애는 연락이 되지 않는다. 화자는 순간순간 이완되려는 마음을 다잡으며 애써 독기를 품는다. 화자는 상열의 구차하고 서툰 변명을 뒤로 하고, 화자는 있는 힘을 다해 그의 머리통을 갈긴다. 더 나아가 사타구니까지 걷어차 버린다. 거리엔 수많은 군중들이 '물러가라! 물러가라!' 함성을 질러댄다. 화자는 이러한 시위 행렬에게도 연대의 감정을 품고, 인파 속을 헤치며 그의 뒤를 쫓는다. 그리고 말한다.

"나를 함부로 대했던 수많은 인간들, 세상의 모든 불합리와 부조리, 외롭고 어두웠던 나날 모두를 이놈의 몸뚱이에 구겨넣고 힘껏 밟을 것이다. 비겁한 애인을 뒤쫓는 수천 명의 내가 있어 이 순간만은 외롭지 않다. 물러가라! 물러가라! 군중의 함성 속으로 곧장 들어간다. 처절한 복수는 이제부터 시작이다."(「목표는 머리끄덩이」, 34쪽)

화자의 복수극은 이렇게 시작된다. 여기서 이 작품을 권두로 내세운 작가의 의도가 명확해진다. 복수는 나의 힘일지언정, 그것은 그 자체로 허무맹랑하고 희극적인 것이다. 실패를 알면서도 저돌적으로 밀고 나가는 화자의 에너지는 바로 글쓰기 행위에 대한 은유가 아닐까. 복수극이 실패할 것이 명약관화하지만, 그럼에도 처절하게 달려든다는 것. 글쓰기를 통해 삶은 구원받지 못한다. 하지만 쓰는 행위 자체가 절망을 견디는 하나의 처절한 몸짓인 것! 그 연기(演技)의 과정이 분노의 감정을 연기(延期)하는 것이다. 자기 상처를 파먹는 희한한 족속들이 글쟁이들 아닌가. 이 과정을 통해 상처와 분노는 객관화되고, 여기서 서사는 사회적 힘을 획득하게 된다. 바로 이러한 원한의 글쓰기가 명지현 소설의 서막을 장식하는 상징적인 행위가 아닐까.

글쓰기의 기원

그리하여, 상처는 어떻게 연기(演技)되는지, 이야기는 어떻게 태어나는지를 빼어나게 형상화하고 있는 작품이 바로 「이로니, 이디시」이다. 유럽과 아시아에 전운이 감도는 일제 말엽, 샴쌍둥이로 태어난 이동희·이덕신이라는 이름의 자매는, 자신들을 양부모에게 데려갈 선교사를 기다리며 교동 사모님 댁에 머물고 있다. 이 작품의 화자는 이들을 아씨라고 부르는 여종이다. 둘이면서 하나의 몸으로 붙어 있는 이들 자매는, 장안에서 구한 딱지본 책을 읽으며 '시중 만담가들 못지않'게, 등장인물을 흉내 내고, 없는 이야기를 슬쩍슬쩍 끼워 넣으며, 이야기를 부풀린다. 이들이 지루한 기다림의 시간을 견디는 방식이 바로 '이야기하기'였던 것. 아라비안나이트에서 세헤라자드가 죽이고자 하는 왕의 욕망을 연기(延期)하는 방식이 바로 이야기하기였던 것처럼, 서로에게 달라붙은 육신의 괴로움과 자신들을 입양해갈 사람들을 기다리는 고통의 순간을, 이들은 바로 이야기를 통해 해소하고 있는 것이다.

이 두 자매는 해주를 떠나 평양을 거쳐 경성으로 오는 동안 여러 집을 전전하면서 얻게 된 별칭 중, 이로니·이디시라는 이름을 가장 좋아한다. 조선식 이름인 이동희·이덕신과의 발음상의 유사성을 떠나서, 작품에 나타나는 이들 이름은 다음과 같은 의미로 변주된다.

이동희	이로니	농담	몽상	큰아씨
이덕신	이디시	신세한탄의 글	속풀이 글	작은아씨

'이로니'가 엉뚱한 농담을 말한다면, '이디시'는 이를 털어놓아 마음을 정화시키는 신세한탄의 글이 된다. 이 둘 사이의 관계는 몽상과 그것을 옮겨 적은 속풀이 글의 관계와 같다. 이는 곧 현실을 서사로 옮기는 과정에서 나타나는 몽상과 글쓰기의 미메시스적 원리를 의미한다. '무당의 딸이라는 천한 근본'을 지닌 이 작품의 화자 역시, 자신의 한스러운 삶을 신세타령으로 늘어놓게 되는데, 이야기가 끝나자 '나'의 눈물도 마르게 된다. 그러자 작은 아씨가 말한다. '우리가 너의 공책이 되어주었구나.'라고. 이것 역시 삶과 글쓰기의 관계가 아닌가.

결국 화자는 이들을 떠나게 되고, 그 사이 양부모의 소식도 영영 끊어지고 만다. 세계는 바야흐로 일촉즉발의 전쟁 위기. 그 후, 해방이 되고, 동란이 일어나 나라는 두 동강이 났고, 가족들은 뿔뿔이 흩어져 버린다. 그러던 어느 날, 화자는 길거리에서 아씨를 만난다. 둘이 아닌 하나가 되어 있는 아씨를! 아씨 역시 '나'를 알아보았지만, 고개를 돌려 외면하고 단장을 짚은 채 불편한 걸음을 재촉한다. 화자가 아씨를 따라가려 하지만, 화자의 어머니는, 그 신기(神氣)어린 무당의 눈으로 쫓아가지 말라고 말한다. '저 여자 귀신 붙은 여자다.'라면서. 인쇄소 주인은 그 '단장을 짚은 여자'가 '글을 쓰는 사람'이라고 알려준다.

> "귀신이 옆구리에 딱 붙은 걸 그 여자도 알 거라. 죽은 걸 붙이고 다니니 걸음새가 그 모양이지. 글이란 게 다 귀신 목소리 아니가. 귀신이 옆에서 술술 불러주는 대로 글을 쓰고 있는 거라."(「이로니, 이디시」, 66~67쪽)

그렇다. 글쓰기의 반편엔 언제나 샴쌍둥이처럼 귀신이 붙어 있다. 이로니·이디시처럼. 둘이면서 하나고, 눈에 보이지도 않으면서 언제나 서로에게 붙어 있는 것. 화자는 예전처럼 아씨에게 한풀이를 하고 싶다고 말한다. '내 인생을 가지고 근사한 이야기를 만들어내라고 떼를 쓸 것'이라고. 한 많은 생이 현실이라면, 귀신이 불러주는 것은 바로 몽상의 힘, 그리고 그것을 받아 적는 일은 작가의 운명이리라. 그리하여 피해갈 수 없는 형벌적 글쓰기의 운명이 바로 작가의 자리가 아니던가.

소설가의 운명

명지현 소설에서 「그 속에 든 맛」의 요리사와 「충천」의 도예가는 모두 자신의 일에 몰두하는 명인(名人)의 범주에 드는 인물이다. 이들이 추구하는 것은 단순한 기술적 가치가 아니라 하나의 예(藝)의 범주를 지향하는 것처럼 보인다. 기실, ars(匠)가 전문적 기술(craft)을 의미하는 것이라면, art(藝)란 여기에 미학(aesthetic)의 개념을 부가한 것이라고 할 수 있다. 그렇다면 자신이 추구하는 예를 위해서라면 그 어떤 일이든 그 어떤 고통이든, 감내해 내는 기인에 가까운 인물은 그녀의 소설에서 어떠한 의미를 지니는가.

「그 속에 든 맛」에서 식당의 사장에게 음식은 단지 팔아먹을 상품이 아니다. '팔아먹을 요량으로' 음식을 만들면 '심사가 복잡해져서 맛이 안 난다'는 말은 그의 요리의 지향점이 돈벌이에 있지 않다는 사실을 말해 준다. 그리하여 이제는 '겸허한 마음으로' '육수를 고는 일만 하기로' 결심한 것. 그렇다면, 음식은 어떻게 만들어지는가. 이 작품에서 사장의 보조로 일하는 화자가 제일 좋아하는 장소는 식재료가 저장되어 있는 '재료창고'다. 그 서늘하고 쾌적한 무덤 속에는 목숨이 끊어진 것들이 근수로 매겨져 있지만, 그것을 화려하게 부활시키는 것은 바로 요리사다. 이미 지나간 이야기, 혹은 어디서든 있을 법한 이야기를 만들어 내는 작가에게도 세상은 하나의 거대한 이야기 더미다. 아직 생명을 얻지 못한 이야기 재료들을 엮어 하나의 새로운 서사를 만들어내는 과정은 요리의 과정과 다를 바가 없다. 이 세상이 거대한 식재료 창고이고 모든 것이 요리가 된다면!

사장은 인육요리를 만들고자 한다. "그건 바로 나 같은 놈이 만들어야지, 산전수전 다 겪어봐야 진짜가 되는 거야."라는 사장의 말은 전생애를 녹여내는 요리의 정수를 의미한다. 거듭 말하거니와, 하나의 소설을 만들어 내는 것도 동궤에 놓인다. 세상의 모든 아픔과 설움을 휘휘 감아, 그 복잡다단한 산전수전의 인생을 한 다발의 이야기로 삶아내는 것! "질 수야 없지. 잘난 입맛을 기절초풍시키고 말겠다. 코를 납작하게 만들겠어."라는 각오 역시, 단순한 요리사의 그것이 아니라 하나의 예의 정점을 향해 가는 장인의 집념 같은 것을 연상케 한다.

화자는 결국 인육요리를 보지 못하고 줄행랑을 놓았지만, 1년 후 시름시름 앓고 있는 사장에게 찾아와서는, 갈색 항아리 속에서 인육을 절여 만든 육젓을 발견한다. '인형의 것처럼 아주 작은 손가락'이 보이는 해(醢)말이다. 사장은 이것으로 나물을 무치고 볶음요리의 간을 맞췄다. 결국 그것 하나에 '사장의 모든 것이 다 들어 있는 것'이다. 화자는 이것을 병에 담아 폐전이 될, 부친의 염전 가까운 곳에 묻는다. 그리고 말한다. '이 다음에 태어나면 목청껏 울어봐라. 복된 가정에 태어나 아주 오래 살아야 한다.'라고. 죽은 어린 생명들을 향한 재생(rebirth)의 의식을 치르는 화자는, 얼마 후면, 골프장으로 바뀔 염전에서 마지막 노동의 열정을 다 하는 아버지의 모습과 겹치게 된다. '이걸(醢—인용자) 가지고 있는 것만으로도 병이 더 깊어질 것 같다고' 말하는 것처럼, 사장은 자신의 생을 녹여내, 원한 서린 영혼의 육젓을 만들었고, 이제 다시 그것은 새로운 생명으로 다시 태어나기 위한 영혼의 장례식을 치르는 것이다.

요컨대 이러한 과정은 하나의 순환의 논리가 된다. 숨이 끊어진 생명으로 요리를 만들고, 그 요리의 정점에는 죽음이 있고, 이는 다시 새로운 생명으로 태어난다. 이는 소설가가 하나의 서사를 만들어내고 그 서사가 다시 새로운 서사를 탄생시키는 거대한 서사의 사이클과 일치한다.

「충천」에 등장하는 눈동자에 벌레가 들어앉은 도예가에게서도 고통을 견디는 예인의 정신은 여실히 나타난다. 눈알에서 벌레가 자라는 그는 이미 벌레 이미지에 중독되어 있다. 수많은 벌레들이 선생이 만든 작품 속에 들어가 있다. 선생은 벌레 때문에 고통을 겪으면서도 이놈을 미워하기는커녕 관대하기까지 하다. 공방의 동료들은 이런 선생을 두고 하나 둘씩 떠나갔고, 화자만이 홀로 그의 곁을 지키고 있다. 선생은 '제 몸을 덜어 그릇에 보탠다'. 아니 선생이 이미 하나의 흙이다. 그렇게 그릇을 만들면 만들수록 선생의 몸은 여위고, 이젠 벌레까지 선생을 갉아먹어 간다. 예술이 예술가를 갉아먹는 형국! 그리하여 예술가는 오로지 견딤을 통해서만이 자신의 존재를 증명해 간다고 하지 않았는가. 그렇기 때문에 그러한 예술가의 언어는 고통(suffering)의 언어일 수밖에 없지 않은가.

선생은 제자인 화자에게 요구한다. '제발 징그러운 그릇 좀 만들어봐라. 네가 자꾸 고운 그릇만 만드니까 그릇에 기운이 없다.' 여기서 '고운 그릇'은 무엇을 의미하는가. 그것은 상투성에서 벗어나지 못한 작품을 가리킨다. 그렇다면 '징그러운 그릇'은 무엇인가가. 그것은 보편적인 인식의 지평을 넘어선 하나의 낯선 세계를 가리킨다. 진정한 예술이란 무엇인가. 어디에서 나오는가. 그것은 앞선 작품의 틀을 깨는 미적 혁신에서 나온다. 예술의 새로움이란 바로 그것이다. 선생은 충천(蟲天)을 그릇에 담기 위해 유리가루를 점토에 넣는다. 그 눈부신 빛들의 향연을, 그 황홀한 찰나를 그릇에 가두기 위해서 말이다. 선생과 화자는 충천을 찾아 밤길을 걷는다. 어둠 속에서 선생이 벌레집에 전등을 비춘다. 선생도 안대를 벗고 놈을 바라본다. 화자는 '이제 그만 나와라. 오래 머물면 날 수가 없다.'라고 말하며 선생의 눈에서 벌레가 나오기를 바란다. 드디어 벌레집의 입구를 열자 검은 하늘에 유리알 같은 빛들이 날아오른다. 선생은 이 홀황(惚恍)한 사물의 빛을 담기 위해 자신의 눈을 파먹는 벌레를 마다하지 않을 것이다. 자신을 모두 내어주고 예(藝)의 정점을 향해 가는 예인의 모습은, 진정한 소설가의 길이기도 하다. 고통 없이 지은 것이 어찌 빛을 발할 수 있을 것인가.

규범과 탈규범

텍스트(text)를 직물(texture)에 비유하는 것은, 그 어원적 양상이 드러내는 바와 같이, 서사를 엮는 행위와 옷감을 짜고 깁는 작업 사이의 유사성에서 기인한다. 「표준 사이즈」라는 작품에서 결론을 미리 끌어오면, 표준 사이즈란 없다는 것이 된다. 서로 다른 직물을 촘촘한 바늘땀으로 결합시켜도 서로 다른 꿈을 꿀 것이고, 그 실밥을 뜯어낸다 해도, 바늘구멍이라는 인연의 흔적은 남기 마련이다. 어디에 어떤 방식으로 어떤 모양으로 결합되는가는 모든 사람의 인연이 그러하듯, 하나의 표준(norm)이란 있을 수 없다. 있다고 말하는 것 자체가 하나의 폭력이다. 양복점 사장과 삼촌이라는 두 명의 남자는 서로를 결합하고 싶어하지만, '남자들끼리 사는 게 웬 말이냐고' 들고 일어나는 것이 바로 표준이라는 것이다. 이성애만이 통용되는 사회에서 동성애란 이단, 변태, 탈규범의 범주에 놓이기 때문이다.

'목덜미를 편하게 풀어헤치고 싶어도 이놈의 단추 때문에 마음대로 할 수가 없다'는 삼촌의 말은, '넥타이가 고추니까 이건(단추—인용자) 정낭이지. 불알 말이야, 불알. 요 단추에서 나온 내 자식, 요기서 기어나온 내 새끼 때문에 아무것도 할 수가 없어.'라는 진술에서도 드러나듯이, 문화적 규율에 의해서 작용하는 사회적 금기를 구체적으로 적시한다.

"기성품은 표준 사이즈를 따르잖아. 사람 몸은 제각각인데.

나 역시 표준 사이즈에 맞게 입으려면 팔다리를 조금씩 잘라 내거나 붙여야 할 것이다. 옷을 만들기 전에는 옷에 맞춰 아무렇게나 입었는데 이제는 내 몸이 잘못된 게 아니라는 걸 안다. (…중략…) 빌어먹을 표준 사이즈. 나는 기형이 아니란 말이다."(「표준 사이즈」, 150~151쪽)

'빌어먹을 표준 사이즈', 이것은 사람의 몸을 일정한 크기로 재단하는 것에 다름 아니다. 이성애를 인정하듯이 동성애를 존중하면 되지만, 사회적 약속은 그리 호락호락한 게 아니다. 그렇다면, 소설이라는 서사의 직물(texture)은 무엇을 겨냥하는가. 사람들은 왜 이야기에 호기심을 갖는가. 이러한 질문이 진부한 것은 그 해답이 너무나 명확하기 때문이다. 진정한 서사는 사회적 금기를 깨는 역할을 담당한다. 그렇기 때문에 독서대중은 이야기에 빠져드는 것이다. 통속물이 아무런 사회적 영향을 미치지 못하고 보수적 담론으로 회귀하는 것은 기존의 인식을 뒤흔드는 서사의 새로움이 없기 때문이다. 울로 짜고 나면 그것으로 끝이다. 세칭, 정화(catharsis)란 이렇게 배설되고 마는 감정을 의미한다. 진정한 서사는 '빌어먹을 표준 사이즈'에 저항하는 이야기다. '사람의 몸이 제각각'이듯, 집단의 이데올로기에 갇혀 본질이 희석되고 마는 산일(散逸)의 시간을 복원하는 것이 소설가의 임무다. 진정한 소설가는 집단이 아닌 개인의 삶에 그 가늠자를 두고 있고, 그것은 사회적 인식의 새로운 패러다임을 만들어낸다. 그러한 의미에서 진정한 소설가란 가장 불온한 제일의 혁명가라 할 수 있다.

글쟁이의 짝패

「더티 와이프」에서 화자는 다단계 회사 사기에 휘말려 손해를 보고 빚 독촉을 당하는 신세다. 다단계 회사에서 공급한 자석요를 반품하기 위해 공장을 찾았으나 이미 공장은 텅 비어 있다. 축축해진 발걸음으로 공장 주변을 배회하다, 중고 냉장고나 세탁기 그리고 컴퓨터의 잔해들이 어지럽게 버려져 있는 폐기물 더미 속에서, 화자는 아이를 만난다. 검은 머리카락과 흙 묻은 목덜미가 보이자, 처음에는 여자의 시신인 줄로만 알았지만, 그것은 사람이 아닌 리얼돌(real-doll)이었던 것.

아이를 지하실로 옮기기 전에는 언제나 바로 이 공터에서 아이와 나란히 앉아 노을을 즐기기도 했다. 그렇게 몇 시간이고 아이와 함께 있는 시간은 참으로 마음이 편했다. '누군가 분명히 있지만' '서로를 상관하지 않아도 되는' 편안함 말이다. 그러나 아이에게 질(膣)이 있다는 사실을 알게 된 순간, 그런 리얼돌 마니아들이 많다는 것을 알게 된 순간, 그리고 이 아이가 비싼 물건이라는 사실을 알게 된 순간, 그때의 편안한 마음은 사라져 버리게 된다. 대상을 구속하지 않는 진정한 사용가치가, 환금성을 매개로 하는 욕망의 대상 즉, 교환가치로 전락하게 된 것이다.

지하실에 아이를 옮기고 나서, 화자는 늘 아이의 눈을 의식한다. 생기도 없는 플라스틱 눈동자이건만, 아이의 시선을 늘 감지한다. '나'도 몰래 '움직이지 마!'라고 소리친 적도 있다. 적어도 아이는 내 외로움을 달래주는 애인임과 동시에 섬뜩한 이물적 존재이기도 하다. 결국, 화자의 손엔 '수표가 든 두툼한 봉투'가 남겨지고, 아이는 사라져 버렸다. '더티 와이프'라고 불리는 실리콘 인형에 불과하지만, 화자는 그것을 그처럼 단순하게 여기지 않는다. 아이를 팔고 나면 또 다른 놈 밑에 깔리게 된다는 생각에, 아이를 팔기 전날, 화자는 아이에게 달려들어 몇 번이고 정액을 쥐어짜낸다. 아이를 팔아치웠다는 사실조차도 비현실적으로 느껴질 만큼, 화자는 아이를 팔고 난 후, 공황의 상태에 빠져든다. 그런 마음을 달래려는 듯, 화자는 목이 부러진 선풍기를 보고, '너라도 데려가야겠다.'며 그것을 배낭에 집어넣는다. 그 어떤 것에도 기댈 수 없고, 또 어느 누구의 손도 잡을 수 없는 상황에서 화자는 모가지가 부러진 선풍기라도 데려가야 하는 것이다. 등에 업힌 아이처럼 말이다.

화자는 다시 부러진 선풍기를 대상으로 또 다시 대화를 하게 될 것이다. 리얼돌의 떨어진 다리를 수선해 주고, 뭉친 머리카락을 보기 좋게 잘라 주었듯이, 화자는 모가지가 부러진 선풍기도 고쳐줄 것이다. 부서지고 떨어져나간 상처받은 존재들을 자신의 눅눅한 지하실로 끌고 들어와 그들에게 생명을 부여하고 상처를 쓰다듬으며, 마침내 그것을 자신의 분신으로 삼는 것. 작가가 소설을 쓰는 행위도 이와 다르지 않다. 버려져서 아프고 서러운 것들을 자신의 마음 속 깊은 곳에 데리고 들어와 그것들을 상대로 연기(演技)를 펼치는 것, 이것이 바로 소설 쓰기가 아니겠는가.

생과 사의 경계에서

작가는 늘 경계에 서 있는 존재다. 현실을 살고 있지만, 늘 현실 밖을 꿈꾸는 존재다. 그에게 있어 꿈꾸기는 현실을 비상(飛上)하게 하는 동력이 되지만, 그로 인해, 지상적 존재가 아니라는 곤고한 상황을 견뎌야만 한다.

여기, 한 마리 물고기로 변해가는 남자가 있다. 「손톱 밑 여린 지느러미」를 보면, 목덜미에 '초승달처럼 길게 빗겨진 모양'의 아가미가 생기고, 손톱 밑에 톱니 모양의 작은 지느러미가 돋는 사내가 나온다. 그는 물을, 바다를 그리워한다. 그 공간이 바로 '태아였을 때의 환경'이기 때문이다. 사내는 몸이 변해갈수록 두려우면서도 묘한 쾌감을 느낀다. 의사는 이렇게 말한다.

> "해수가 닿을 때마다 몸이 변할 겁니다. 잠수 오래 하면 숨이 바뀌니까 명심하세요. 폐에서 아가미로, 물과 공기의 교환이죠. 신생아가 태어나면 양수를 토해내고 공기를 폐로 받아들이는 것과 반대로 생각하면 돼요. 이왕 생겨버린 아가미인데 아깝다고 그리로 호흡하기 시작하면 어찌될 것이냐, 그날로 생선이 되는 거죠, 생선."(「손톱 밑 여린 지느러미」, 165쪽)

아가미로 호흡하는 순간 한 마리 생선이 되는 것! 인간으로 살 것인가, 아니면 물고기로 살 것인가. 결국은 선택인 것. 인간으로 남고 싶으면, 이른바 '모태회귀'의 욕망을 다 버리고, 우직하게 버티는 수밖에 없다.

결국 사내는 물속에서 눈을 뜬다. 그리고 바다 깊은 곳에서 에메랄드빛으로 흔들리는 아름다운 햇살을 바라본다. 의식은 점점 몽롱해진다. 어서 고통이 사라지기만을 바랄 뿐이다. 그리고 환한 에메랄드빛이 몸을 감싼다. 몸은 조금씩 떠오르고 나른한 안식이 찾아온다. 죽음! 그것은 난생처음 느껴보는 '완벽한 안도감'이었다. 바다의 유혹은 결국 죽음이었고, 그 죽음은 신안 앞바다에서 잠수부를 했던 아버지의 유전자이며, 자신의 내밀한 공간마저 파고들며 간섭하는 어머니로 상징되는 현실적 압력으로부터의 도피라고 할 수 있다.

그러나 현실적으로 죽음이 영원한 행복이 아니듯, 작가는 억압적인 현실에 발을 딛고 있지만, 그것을 뚫고 나오는 상상력의 힘으로 유토피아를 꿈꾼다. 이는 생/사, 삶/꿈, 존재/타성(otherness) 사이의 경계에서 울려나오는 신령한 유혹의 목소리처럼 들린다. '투명한 바닷물의 기운이 어서 오라고, 그를 꼬드기'는 것처럼. 작가는 언제나 독자를 현실 속에 가두지 않는다. 현실의 은폐막을 뚫고 함께 비상하자고, 작가는 늘 독자를 유혹한다. 거기엔 신비한 에메랄드빛 태양의 산란이 있고, 꿈꾸는 자에게만 보이는 안식이 있다. 작가가 꿈꾸는 희원의 빛이란 바로 이것이다. 그러기 위해선 작가는 늘 한쪽에 삶을 딛고 다른 한쪽엔 죽음을 딛고 서 있어야 한다. 이러한 작가의 선체험이란 바로 유토피아적 전망의 또 다른 모습일지 모른다.

생의 아우라를 찾아서

사실과 재현, 원본과 모방의 간극이 사라진 기술복제시대에, 존재의 일회성·진품성을 함의하는 영기(靈氣)는 사라질 수밖에 없다. 이러한 상황에서 욕망(desire)의 방식도 존재의 궁극을 향하지 않고 수많은 모방물들 속에 분산된다. 이러한 시뮬라크르(simulacre)의 시대에 작가는 어떠한 이상을 추구해야 하는가를 절실하게 그려낸 작품이 바로 「너의 콩조각」이다.

이 작품의 화자는 다른 이의 몸속에 들어간 남자친구의 신장(콩조각)을 찾는다. 남자친구였던 '성진이'는 언제나 달릴 궁리만 하는 아이. 군대 간 삼촌이 두고 간 오토바이를 탄 순간부터 그는 속도에 빠져든다. '헬멧이 조각 날 정도로' 가로등을 들이받은 그는 그것을 끝으로 '딴 세상으로 가버렸'다. 화자는 복사집에 갈 때마다 성진이 사준 '청치마와 노란 셔츠'를 입고 간다. 그것이 찾아올 길 없는 성진이의 영혼에 '친절한 표지판'이 될 것이라면서. 화자는 악착같이 허기를 참아내며 성장을 멈추고자 한다. 성진이를 마지막으로 봤던 그 모습 그대로 그의 표지판이 되기 위해서다.

'분신사바'라는 영매 행위까지 해가며, 죽은 남자친구인 성진이를 그리워하던 화자는 마침내 그의 콩팥을 몸에 지니고 있는 사람을 찾아냈으니, 그 사람이 바로 복사 가게 아저씨다.

> "복사기 옆으로 빠르게 튀어나오는 종이들을 보며 나는 원본 없는 세상을 상상한다. 복사물이 넘쳐나는 세상. 나는 원본일까, 복사본일까."(「너의 콩조각」, 229쪽)

이러한 화자의 혼란과 그로 인한 절망의 감정은, 넘쳐나는 복사물의 시대를 살고 있는 우리의 감각을 다시 일깨운다. 화자는 남자친구가 세상에 두고 간, 유일한 장기인 콩팥을 찾았다. '아저씨도 많이 아팠다고 한다.' 나는 성진이의 콩팥이 든 자리도 직접 만져 본다. 그렇게라도 성진을 느끼고 싶었던 것이다. 우리가 진정으로 원하는 것은 무엇인가. 수많은 가짜들 속에서 우리는 어디서 우리의 콩조각을 찾아야 할 것인가. 그 어떤 것으로도 대체할 수 없는 것, 오로지 그것이 아니면 안 되는 것, 오로지 그것만이 진짜인 것, 그 하나를 찾기 위해, 그 존재의 아우라를 찾기 위해 작가는 이 기만과 허위의 시대를 헤매는 것이 아닌가.

그리하여 명지현의 첫 번째 소설『이로니, 이디시』는 모두 소설을 향한 헌사이자, 작가 자신의 존재론적 탐구로 이뤄낸 서사의 응결체다. 작가는 이렇게 자신이 평생을 짊어지고 가야 할 장르에 대한 정체성을 확립하고 스스로의 존재기반을 다진다. 지난 연대, 이른바 소설가의 소설이 유행처럼 번졌지만, 그처럼 나르시시즘에 젖은 관념의 문학은 이제 그 가치조차 미미하다. 그러나 작가 명지현이 소설과 소설가에 대한 통찰로 빚어낸 은유의 서사는, 이야기의 본질적 의미를 담지하고 있는 하나의 뛰어난 소설론이라고 할 수 있다. 이야기는 어떻게 태어나며, 그 기원은 무엇이며, 그 신산한 소설가의 운명은 어떠하며, 그의 존재론적 자리는 어디이며, 작가가 찾아가는 궁극의 실체는 무엇인지 낱낱이 해부하고 있는 명지현의 소설은, 21세기 문학을 새롭게 시작하는 우리에게 확고한 서사의 지침이자 지렛대가 될 것이라 믿는다.

김정남

본지 편집동인. 1970년생. 2002년 《현대문학》(문학평론), 2007년 《매일신문》 신춘문예(소설) 당선. 관동대 겸임교수. 평론집 『폐허, 이후』, 앤솔로지 『2009 젊은소설』이 있음. phdjn@hanmail.net

가격 : 15,000원
발행처 : 도서출판 해성
www.book0485.com
051-465-1329

부산 걷기여행

갈맷길, 강 길, 숲길… 부산의 길에서 찾는 행복

좋은 길, 행복한 걷기 … 세상을 향해 마음 열어요
Green Walking 명품코스 12곳 모은 '걷기 지도' 완성

바야흐로 '길의 시대'

해안길, 강변길, 웰빙길, 낙동강 물줄기 걷기…
잠자고 있던 길들을 파도와 바람과 숲을 벗삼아
부산을 아우르는 갈맷길을 책으로 만나다!

이 작가를 주목한다

시인 송경동

1967년 : 전남 벌교 출생

1983년 : 벌교남초등학교와 벌교중학교 졸업

1986년 : 전남고등학교 졸업(광주 소재)

1992년 : 한국문학예술대학 2년 수료(이시영, 정희성, 김남주 선생과 공부)

1992~2002년 : 〈구로노동자문학회〉와 〈전국노동자문학연대〉 활동

1992~2005년 : 〈구로지역민주단체협의회〉를 축으로 지역운동

1997년 : 현재 진보생활문예지 『삶이 보이는 창』 창간 및 활동(편집인, 편집위원 등)

1998년 : 나우정밀노조 10년사 『영원히 꺼지지 않는 희망의 횃불로』 펴냄

1999년~현재 : 〈일과시〉 동인 활동

2000~2006년 : 〈노동문화정책정보센터〉 운영위원

2000~2004년 : 〈전태일문학상〉 운영위원

2000~현재 : 계간 《진보평론》 편집위원

2001년 : 계간 《노동자문예 삶글》 창간

2002년 : 《내일을 여는 작가》와 《실천문학》 통해 공개 작품 활동 시작

2003년 : 한국문화예술위원회 선정 〈시 부문〉 창작기금 수혜

2006년 : 첫 시집 『꿀잠』(삶이 보이는 창) 펴냄

2007년 : 한국문화예술위원회 선정 〈산문 부문〉 창작기금 수혜

2007년 : 〈한미FTA 저지를 위한 문화예술계 대책위원회〉 공동집행위원장

2007년 : 〈리얼리스트100〉 결성 및 활동

2008년 : 〈광우병 소고기 수입저지 국민대책위〉 집행위원

2008년~현재 : 〈기륭전자 여성비정규직노동자 투쟁승리를 위한 공대위〉 집행위원장

2008년~현재 : 〈콜트-콜텍 기타 만드는 노동자들과 함께 하는 문화노동자 모임〉 결성 및 활동

2008년~현재 : 〈비정규직 없는 세상만들기〉 사회운동 네트워크 결성 및 활동

2009년 : 〈용산철거민 살인진압 범국민대책위〉 활동(관련해 현재 1심 재판 진행 중)

2009년 : 두 번째 시집 『사소한 물음들에 답함』(창비) 간행

2010년 : 제12회 〈천상병 詩상〉 수상

직설의 미학과 그 너머[1)]

송경동론

이 성 혁

1

《실천문학》 2009년 여름호에 실린 박후기 시인과의 대담에서, 송경동 시인은 시를 왜 쓰냐는 질문에 "세상을 바꾸고 싶어서, 노동자들에게 위로가 되고 싶어서, 그리고 내 안에 있는 외로움을 이겨내려고" 쓴다고 대답하고 있다. 송경동 시인이 상재한 두 권의 시집인 『꿀잠』(삶이보이는창, 2006)과 『사소한 물음들에 답함』(창비, 2009)이 보여주는 시 세계의 바탕에는, 시인의 그 대답처럼 자본주의 세상의 변혁에 대한 의지와 노동자들과의 연대에 대한 희구가 깔려 있다. 그리고 그 의지와 희구는 시인의 삶과 직접적으로 연결되어 표현되고 있다. 시 쓰기는 실존적인 행위다. 그가 활동가가 되는 것에 그

1) 필자는 예전부터 송경동 시인의 시에 대해 관심이 많은 편이었다. (필자는 문예지에서보다는 주로 인터넷 신문을 통해 그의 시를 접했다. 그의 시는 사건 보도 기사와 함께 발표되고 있었던 것이다.) 그래서 몇 년 전부터 필자는 몇 편의 글을 통해 송경동 시에 대해 언급했었는데, 특히 「다시, '시와 행동'에 대하여」(《현대시》, 2008년 8월호)에서 그 잡지에 실린 송경동 시인의 신작시들에 대해서만 본격적으로 살펴본 바 있었다. 이 글의 앞부분은 그 「다시, '시와 행동'에 대하여」의 일부를 대폭 수정하여 쓴 것임을 밝힌다.

치지 않고 시인으로서의 삶을 살고자 마음먹게 된 것은 바로 '외로움' 때문일 것이다. 즉 외로움에 대한 실존적인 감수성이, 그에게서 시 쓰기라는 실존적인 행위를 이끌어냈을 테다. 그런데 시 쓰기만을 통해서는, 그 외로움에서 벗어날 수 없다. 송경동 시인은, 억압받고 착취 받는 이들인 노동자들과의 연대를 통해서, 그리고 억압과 착취를 낳는 세상을 바꾸고자 하는 행동을 통하여 비로소 외로움에서 벗어날 수 있다고 생각한다. 그래서 외로움에서 벗어나고자 행하는 송경동의 시 쓰기는 연대와 투쟁에 직접적으로 연결된다. 실존적인 외로움을 이겨내려는 의지와 억압받고 착취당하는 노동자들과 연대하여 세상을 바꾸고자 하는 의지가 그에게는 하나인 것이다. 그래서 그는 시를 쓰면서 동시에 행동한다.

송경동은 투쟁하는 시인이다. 그는 언제나 자신이 쓴 시를 품고 투쟁 현장에 참여한다. 그의 투쟁은 거리에서 이루어진다. 잘 알려져 있듯이, 송경동 시인은 한국 사회의 잔인성과 모순을 적나라하게 드러나는 현장—즉 삶의 박탈이 무자비하게 이루어졌던 기륭전자 해고자들의 투쟁 현장이나 용산 참사 희생자들의 가족들이 농성하고 있는 현장—이라면 주저하지 않고 달려간다. 그는 연대하는 한 사람의 노동자로서 그 현장의 맨 앞자리에 선다. 그곳에서는 자본의 행동대가 되어버린 전투 경찰이나 회사가 고용한 깡패들이 저항하는 이들에게 갖가지 위협과 모욕을 가하고 있다. 그는 그곳에서 용역에게 맞고 전경에게 체포되어 경찰서로 끌려간다. 그 와중에 그의 시는 쓰여진다. 『꿀잠』에 실린 김해자의 발문에 따르면, "포클레인에 파헤쳐진 흙구덩이에 처박힌 사람들과 실신하는 농민들의 고함과 절규, 볏짚을 태운 뿌연 연기로 싸움터가 된 벌판과 거리가 바로 그의 시가 잉태한 자리"이다. 그래서 그의 시는 한국 사회의 주류가 외면하고 있는 그 "고함과 절규"를 드러낸다.

그리하여, 송경동 시인은, 적어도 투쟁하는 이들 사이에서는, 현재 한국 시의 '뜨거운 상징'이 되고 있다. 매스컴의 조명이나 '문단 권력'의 '띄우기'에 의해 그가 그러한 상징이 될 수 있었던 것이 아니다. 그가 '뜨거운 상징'이 될 수 있었던 것은, 위에서 말했듯이 그는 항상 '앞자리'에 있었기 때문이다. 물론 그 앞자리는 새로운 시적 표현과 같은 미학적 영역에 위치해 있지는 않다. 그곳은 생생한 실제 현장의 '앞'을 의미한다. 그 현장의 앞에서, 그는 몸을 던져 저항하는 동시에 고함과 절규의 시를 잉태한다. 그래서 그의 시작詩作 활동은 '시와 행동'이라는 다소 고전적인 문제를 다시 제기한다. 김수영이 "시는 행동"이라고 말했을 때, 그는 시의 이념(idea)을 말한 것이다. 시가 행동 자체가 되는 것, 그것이야말로 시가 도달할 수 있는 최고의 경지일 것이다. 송경동 시가 이러한 경지에 도달했다는 것은 아니다. 시와 행동이 일치한다는 것은 시인이 도달하고자 하는 이상이자 이념인 것이어서 한 시인이 그러한 이상에 실제로 도달한다는 것은 거의 불가능하다고 보아야 할 것이다. 허나 그의 시는, 언제부턴가 한국 시단이 외면해 버린 그 이념을 다시 부상시키고 있다는 데 의미가 있다. 시란 우리가 향유하는 문화의 일부분만이 아니라 실제로 삶을 건 행동일 수 있다는 시의 이념을 잊지 않게끔, 그의 시는 우리의 사유를 자극한다.

2

송경동 시인에게 시인으로서의 영예는 어떤 문학상 수상에 있는 것이 아니라 투쟁 현장에서 낭송한 자신의 시가 투쟁하는 이들에게 어떤 힘이 될 수 있을 때에 있다. 연대가 사랑에서 시작될 수 있으며, 한편 사랑이야말로 시적인 것이 거주할 하나의 장소라고 한다면, 시가 한 순간이나마 어떤 현장에서 사람들 마음에 연대의 감정을 불러일으켰을 때야말로 시적인 것의 현실화가 이루어졌다고 할 수 있을 테다. 그리고 이때 시와 행동은 잠시 동안 일치하게 된다. 그래서 그가 선전선동시를 쓰는 것은 시를 행동에 접근시키는 행위이고, 행동이 된 시를 통해 시적인 세계를 창출하려는 행위이다. 또한 그래서, 그의 시-행동은 정치적 행위의 일부로서 이루어지지만, 시를 저버리는 일은 아니다. 그것은 정치와 시의 접맥을 통한 시의 현실화를 노리는 행위이기 때문이다. 송경동 시인에게 시의 현실화란 억압받고 착취당하는,

“비천한 모든 이들”(「사소한 물음들에 답함」(II))[2]이 말할 수 있는 세상, 그들이 자신의 삶의 존엄성을 지키고 타자를 사랑할 수 있는 삶의 능력을 개화시킬 수 있는 세상이 이루어졌을 때를 의미하기도 할 것이다. 그러한 세상이 그냥 올 수는 없고 투쟁을 통해서만 올 수 있는 것이라면, 그리고 그 투쟁 과정에서 시가 무기가 될 수 있다면, 그는 이 또한 시의 영예라고 생각할 테다. 그러므로 무기로서의 선전선동시를 쓰는 행위는, 그로서는 반시(反詩)적인 것이 아니라 도리어 시의 영예를 위한 것이다.[3]

그렇다고 송경동 시인의 무기인 ‘선전선동시’가 ‘미학’적 입장에서 볼 때 거칠다거나 언어에 대한 시적 세심함이 떨어지는 것은 아니다. 그는 선전선동시를 ‘잘’ 쓴다. 하중근 열사를 추모하는 시인 「안녕」(II)과 같은 시는 미학적으로 뛰어난 선전선동시라고 생각한다. 1연을 읽어보자.

안녕
이젠 모두 안녕
하청도 재하청도
일용공 노가다 잔업 철야 대마치
반지하 월셋방 때 전 이불 바퀴벌레 생쥐들
야이 개새끼들아
까닭모를 아픔도 슬픔도
새벽밥 눈칫밥 기름밥
새참의 빵도 우유도 라면도

---

2) 앞으로 인용시가 『꿀잠』에 실려 있을 경우 (I)로, 『사소한 물음들에 답함』에 실려 있을 경우 (II)로 표시하여 그 시의 출전을 밝힌다.

3) 2006년 포스코 파업 투쟁 과정에서 경찰의 과잉 진압에 의해 하중근 열사가 사망한 일이 있었다. 송경동 시인은 「새로운 세계를 건설하라」라는 시를 써서 하중근 열사 장례식에서 낭송했다. 경찰은 그 시에 발끈해서 그에게 국가 변란죄 혐의인가 하는 이유로 출두 명령서를 보냈고, 송경동 시인은 경찰의 반응에 대해 시인의 영예로서 받아들인다고 말했던 것으로 기억한다. 그런데 그 말은 단순한 수사만은 아니었던 것이다.

이 부분을 읽으면 그가 말의 질감과 배치에 대해 예리한 감각을 갖고 있다는 것을 알 수 있다. 노동자들이 흔히 쓰는 일상적인 말들을 요령 있게 배치하고는, 그 사이에 '개새끼들아'라는 욕을 삽입시켜, 공권력에 타살당한 한 노동자의 삶이 독자(청자)에게 생생하고 가슴 아프게 다가갈 수 있게 했다. 그리고 몇 개의 단어를 나열하면서 한 노동자의 누추한 생활과 고달픈 노동이 구체적으로 연상되게끔 한 솜씨도 돋보인다. 이를 보면 시인이 '미적 형식' 또는 언어의 시적 효과에 대해 등한시하고 있지 않다는 것을 확인할 수 있다. 어쩌면 그러한 형식의 문제에 그는 누구보다도 고심할지도 모른다. 왜냐하면, 거리에서 시를 쓰고 집회에 모인 청중을 대상으로 시를 읽으려고 하는 이 시인으로서는, 시의 성공 여부는 자신의 시가 청중에게 그들의 심적인 힘, 정치적 의지를 얼마나 북돋아 줄 수 있느냐에 있기 때문이다. 청중의 힘과 의지를 북돋기 위해서는 효과적인 형식에 대해 고심하고 실험해야 한다. 그렇기에 선전선동시를 쓴다고 하여 송경동 시인이 시적 표현에 신경 쓰지 않고 자신의 관념만 나열하는 식으로 시를 쓸 것이라고 생각하면 오산이다. 용산 참사를 주제로 한 「냉동고를 열어라」(II) 역시, 선전선동의 효과를 배가시킬 수 있는 시적 형식에 대해 시인이 얼마나 고심하고 있는가를 보여주고 있다. 후반부를 인용한다.

> 150일째 우리 모두의 양심이
> 차가운 냉동고에 억류당해 있다
> 150일째 이 사회의 민주주의가
> 차가운 냉동고에 처박혀 있다
> 150일째 이 사회의 역사가
> 차가운 냉동고에 얼어붙어 있다
> 이 냉동고를 열어라
> 이 냉동고에 우리의 용기가 갇혀 있다
> 이 냉동고를 열어라
> 이 냉동고에 우리의 권리가 묶여 있다

이 냉동고를 열어라
이 냉동고에 우리의 미래가 갇혀 있다
이 냉동고를 열어라
이 냉동고에 우리 모두의 소망인
평등과 평화와 사랑의 염원이 주리 틀려 있다

거기 너와 내가 갇혀 있다
너와 나의 사랑이 갇혀 있다
제발 이 냉동고를 열어라
우리의 참담한 오늘을
우리의 꽉 막힌 내일을
얼어붙은 시대를
열어라 이 냉동고를

이 시는 집회에서의 낭송을 목적으로 하여 씌어졌음에 유의해야 한다. 즉 이 시의 진가를 알기 위해서는 송경동 시인의 낭송을 직접 들어봐야 한다. (이 시에 대한 시인의 낭송은 인터넷을 통해 쉽게 들을 수 있다.) 그 낭송을 들어보면, "이 냉동고를 열어라/이 냉동고에"라는 반복되는 문구와, 그 반복 문구 사이에 삽입된, 점층적으로 변조되고 있는 문장이 어울리면서 점점 급박한 리듬이 창출되고 있음을 느낄 수 있다. 점점 급박하게 변하는 리듬은 청자의 감정을 고양시킨다. 즉 이 시에 쓰인 반복과 변조, 대구법은 낭송에 급박한 리듬을 형성하면서, 그 리듬에 호응한 청자의 심장을 북소리처럼 두드린다. 그 리듬은 진술되는 내용, 즉 참사라는 사회적 사건과 호응하면서 청자가 어렴풋이 품고 있었던 분노와 비애를 증폭시킨다. 이러한 리듬을 창출하고 있는 시적 구성은, 시가 집회에 사용될 때 가질 수 있는 정치적인 효과를 최대한으로 높이기 위해서 시인이 세심하게 만든 것이 아니라면, 오랜 습작 끝에 자연스럽게 터득한 기법에서 나온 것일 테다. 그런데 이 기법의 특징은 직설에 기반하고 있다는 데에 주목된다. 직설적인 문장들의 반복·변주가 특유한 시적 효과를 만들어내고 있는 것이다. 만약 저러한 구성으로 짜인 시에 은유가 남발되었다면, 북소리와 같은 리듬은 형성될 수 없었을 테다. 게다가 시인은 장식적인 은유에 대해 아래와 같이 직접 비판하고 있다.

오래 산 나무에 대한 은유로
가득 찬 시들을 보면
벌목해버리고 싶은 충동

그 그늘에 기생하는
역사에 대한 미결정과
안온한 무지와 무책임의 농담이
늘 그 자리인 환원의 뿌리가
지겨워

내게서 더 이상
묶인 나무를 빗댄 은유를 바라지 마라
그 자리에서 눈물로 뚝 떨어져버리는
참혹한 꽃의 비유를 바라지 마라

—「오래 산 나무에 대한 은유를 베어버리라」(II) 전문

"비유를 바라지 마라"라는 말은, 말의 미학적 운용에서 시의 작품성을 판단하는 시단에 대한 비판의 의미도 있겠지만, 돌려 말하지 않고 있는 그대로 말하는 직설이 이 참혹한 세상에서 진실을 말하기 위해서는 더욱 요긴한 시적 어법이라는 의미 역시 품고 있다. 시인에 따르면 "오래 산 나무에 대한 은유/가득 찬 시들"은 공권력에 의해 사람들이 머리가 찢기거나 불타 숨지는 이 현실에서 "안온한 무지와 무책임한 농담"을 드러낼 뿐이다. 이는, 그러한 시들은 비유라는 그늘에 기생하여 착취와 폭력이 자행되는 현실로부터 도피한다는 의미일 게다. 그래서 그의 시는 "오래 산 나무에 대한 은유"를 벌

목해버리고 날 것 그대로의 현실을 직설적으로 제시하고자 한다. 「비시(非詩)적인 삶들을 위한 편파적인 노래」(II)에서는 송경동 시인의 이러한 인식 및 미학이 구체적으로, 그리고 전투적으로 드러나 있다. 이 시는 고양시가 폭력배들을 동원하여 대대적으로 노점상을 단속하자 자살한, 먹거리 노점상 이근재 씨를 추모하기 위해 쓰여진 시다. 허나 이 시는 추모시의 성격을 넘어선다. 송경동 시인은 이 시에서 정치적 선동과 함께 기성 서정시에 대한 강력한 비판을 가하면서 시에 대한 자신의 생각을 적극적으로 표명하고 있는 것이다. 국가권력이 삶의 터전에서 서민들을 폭력적으로 내몰며 현실에서 애매한 비유를 사용하면서 시를 고상하게 쓰는 행위는 권력의 폭력이 횡행하는 현실을 호도하는 일일 수 있다는 것이다.

그는 그 시에서 노점상을 철거하기 위해 막대한 비용을 들어 깡패를 고용한 고양시 및 일산구청과, 노점상 서민들을 폭력으로써 내몰으며 '공무수행'을 하고 있는 경찰을 '산문적으로' 고발하고 있다. 즉, 시인은 "500여 노점상들을 거리에서조차 몰아내기 위해/31억 원의 예산을 배정했다는 고양시청/30명도 채 안 되는 노점상 양민들의 생존권을 빼앗기 위해/150명의 폭력배를 고용한 일산구청/저항하면 공무수행위반으로 구속하겠다는 경찰/폭력배를 고용한 관공서를 경찰이 보호하며/서민을 향한 폭력이 공무로 수행되는 나라"라는 직설적이고 산문적인 표현을 통해, 국가권력이 약자들에게 공권력–폭력을 마음대로 행사하는 현실을 직접적으로 드러내고 있는 것이다.[4] 시인은 의도적으로, 이렇게 보고문과 같은 산문적인 진술을 했을 테다. 왜냐하면 진실은 악다구니 쏟아지는 산문의 영역에 있기 때문이다. 한 '노점상 양민'의 자살은 이 더러운 산문의 영역에서 행해진다. 이 더러운 세상의 산문성 그 자체를 그대로 드러내지 않고, "당신의 죽음 앞에서" "어떤 그럴듯

4) 허나 그 직접적인 진술이 완전히 비시적이라고는 할 수 없는데, 왜냐하면 그 진술엔 아이러니가 관통하고 있기 때문이다. 즉 "폭력배를 고용한 관공서를 경찰이 보호"한다는 아이러니. 그런데 그 아이러니는 시인이 어떤 수사법을 사용한답시고 만든 무엇이 아니라 현실 자체가 생산한 것이다. 현실 자체가 그러한 아이러니를 생산한다는 사실 자체가 또한 아이러니컬하다고 말할 수 있겠다.

한 비유와 분석"을 동반한 "어떤 아름다운 시로 이 세상을 노래"하는 것은, 시인에 따르면 "이 세상의 구체적인 불의를" "구조적으로 덮어"주는 일이다. 그래서 시인은 이 시에서 다음과 같이 말한다.

> 그러나 나는, 이 더러운 세상
> 이 엿 같은 세상이라고 표현하지 않고
> 저들이 당신들의 생존권과 터전을
> 가진 자들을 위한 법으로 들어엎듯
> 당신들이 또한 이 더럽고 추악한 세상을
> 없는 자들의 새 법으로 엎어버려야 한다고 말하지 않고
> 무슨 시를 쓸까

시인에 따르면, 국가 폭력에 의해 벌거벗겨진 삶, 실제로 죽음과 삶의 경계에 놓여 공포에 떨어야 하는 '비시적인' 삶 앞에서는, 풍성한 비유로 자신의 아름다움을 뽐내는 서정시는 아무런 의미도 없다. 그는, 너무나 "일상적"이고 "보편적"이고 "평범한" 폭력, 그것도 국가기구에 의해 자행되는 폭력 아래에서 불구가 되거나 자살해야 하는 사람들 앞에서 이 세상이 '엿 같다'고 직접적으로 말하지 않고는 무슨 시도 쓸 수 없을 것이라고 주장한다. 이러한 그의 '비시적인' 발언은 강력하다. 사람이 국가권력에 의해 죽어나가는 더러운 현실이 있다는 것을 지적하면서, 그 현실과 접속하지 못하고 있는 '애매하고 모호하고 깊은 서정'은 결국 그 더러운 현실을 "구조적으로 덮어주는" 이데올로기적인 기능을 하는 것이라는 시인의 비판은, 정곡을 찌르는 바가 있는 것이다. 그래서 그의 비시적인 발언은 시적이라 할 것이다. 그 발언은 현재 굳어져버린 기존의 시 관념을 뒤흔들기에 그렇다. 그 흔들림은 독자의 마음 역시 뒤흔들게 할 것이다. 그리하여 이 시는 현실에 직접적으로 작동하게 된다.

요컨대 송경동은 시에 요청되고 있는 것이 이데올로기화된 '서정성'보다는 시가 가진 고유한 힘을 통해 정치적 현실에 직접적으로 작동하는 '편파성'이

라고 주장한다. 그래서 선동시의 비시적인 결함 같은 것은 이 시인에게 문제가 되지 않는다. 더럽고 추악한 세상 속에서, 정부가 조직한 폭력에 맞서 악에 받혀 싸우는 비시적인 삶이, 그에게는 시의 서정성보다 더 중요하다. 그래서 그는 에두르지 않고 직접적으로 선동하고 비판한다. 아니 직설적인 시의 발언 형식 자체가 싸움의 한 형식이 된다. 왜냐하면 "세계는 학살을 하며/그게 평화라 하고/기생을 자유라 하고/굴종을 안녕이라 가르치기에"(「그 서투른 말들을 믿기로 했다」(I)), 곧바로 사실을 벌거벗겨 사태의 본질을 직설적으로 진술한다는 것은 그러한 세계의 이데올로기를 파괴한다는 의미를 가지고 있기 때문이다. 이데올로기는 관습화될 때 그 힘을 발휘한다. 즉 안녕을 위해 굴종이 관습화될 때, 기생을 자연스럽게 자유라고 여기게 될 때 이데올로기는 강력한 효과를 가질 수 있게 되는 것이다. 그런데 관습화된 이데올로기는 법을 통해 물질화되어 강제성을 가지게 된다. 가령 허가를 받아야 어느 장소에 거주할 수 있다는 '법'이 그러하다. 관습처럼 자리 잡은 법에 따라, 사람들은 국가의 허가를 받아가며 거주해야 한다는 것을 당연한 일로 생각한다.

그런데 송경동 시인은 그러한 관습화된 법적 이데올로기를 뒤집어 "허가받을 수 없는 인생/그런 내 삶처럼/내 시도 영영 무허가였으면 좋겠다/누구나 들어와 살 수 있는/이 세상 전체가/무허가였으면 좋겠다"(「무허가」(II))고 말한다. 시인은 이 이데올로기에서 벗어날 때 "누구나 들어와 살 수 있는" 진정한 시를 창출할 수 있다고 생각한다. 여기서 그의 시가 가진 또 다른 매력을 발견할 수 있다. 그 매력은, 시인이 관습과 상식이 되어버린 이데올로기적 호명들을 뒤집고는 주저 없이 당파적 입장을 단호하게 표명하면서 자기 가치화를 행하는 데에서 느낄 수 있다. 「혜화 경찰서」(II)와 「나의 모든 시는 산재시다」(II) 등은 자기 가치화를 통해 이데올로기를 전복하는 사유를 보여주는 시다. 「혜화 경찰서」에서는, "영장 기각되고 재조사 받으러"간 시인에게 "일년치 통화기록 정도로/내 머리를 재단해보겠다고/몇년치 이메일 기록 정도로/나를 평가해보겠다고" "알아서 불어라"며 위협하는 경찰의 행태에 대해, 시인은 "풍선이나 불었으면 좋겠다/풀피리나 불었으면 좋겠다"면서 "내 과거를 캐려면/최소한 저 사막 모래산맥에 새겨진 호모싸피엔스의/유전자 정보 정도는 검색해와야지" "그렇게 나를 알고 싶으면 사랑한다고 얘기해야지/이게 뭐냐고"라고 응대한다. 경찰의 비열한 위협에 대해 시인은 분노나 질타로 대답하는 것이 아니라 자기 삶에 대한 웅대한 긍정 위에서 냉소로 응대하고 있는 것이다.

송경동의 좋은 '선전선동시' 중 하나인 「나의 모든 시는 산재시다」는 좀 더 넓은 해방의 전망을 통해 '산업재해'를 새롭게 의미화하면서 자본주의에 대해 직설적인 비판을 가하고 있다.

산재추방의 날에 읽을 시 한 편을 써달라는 얘길 듣고
멍하니 모니터만 보고 앉아 있다
사무직노동자들은 산재가 없을까
서비스직 노동자들은 산재가 없을까
전문직종사자들은 산재가 없을까
내 아내에게는 내 아이에게는 산재가 전가되지 않을까
사랑하는 사이에는 산재가 없을까
신체가 늘어지거나 부러지거나 잘리는 것만이 산재일까
정신의 훼손과 관계의 파탄은 산재가 아닐까

내 모든 시는 실상 산재시다
내가 외로움을 이야기할 때 그것은
모든 형태의 산재로부터 자유롭지 못한
이 세계에 대한 외로움이다
내가 자연을 그리워할 때 그것은
모든 자연스러움과 조화로움으로부터 쫓겨나
기계가 되고 싶지 않다는 항변이다

(…중략…)

산재추방의 날에 읽을 시 한 편 써달라는 얘길 듣고
멍하니 모니터만 바라보고 있다
자본주의를 추방하지 않고
산업재해 없는 세상이 올 수 있을까
생각하면 이렇게 간단한데 그것이 왜 이다지도 어려울까
나와 우리가 진정으로 겪고 있는
가장 엄중한 산재는 이것이 아닐까
더 이상 희망을 말하지 못하는
다른 세계를 꿈꾸지 못하는
이 가난한 마음들, 병든 마음들

노동자가 자본의 가치 척도에서 벗어나 자기가치화의 입장을 취할 때 "정신의 훼손과 파탄은 산재가 아닐까"라고 물을 수 있게 된다. 풀어 말하면, 노동자의 삶을 자본의 가치 증식 도구가 아니라 그 자체가 가치라는 입장에 서게 되면, 기계처럼 살아야 하는 데에서 오는 노동자의 신체적·정신적 훼손 모두, 즉 그의 삶 자체가 산재임을 깨닫게 될 것이다. 그래서 자본 관계에 묶여 있는 모든 노동자들의 삶은 산재에 시달리고 있으며, 그들의 아이들과 연인들에게도 산재가 전가되고 있다는 인식이 가능하다. 또한, 자본에 포섭되어 산재를 겪어야 되는 삶은, "모든 자연스러움과 조화로움으로부터 쫓겨나" 시인처럼 외로움과 그리움을 겪을 수밖에 없게 된다. 그렇기에 이 외로움과 그리움을 토로하는 시인의 모든 시는 산재시다. 산업재해의 의미를 이렇게 좀 더 거시적으로 파악하면서, 시인은 노동자의 삶 자체를 파괴하는 "가장 악독한 산재"인 자본주의 체제 자체를 비판한다. 그런데 시인은 여기에서 더 나아가 진정한 산업재해란 "더 이상 희망을 말하지 못하"고 이 자본주의 이외에 "다른 세계를 꿈꾸지 못하는" 우리의 "병든 마음"이라는 것을 꼬집어 지적한다. 왜 이 병든 마음이 산업 재해인가? 교환 가치 창출의 노예가 된 삶은 "정신의 훼손과 파탄"을 가져오기 때문이다. 정신의 파탄은 결국 다른 꿈을 꾸지 못하는 수동적인 삶을 가져온다. 물론 시인이 "병든 마음"을 이야기하는 것은 폐색된 현상을 기술하기 위한 것이 아니라 다른 세계에 대한 꿈을 다시 꿀 수 있어야 한다는 당위를 말하기 위함일 테지만.

이렇듯 직설의 어법은 삶의 자기가치화를 통해 이데올로기를 파괴하는 시적 효과를 창출하고 있다. 그 파괴는 자본의 포섭에서 벗어나 새로운 세상에 대한 꿈과 연결된다. 그 꿈은 독자의 마음에 시적인 고양을 일으킬 테다. 즉 직설의 어법은 미학을 등한시하는 것이 아니라 나름대로의 미학을 낳고 있는 것이다. 이를 '직설의 미학'이라고 부를 수 있지 않을까.[5)]

---

5) 그런데 시인의 주관이 조급성에 빠지게 되면, 이 직설의 미학은 구호나 선언에 그칠 위험이 있다는 것을 지적해두어야겠다. 가령, 「나의 모든 시는 산재시다」에서도 "배부른 저 자본에게 우리는 요구해야 한다/이윤이 중심이 아니라/건강과 안전과 평화와 연대가 중심이 되어야 한다고/가장 악독한 산재, 이 눈먼 자본주의를 추방해야 한다고"라는 구절은 새로운 인식을 가져오기보다는 구호를 옮겨놓는데 그치는 감이 있다. 게다가 그 구호는 개념적이고 추상적이어서 그다지 선동적인 효과도 가지지 못한다고 생각한다. 또한 그 구절은 자본주의에게 눈먼 자본주의를 추방해야 한다고 요구해야 한다고 읽히는데, 뭔가 논리가 맞지 않는다. 이러한 흠은 조급성의 발로에서 생긴다고 판단된다. 그런데, 그 조급성은 다른 선전선동 시에서도 찾아볼 수 있다. 가령 「너희는 고립되었다」(II)에서 "한 사람 한 사람 각성의 불꽃은 점점 커져/함께 모여 있으면 그들은/봉홧불처럼 거대하게 보였다/그들의 눈은 어둠속에서도/진주처럼 여물어갔고"와 같은 표현은 시적 대상에 대한 시인의 주관적인 인상과 의미부여가 지나치게 앞서 실감을 떨어뜨리고 있다고 생각한다. 또한 같은 시에서의 "이윤밖에 모르는 너희의 부패한 머리에/새로운 삶의 가치관을 심는 희망의 전령들"과 같은 구절도 '과연 그럴까' 하는 의심이 먼저 들지 수긍은 되지 않는다. 즉 리얼리티가 떨어지는 표현이라고 생각 든다. 또한 "저들의/불법 무단 점거를 해산하라/저 공권력의 부당한 단체행동권을 몰수하라/검찰로 경찰로 학교로 언론으로 의회로 이어지는/저 모든 착취의 라인을 봉쇄하라//저것은 본래/우리들의 것/비정규직 철폐/신자유주의 분쇄 연대전선으로/저들을 고립하라 포위하라/인간의 대지에서/영원히 저들을 격리하라"(「왜?」(I))라는, 백무산의 초기 노동시를 연상시키는 격렬한 외침 역시 청자에게 스며들지 못하는 들뜬 구호처럼 여겨진다. 그러한 느낌은 개념 수준이 지나치게 비약되고 있는 데서 기인한다고 생각한다. 게다가 백무산의 초기 시가 쓰여졌을 당시의 상황과 지금의 상황에는 차이가 있기 때문에 비슷한 발상과 표현이 사용되었다고 하더라도 현재의 상황에서 그 표현이 당시의 백무산 시가 가질 수 있었던 시적 효과와 동일한 효과를 가질 수는 없다. 아무튼 말하고자 하는 바는, 이러한 위험에 빠지지 않고 선전 선동에서의 시적 효과를 어떻게 배가시킬 수 있는가가 직설의 미학이 해결해야 할 과제 중 하나일 것이라는 점이다.

3

송경동 시인의 직설의 미학은, 이데올로기로 전화될 가능성이 있는 말에 대한 불신에서 출발한다. 시인에게는 말보다 몸이 더욱 진실한 무엇이다. "흐르는 것들은/제 이름을 모른다"(「흐르는 것들은 말하지 않는다」(I))와 같은 진술이나 「나는 말과 함께 살지 않는다」(I)와 같은 시 제목이 이를 말해준다. 또한 「자유여!라고 난 이제 부르지 않으리」(I)에서 시인은 "너는 누구였을까/우린 네가 누구인지도 모르면서/너무나도 오래 너를 기다렸다/……여"라고 말한다. 자유를 외치는 것과 자유를 사는 것은 다르다. 말은 실재를 대체할 수 없는 것이다. 하지만 말이 실재를 대체한다는 상상에 빠질 수는 있다. "자유여!"라고 부르면서 자유를 상상하며 기다리는 행위가, 정작 달성되어야 할 자유의 상태를 대체할 수 있는 것이다. 시인이 더 이상 "자유여!"라고 부르지 않는 이유는 이 때문일 것이다. 이는 말이 실재와 실존을 왜곡할 수 있다는 시인의 인식을 드러낸다. 사태를 비유로 치장하는 어법에 대해 시인이 거부감을 보이는 것도 이러한 인식에서 비롯된다고 생각된다. 여하튼, 송경동 시인에게는 도저히 말로 표현할 수 없는 어떤 사태가 있다. 가령 다음과 같은 장면이 그러하다.

어둠 깔린 가리봉오거리
버스 정류장 앞 꽉 막힌 도로에
12인승 봉고차 한 대가 와 선다
날일 마친 용역잡부들이 빼곡이 앉아
닭장차 안 죄수들처럼
무표정하게 창밖을 보고 있다

셋 앉는 좌석에 다섯씩 앉고
엔진룸 위에 한 줄이 더 앉았다
육십이 훨 넘은 노인네부터

서른 초반의 사내
이국의 푸른 눈동자까지
한결같이 머리칼이 누렇게 쇠었다

어떤 빼어난 은유와 상징으로도
그들을 그릴 수가 없다
그들은 아무 말도 하지 않았다

―「그들은 아무 말도 하지 않았다」(I) 전문

시인은 말한다. 마치 닭장 안의 닭처럼, "엔진 룸 위에 한 줄이 더 앉"아야 하는 용역잡부들의 모습이 내포하고 있는 그 무엇을, 그 모멸과 비애를 어떻게 그럴듯하게 그려낼 수 있겠는가라고. 저 모습을 "빼어난 은유와 상징으로" 그려낸다면, 그것은 모멸을 겪고 있는 저들의 삶을 또 한 번 모욕하는 일이 될 것이다. 말할 수 없는 것이 있다. 그럴듯한 비유와 상징을 동원하면 모욕이 되는 '사태'가 있다. 말로 표현될 수 없고 육체성만이 진실을 드러낼 수 있는 사태가 있다. 송경동에게 확실한 것은 저 육체성 그 자체다. 저 육체가 드러내고 있는 구체적인 고통은 말로 그려낼 수 없는 것이기에 거짓말 할 수도 없다. 그렇다면 '우리는 침묵해야 하는가?'라고 시인에게 질문하게 된다. 하지만 시인은 그렇지는 않다고 대답할 것이다. 그는 저 육체성으로부터 말이 나와야 하고, 그래서 직설이 요청된다고 대답할 것이다. 또한 우리들의 말과 생각이 좀 더 진실에 가깝게 되기 위해서는, 그것들은 물질적인 무엇을 생산하는 육체노동에 그 기초가 세워져야 할 것이라고 시인은 주장할 것이다.

「목수일 하면서는 즐거웠다」(II)가 이러한 시인의 인식을 암시해준다. 즉 "2인치 대못머리는 두 번에 박아야 하고/3인치 대못머리는 네 번에 박아야/답이 나오는 생활"은 "머리속에 쌓고 있는 세상은/얼마나 허술한 것"인가를 알려준다. 그리고 저 노동 현장에서 나는 소리들은 "물렁해진 내 머리를/땅땅땅 치"면서, "손으로 일하지 않"는 시인에게, 시 쓰기는 저 "높은 물질"을 생산하는 노동처럼 "한뜸 한뜸 손으로 쌓아가"듯이 행해져야 한다고 가르친다. 이는 말과 생각의 기초를 육체를 통과하는 체험에 두어야 한다는 시인의 생각을 독자에게 전달한다. 그리고 이에 따르면, 시 역시 육체적인 체험을 기초로 하여 생산되어야 한다. 그래서 시인은 「서정에도 계급성이 있다」(II)라는 시를 썼던 것이다. 육체적인 체험에서 시가, 그리고 서정이 흘러나온다고 할 때, 그렇다면 계급에 따라 그 체험은 다를 수밖에 없다. 계급에 따라 노동의 유형이 다르며, 경제적 부의 소유 정도에 따라 생활 자체가 다르다. 생활이 다르다면 삶이 겪게 될 체험 역시 다를 것이어서, 체험을 재료로 형성되는 서정 역시 계급에 따라 다를 테다. 그리고 적나라한 생활을 해야 하는 계급으로서는, 비유와 상징이 아니라 적나라한 직설을 통해야만 자신의 삶의 실상에 다가갈 수 있을 테다. 하지만 '서정에도 계급성이 있다'라는 시 제목 자체가 말해주듯이, 송경동 시인이 그럴듯한 비유와 상징을 거부한다고 하더라도 서정이나 삶의 아름다움을 포기한 것은 아니다. 직설의 아름다움 역시 있는 것이다. 시인에게 직설이란 다음과 같은 것이다.

가끔 터번 도는 소리만 한적한
공단 철망길 걷다
장미들의 집단 월담을 본다

녹슨 철망 사이사이
실낱 가지로 뻗어 나왔다가
철망 너머 한 뭉치 붉은 꽃몽우리 터트려 놓은
저 무모한 직설들

꽃을 떨구지 않고는
후진이 불가능한 허공
또 다시 누군가의 발 밑 짓이겨지더라도
연초록 의지만은 꺾을 수 없다는

저 붉은 모순 덩어리들

—「늦봄과 초봄 사이」(I) 일부

"저 붉은 모순 덩어리들"인 장미가 인간 삶의 한 국면을 비유하는 것이기에 이 시는 '직설'이 아니지 않느냐고 말할 수도 있겠지만, 그렇지 않다. 저 장미는 인간 삶을 비유하기 위해 시에 도입된 것만은 아니다. 「나의 모든 시는 산재시다」에서 시인은 "보라, 저 거리에 선 나무들도 팔다리 잘리며 산재를 앓고 있다"고 말하고 있는데, 이는 비유가 아니라 실제로 그렇다는 것이다. 즉 자본에 의해 생태는 실제로 파괴되고 있다는 것을, 그 진술은 말하고 있다. 시인에게 자연의 사물도 엄연한 주체로서 존재한다. 저 장미 역시 엄연한 주체로서 존재하지 비유를 위한 매개로서 동원된 것이 아니다. 다시 말하면 저 장미는 어떤 상징이나 비유로서가 아니라 그 자체가 "철창 너머 한 뭉치 붉은 꽃몽우리" "무모한 직설"로서 "터트려 놓"고 있는 것이다. "꽃을 떨구"어야 하지만 "연초록 의지만은 꺾을 수 없"는 모순 속에서 저 붉은 장미는 실제로 살아가고 있다. 물론, 저 "누군가의 발 밑 짓이겨"질 운명인 장미로부터 억압받는 사람들을 떠올리는 것은 자연스러운 일이다. 하지만 그 연상은, 장미가 그 사람들을 비유해서가 아니라 그 사람들과 동질의 삶을 살아가고 있기 때문에 생기는 것이다. 억압받는 사람들도 장미처럼 "무모한 직설"로서 자신의 삶을 표현한다. 그리고 그 직설은 "붉은 꽃몽우리"처럼 아름답다. 그래서 시인은 가난하고 억압받는 삶이 표현하는 직설에서 시를 발견한다.

길거리 구둣방 손님 없는 틈에
무뎌진 손톱을 가죽 자르는 쪽가위로 자르고 있는
사내의 뭉툭한 손을 훔쳐본다
그의 손톱 밑에 검은 시(詩)가 있다

(…중략…)

고등어 있어요 싼 고등어 있어요
저물녘 "떨이 떨이"를 외치는
재래시장 골목 간절한 외침 속에
내가 아직 질러보지 못한 절규의 시가 있다
그 길바닥의 시들이 사랑이다

—「가두의 시」(II) 일부

구두를 닦는 사내의 손톱 밑에 낀 검은 구두약은 어떤 비유와 상징으로도 그려낼 수 없는 무엇인가를 표현하고 있다. 저 구두약은 자신을 직설로서 표현하고 있기 때문에, 그 표현을 훼손시키지 않는 한 어떻게 달리, 무엇이라고 비유해서 말할 수 없다. 송경동에게 시는, 바로 달리 무엇으로 바꿔 말하기 힘든 어떤 사태나 또는 그 사태 속에 놓인 사물이 표현하는 직설을 가리킨다. 그에게서 시적인 것은 비유나 상징에 있지 않고 저 거리에서 일하며 살아가고 있는 가난한 사람들의 육체성 그 자체에 있다. 시인은 저 사내의 뭉툭한 손과 그 손톱 밑의 구두약이 표현하는 말 없는 직설을 받아 적는 일을 한다. 시인의 직설적인 어법은 그로부터 비롯된다. 시인은 삶의 현장—길바닥—에서 벌거벗은 직설을 발견하고는, 그 말 없는 직설이 표현하고 있는 바를 직설로서 다시 표현한다. 물론 그 시인의 직설은 삶이 육체를 통해 드러내고 있는 어떤 진실을 완벽히 재현할 수 없다. 저물녘 고등어를 팔기 위한 간절한 외침, 그 "절규의 시"를 시인은 "아직 질러보지 못한" 것이다. 시인이 받아 적은 직설은 저 말 없는 사태가 표현하고 있는 직설의 진실을 재현한다기보다는 그 진실에 다가갈 수 있을 뿐이다.

저 직설이 시일 수 있는 것은 그것이 아름답기 때문이다. 아름다움은 어디에서 비롯된 것일까? 사랑에서 비롯된다. 그래서 직설의 시는, 사랑이 육화된 노동과 생활 속에서 발견할 수 있는 것이다. 일하는 사람 대부분은 자신의 한 입을 위해서가 아니라 타인의 입을 위해서도 노동한다. 곤한 노동을 참고 일하는 것은 사랑하는 타인을 부양하기 위해서가 대부분이다. 구두를 닦는 저 사내도 그렇고 고등어를 떨이로 팔고 있는 이도 그럴 것이다. "떨이 떨이"를 외치는 간절함은 사랑에서 온다. 그렇기에 사랑을 품고 간절하게 일하는 육체가 표현하는 직설은 아름답다. 그런데 그 사랑은 아래와 같이 좀 더 확장되어 나타날 수 있다.

> 버스 기다리는 척 벼룩시장이나 교차로를 슬쩍 뽑던 손
> 무담보 신용대출 854-2514 전봇대에 붙은 번호표를 몰래 뜯던 손
> 전철이나 버스 손잡이를 잡지 않던 손
> 악수하기를 꺼리던 손
> 손톱 밑에 검은 때가 끼어 있던 손
> 옹이가 박혀 있던 손
>
> 어이, 하며 저쪽 철골 위에서 환하게 흔들던 손
> 야, 임마, 하며 반가워 손아귀를 꽉 쥐던 손
> H빔 위에서 떨어질 뻔한 내 등을 꼭 붙잡아주던 그 손
>
> —「손」(I) 전문

저 "손톱 밑에 검은 때가 끼어 있던 손"의 임자는 「가두의 시」에서 등장했던 구두 닦는 사내일 것만 같다. 아니면 고등어를 팔던 사람의 손일 수도 있다. 아니 그 손은 노동해야 하는 자 모두의 손일 것이다. 그 손은 노동으로 더럽혀져 있거나 "괭이가 박"혀 있는 것이다. 또한 그것은 「벼룩시장」이나 「교차로」를 뽑아 구직란을 펼쳐보는 실업자의 손이기도 하다. 즉 저 손은 자본에 의해 착취당하고 이용당하다가 버려진 자들의 손이다. 그리고 그것은 다른 사람들의 손에 때가 묻을까 미안해 악수는커녕 버스 손잡이도 잡지 않으려고 하는 손이기도 하다. 그런데 그 손들이 노동자들 사이에 놓일 때에는, 환하게 흔드는 손이자 반가움을 전하는 손으로 전화되어 우정을 표현하는 눈부신 육체가 된다. 그 우정의 손은 위험에 처한 '나'의 등을 붙잡아주기도 한다. 그렇게 그 손은 위험천만한 노동이 진행되는 공사장 안에 따스한 연대를 형성시키기도 하는 것이다. 악수하기 부끄러운 손에서 연대의 손

으로의 이러한 전화는 어떻게 가능한 일일까? 노동 현장의 노동자들은 밥을 같이 먹기 때문이다. 그 현장에서의 밥은 "무엇보다 나눠 먹는 밥", "1톤짜리 앵글 져다 공평하게 나눠 먹고/크레인 포클레인 지게차 기사도 불러/함께 비지땀 흘리며 먹는 밥"(「쇠밥」(I))이다. 밥을 같이 먹는 사람들을 '식구'라고 지칭한다. 그러니 노동 현장의 노동자들은 식구다. 그래서 노동 현장에서의 노동자들은 따로 홀로 존재하지 않고 서로 얽혀 존재한다.

천장 있는 곳에서
일해 보는 게 소원이었던 시절
발전기 내리고
쓰러져 잠든 새벽이면
작업선들도 곤했다

전기선 위에 그라인더선
그라인더선 위에 절단기선
절단기선 위에 알곤선
알곤선 위에 용접홀다선
용접홀다선 위에 체인블록 쇠줄
체인블록 쇠줄 위에 물 먹은 동앗줄
물 먹은 동앗줄 위에 수평호스
수평호스 위에 사게보리 실까지
얽히고설켜
잠든 모습이 착했다

하늘 위에서 보면
작업장 이곳 저곳 쓰러져 누운
우리 모습이 또 그렇게
칡넝쿨마냥 얽혀 보였을 것을

깊은 잠들에 빠져
우린 우리의 얽힌 모습을
볼 수 없었다

—「철야」(I) 전문

곤한 노동 이후 자고 있는 "우리의 얽힌 모습"은 노동자들의 존재 조건 밑에 깔려 있는 잠재성을 보여준다. 그 잠재성은 아직 "볼 수 없"다. 그 잠재성—얽혀 있음—은 노동자들이 깊은 잠에 빠졌을 때 비로소 자신을 드러내고 있기 때문이다. 다시 말하면 잠재성은 현재 잠자고 있다. 노동과 휴식 과정을 거쳐 형성되는 얽힘—연대—은 노동자들 사이에서 명료하게 의식화되고 있지는 못하고 있는 것이다. 하지만 발전기를 내린 후, 역시 얽히고설킨 채 잠에 빠져든 '작업선'들을 보면, 잠자고 있는 '우리들'의 모습을 읽어낼 수 있다고 송경동 시인은 말한다. 시인의 인식론에 따르면 장미꽃 역시 주체적인 존재이듯이, 노동자와 결합되어 작동하는 기계 역시 주체적 존재다. 즉 기계는 '우리'에 속하지는 않는, '우리'와는 다른 속성을 가진 존재이긴 하지만(그래서 자본이 인간을 기계로 취급하는 것에 대해 시인은 강력히 항의한다), 우리의 엄연한 작업 동료인 것이다. 이렇듯 기계는 노동자의 삶과 밀접한 관계를 가지고 있기에 노동자들이 현장에서 먹는 밥은 '쇠밥'이다. 또한, 시인의 인식에 따르면, 아름다움은 노동과 생활의 진실 속에서 생성되는 것이기에, 그 노동 현장에서는 "썩지 않는 꽃"(「용접꽃」(I))인 '용접꽃' 역시 피어날 수 있다.

그래서 공장에서만 볼 수 있는 온갖 기계들이 하나의 주체의 자격으로 호출되어 시 속에 거주할 수 있게 된다. 이렇게 전문적인 기계명이 시어로서 호출되는 것은 한국 시에서 독특한 장면인데, 노동과 생활이 표현하고 있는 직설을 직설적으로 전달하고자 하는 시인의 시관이 저러한 장면을 구성하게 만들었을 테다. 그 시관에 따르면 생활 현장 속에 존재하는 모든 사물들과 행위들은 시 세계 안으로 들어올 자격이 있다. 저 현장에서는 "전기선"에서 "사게보리 실"까지, 모든 존재자들은 평등하게 존재하며, 동시에 얽히고설켜 존재한다. 하찮은 것처럼 보일 수 있는 "사게보리 실"은 노동 과정에서는 반드시 있어야만 하는 존재인 것이다. 그렇기에 노동과 생활이 표현하는 직설을 담아내고자 하는 시에서 "사게보리 실"이 들어오지 못할 이유가 없는 것이다. 그리고 저 평등하게 얽혀 있는 작업선들, 그 옆에서 자고 있는 '우리' 역시 평등하게, "칡넝쿨마냥 얽혀" 존재한다. 저 얽힌 작업선들은 노동자들의 존재 조건이 품고 있는 평등과 연대의 잠재성을 표현한다.

그런데 그 잠재성은 위장 폐업된 공장에서 수세미 뜨개질로 아르바이트를 하면서 공장을 지키고 있는 "콜트·콜텍 기타 만드는 노동자들"(「꿈의 공장을 찾아서」(II))을 통해 현실화된다. 시인에 따르면, 그 공장의 노동자들은 "하나같이 시골 장터 옹기처럼/수더분한 사람들"이고 그들 중에는 "짝눈이도 있고 3급 장애우도 있"다고 한다. 그들은 그 "창문 하나 없던 공장"에서 "자신의 폐를 기타 통 속처럼 숭숭 구멍 내/작은 호흡에도 울리게" 하는 노동, "사람들 몰래 세상을 튜닝하며/아름다운 선율을 만"드는 노동을 해왔다. 하지만 그 회사 사장은 "그런 노동자들의/지문과 기침과 땀과 눈물을 화폐로 바꿔/1000억대의 자산가가 되"고는, "더 값싼 기계들을 찾아/공장을 인도네시아와 중국으로 빼돌"린다. 시인은 이에 "이 공장을 살려내라"라고 외친다. 그 외침을 비시(非詩)적인 구호라고 말할 수는 없다. "노래가 노래를 배반하지 않아도 되는 세상", "삶이 삶을 배반하지 않아도 되는 세상"이라는, 폐업 공장 노동자들의 시적인 희망을 그 구호는 절실하게 표현하고 있기 때문이다. 수더분한 그들이 위장 폐업에 굴하지 않고 공장을 지키는 용기를 낼 수 있었던 것은, 곤한 노동을 해야 했던 곳임에도 불구하고 "한때 이곳은 세상의 모든 아름다운 노래를 낳던/희망의 공장"이자 "세상의 모든 혼돈을/가지런히 조율하던 사랑과 연민의 공장", "세상의 모든 가녀린 목소리들을 하나로 묶던 연대의 공장이었"기 때문이다. 그들은 이 희망과 연대의 경험을 배반할 수 없었던 것이다.

공장 안에서의 노동 과정 속에서 식구로서의 노동자가 형성되고, 노동자 마음속에 희망과 사랑과 연민과 평등한 연대감이 생성된다. 이러한 과정은 완전히 내재적인 것이다. 이러한 내재적 과정이 생략된 채 외부에서 '조직'을 통해 노동자 운동을 지도하려는 행태에 대해 시인은 비판적이다. 앞에서 언급한 「사소한 물음들에 답함」은 그러한 비판을 담고 있는 시다. "어느 조직에 가입되어 있느냐고" 물으며 접근하는 "한 부류의 사람들"에게 시인이 "비천한 모든 이들의 말 속에 소속되어 있다"면서 "말없는 저 강물에게 지도받고 있다고" 대답하는 장면은 그러한 시인의 비판적 인식을 잘 보여주고 있다. 송경동 시인에게는 전위 조직의 '지도'보다 "프롤레타리아도 전위도 하위도 아닌/구획되지 않은 한 영혼의/고귀한 빛의 울림"(「색맹」(I))이 노동자 해방을 위해서 더욱 소중하다. 노동자들의 존재 자체가 잠재적으로 높낮이 없이 평등하게 얽혀 있기에, 그리고 억압과 박탈, 착취에 저항하는 행동은 바로 그러한 잠재성을 바탕으로 일어나는 것이기에, 그 평등하고 "구획되지 않은" 조건을 위계 관계로 질서화 하는 것은 해방 운동의 활력을 박탈하는 것이라고 시인은 생각했을 것이다. 그렇기에 시인에게서 노동자 계급의 계급성은 하나의 날카로운 구획에 따라서 형성되는 것이 아니라 도리어 그 구획을 철폐할 때 형성되는 것이다. 노동자 계급의 한 사람인 시인은, 그래서 자신에 대하여 "나는 내 것이 아니다"(「경계를 넘어」(II))라고 말한다. 이 시의 후반부를 인용한다.

> 햇빛처럼 쟁쟁해졌다가
> 물안개처럼 서늘해졌다가
> 산간처럼 첩첩해졌다가
> 바다처럼 평원처럼 무한히 열리는
> 모든 생명이 내 안에 살아 있다
>
> 나만이 무엇이 되어야겠다고 생각하는 것은
> 의아한 일이다 이것은 내 것이라고 움켜쥐는 일도
> 갸우뚱한 일이다 내 조국만이 잘 되어야 한다는 일도
> 치사한 일이다 양파도 알고
> 대파도 알고 쪽파고 아는 일이다

국가와 자본에 의해 구획당한 삶을 살아야했기에 구획되지 않는 삶을 추구하게 되는 노동자는, 자연의 일부로서, 인류의 한 일원으로서 '나'라는 경계, 국가라는 경계를 넘어서게 된다. "직조기 따라 곱고 둥근/꿈의 원단을 나르고 있"는, "눈이 퍼렇게 언 파키스탄 노동자 몇"을 보면서 "잊고 싶었던 어떤 유령들의 말//"만국의 노동자여! 단결하라""(「내 영혼의 방직소」(II))라는 구호를 시인이 다시 떠올리는 것은 이 맥락 속에서일 것이다. 그리고 노동자가 온갖 경계를 넘어설 때, 그는 어떤 구조에 종속된 존재가 아니라 그 구조를 넘어서는 능동적이고 주체적인 존재가 될 것이며, "무한히 열리는/모든 생명"이 자신 안에 살아 있음을 느끼면서 사랑과 연대의 무한성으로 나아갈 수 있는 문을 열게 될 것이다.

4

이로써, 시를 왜 쓰냐는 질문에 대한 "세상을 바꾸고 싶어서, 노동자들에게 위로가 되고 싶어서, 그리고 내 안에 있는 외로움을 이겨내려고"라는 송경동 시인의 대답들 중에서, 앞의 두 대답에 대해 살펴본 셈이다. 마지막 대답에 대해서도 내밀한 접근이 필요하겠지만, 이미 많은 지면을 허비했다. 이에 대해서는 간략하게 언급하면서, 지금까지 논의한 송경동의 '직설의 미학'에서 어떤 변화 조짐을 드러내는 시를 소개하고 이 글을 마치고자 한다.

송경동 시가 가진 또 하나의 미덕은, 단호한 어조로 이 세상의 잔혹함을 질타하며 연대와 희망을 주창하면서도, 또한 그 연대와 희망을 '나'의 실존과 끊임없이 연결시키고 있다는 데에서 찾아볼 수 있다. 「손」에서 보았듯이, 노동자 연대의 손은 "내 등을 꼭 붙잡아"준다는 것을 시인은 잊지 않는다. 집회시나 선전 선동적인 성격이 강한 시를 쓸 때에도, 그는 "촛불을 켜들라 하면 촛불을 켜들고/어깨를 걸어야 하면 어깨를 건다/누구를 위해서가 아니라 나를 위해/내가 살아 있다는 구체적인 실감을 위해"(「너희들은 나를 폭격했다」(I))라고 쓰곤 했던 것이다. 그가 세상의 폭력에 대한 집단적 저항에 참가하는 것은,

이념이나 동정 때문이 아니라 "내가 살아 있는 구체적인 실감을 위해"서라고 그는 솔직하게 말한다. 이러한 솔직함이 송경동 시인에게서 진정성을 느끼게 한다. 한데 나를 위한 실천은 송경동 시인의 시에서 읽을 수 있었던 내재성의 세계관에 따르면 당연한 것이다. 그 세계관에 따르면 운동에의 참여는 얽히고설켜 있는 노동자의 삶속에서 일어나는 내재적인 욕망에 따라 행해져야지 바깥에서의 강요나 의무감에 의해 행해져서는 안 된다. 강요나 의무에 의해 행해지는 참여는 곧 동력이 소진되어 지속되기 어렵다. 그렇기에 송경동 시인은, 지속적인 저항 운동에의 참여를 위해서라도 자신의 실존적인 삶에서 눈을 돌려서는 안 된다고 생각할 테다. 그래서 송 시인이 자신의 삶을 되돌아보고 있는 서정시 역시, 저 '선전선동' 시와 무관할 수 없다.

사실 필자는, 송 시인이 실존적 외로움을 진술하고 있는 시들을 좋아한다. 가령 읍내 형수가 된 자신의 첫사랑을 기억하는 시 「읍내 형수」(I)의 "한번만 주라고 탱탱 부은 내 보람을/개새끼야 개새끼야 하면 밀쳐내던 그/콩가슴 단내가 탱자내음 같던 가시내"와 같은 생생하고 가식 없는 구절들이 좋다. "민주주의여 만세라고는 쓰지 못하고/해방 평등이라고는 쓰지 못하고" "소주 한 병에 참치캔 하나라고"(「외상일기」(I)) 외상 장부에 쓰고 있는 일상을 그대로 보여주는 구절도 좋다. 찍소리 냈다가 학생과장으로부터 "온 밤을 터진" 기억을 상기하는 「찍소리」(I)라든가, 시인이 어릴 적 같이 살았을 아버지의 삶이 어떠했는지를 암시하고 있는 「오토인생」(I)이나 「그해 여름 장마는 길었다」(II)와 같은 시는 시인의 실존을 이해할 수 있는 단서를 제공해준다. 한편 "열 갈래 스무 갈래/떠나간 친구들"을 회상하는 「오거리 뼈해장국」(I)이나, 20년 지기 친구들을 오랜만에 만나 노래를 부르면서 "잊었던 팔뚝질을 해보기도 하지만/우리는 개인이 아니었는데/개인이 되고 말았다는 서글픔"을 담담하게 진술하는 「가리봉오거리 연가」(II), 그리고 노조 해산 총회를 하면서 "푸르른 하늘이 조금은" 서럽다는 마음을 풀고 있는 「나우정밀노조 해산 총회」(I)나, "분노를 담아" 노동을 해야 했던 젊은 시절의 한때를 회상하는 「그해 겨울 돗곳」(II) 같은 시들은 과거와 현재의 서정적인 교호를 통해, 외부에서 주체에게 덧붙여진 어떤 전망과는 상관없이, 주체성을 든든하게 다지는 시라고 하겠다. 이러한 성격의 시 중에서 "가리봉2동"의 "한 닭장집 지하 끝방에 살았"던 시절을 기억하면서 쓴 시, 「이 삶의 고가에서 잊혀질까 두렵다」(II)가 절절한 절창이라고 생각한다. 후반부를 인용한다.

그 방에서 때론 네 명이 부침개를 해먹고, 다섯 명이 술잔을 돌리고, 여섯 명이 자기도 했다. 나는 그 지하방에서 맑스와 레닌과 모택동과 호찌민과 중남미 혁명사와 한국근현대사를 월경했다. 사회주의리얼리즘과 모더니즘과 포스트모더니즘을 주유했다. 그러다 지치거나 고양되면 살갗이 벗겨지도록 두 번이고 세 번이고 수음을 하곤 했다. 멀리 있는 혁명보다 가까이에서 안아줄 사랑이 간절했다.

아침이면 다시 지하방에서 솟아오른 사람들이 공단으로 피와 땀을 팔기 위해 활기차게 넘던 그 고가, 그 길밖에 없었던, 젊은 날들을 다 보낸, 지금은 테크노 디지털밸리가 된 굴뚝 공단에 흉물처럼 남아 있는, 나처럼 남아 있는, 나는 그 불우하고 불온했던 삶의 고가에서 내가 잊혀질까 두렵다.

"닭장집 지하 끝방"에서 '월경'한 맑스에서 포스트모더니즘까지의 온갖 '학습'보다는 "살갗이 벗겨지도록" 수음을 하며 "가까이에서 안아줄 사랑"을 간절히 원했다는 표현은, 밑바닥까지 내려간 실존적 외로움을 숨김없이 직설적으로, 그리고 절절한 이미지로 드러낸다. 그런데 그 다음 연의 구절이 절묘하다. 그 지하방이 있던 닭장촌은 재개발로 없어지고 지금 그곳에 있는 것은 테크노 디지털밸리다. 그곳에 남아 있는, "사람들이 공단으로 피와 땀을 팔기 위해 활기차게 넘던 그 고가"는 이제 흉물이 되었다. 그런데 시인은 저 흉물과 자신을 겹쳐 놓는다. 재개발은 시인의 추억이 서려 있는 장소를 없애버렸다. 허나 시인은 저 디지털밸리의 세계에 안주할 수 없다. 그래서 시인은 저 디지털밸리와 부조화하게 이젠 흉물처럼 남아 있는 고가에 자신을 겹쳐 놓게 된다. 저 고가는 "불우하고 불온했던" 지하방 시절 기억의 잔재를 드러냄과 동시에 이젠 그 시절에서 떨어져 흉물이 되어버린 자신의 삶 역시 드러낸다. 그런데 저 고가에서 그 불온했던 삶의 잔재마저 지워진다면, 시인 역시 그 삶을 떠올릴 수 없게 될 것이다. 그것은 시인을 지탱시켜 왔던 '불온성'이 사라짐을 뜻하기에, 시인에겐 두려운 일이 아닐 수가 없다. 이중적 의미를 가지는 이 '고가'는, 그러므로 시인의 주체성을 지켜주는 말이 된다. 그렇다면, 이렇듯 어떤 하나의 단어는 어떤 주체가 살아왔던 삶의 숨결에 젖어들면서 그의 깊은 체험과 정서를 담아낼 수 있다는 말이 된다. 그런데 직설의 미학만으로는 그러한 독특한 '말'의 실재성을 파악하기 힘들지 않을까? 이를 발견한 시인은 자신의 직설의 미학에 어떤 변동을 가져오지 않겠는가? 아래의 시는 그러한 변동의 조짐을 보여주고 있다.

> 돌아갈 곳 잃고 어느 셔터 앞에 앉아 마지막 술잔 나누곤 하던 희뿌연 새벽의 말들
> 셔터만 들이대면 마음 그늘마저 찍히는 듯 고갤 숙이곤 하던 희뿌연 새벽의 말들
> 셔터만 내릴 수 있는 조그마한 가게라도 하나 있으면 그곳에서 철물이라도 짜며 조용히 한세상 마칠 수도 있겠다던 궁핍한 나날들이 떠오르고
> 상점 셔터가 철커덩하며 내려지고 차디찬 자물쇠가 채워지는 것을 볼 때마다 그마저도 잠글 것 하나 없던 가난한 이웃들이 마음에 밟혀 또 그렇게 문 내리는 하루 저물녘들이 무정하던 때들이 떠오르고
> 나도 누군가에게는 무정한 셔터였을지도 모른다는 생각도 해보다
> 수없이 감아버렸던 눈이 떠오르고
> 수없이 닫혀가던 세상의 문들이 떠오르고
> 하얀 스크린을 올릴 일보다는
> 이젠 내 인생의 검은 막을 내려야 할 때가 가까워졌는지도 모른다는 슬픈 생각에 빠져 있을 때
> 아무래도 저세상은 있는 것 같다고
> 그렇지 않고서야 이렇게 사는 게 쓸쓸할 수가 있느냐고
> 이 생은 파토라고, 이런 것을 인생이라고 할 수 있느냐고

당신들은 이것이 사는 거라고 생각하느냐고 누구라도 붙잡고 이야기하고 싶을 때
나무들처럼 나도 한 계절의 막을 내리고
다시 한 생의 막을 올릴 수 있다면 좋겠다고 생각도 해보다
사람은 죽어서 꼭 풀벌레로만 환생하는 게 아니라
저 셔터로도 태어나고 저 자물통으로도 태어나고
저 뼁끼로도 태어나는 걸 거라고 생각도 해보다
셔터라는 말 한마디에도 이리 목메는
이 아름다운 세상을 어떻게 버릴 수 있을지를 생각해 본다

—「셔터가 내려진 날」(II) 후반부

어느 일요일 오후, "셔터에 새로 파란 뼁끼칠을 하고 있는 사내"를 발견한 시인은 '셔터'에서 촉발된 연상을 자유롭게 풀어나간다. "섰다에 빠져 인생을 뺑이치고 만 늙은 아비"에서부터 "주인이 셔터 내리는 것까지를 보고 돌아오던 야식집 다니던 엄니"에 대한 기억까지, "깔깔거리던 젊은 시절"에 대한 기억에서부터 "내 인생의 검은 막을 내려야 할 때가 가까워졌는지도 모른다는 슬픈 생각"에 이르기까지 말이다. 이 과정에서, '셔터'라는 말에는 시인의 어린 시절의 기억에서부터 죽음을 생각하는 지금에 이르기까지의 비애와 쓸쓸함이 스며들어가 있다는 것이 드러난다. 허나 '셔터'라는 말에서 밀려오는 쓸쓸함은 역설적으로 "셔터라는 말 한 마디에도 이리 목메는" 이 세상이 아름답다는 깨달음으로 이어지고, 세상을 버릴 수 없다는 긍정으로 전환된다. 즉 '셔터'는 체험의 숨결에만 젖어있는 것이 아니라 미래의 전망을 비추는 단어가 되는 것이다. 이를 보면, "나는 말과 함께 살지 않는다"고 선언했던 시인은 어느덧 삶의 과거와 미래를 총체적으로 담고 있는 말들이 주변에 떠돌아다니고 있는 것을 발견하게 된 것 아니겠는가. 그렇다면, 위의 시는 송경동 시인이 '말'에 대해 새로운 인식을 하고 있음을 보여주고 있으며, 그래서 그의 시작詩作의 또 다른 방향을 암시하고 있다고 할 수 있을 것이다.

이러한 추측이 억측은 아닐 것이, 송경동 시인 자신이「아직 오지 않은 말

들」(II)에서 "언제부터인가/있는 말보다/없는 말을 꿈꾼다"고 말하고 있는 것이다. "아직 오지 않은", 그래서 지금은 "없는 말들"은, 하지만 도래할 말들일 것이다. 이 도래할 말이 어떠한 것일지 시인도 아직 모른다. 다만 시인은 "오늘도 이 말들을 찾아/거리를 헤매"고 있다. 시인은 "그 말들이/내 몸을 삼킬 수도 있다"는 위험을 감지하며, 그렇기에 "전혀 다른 목숨으로 그 말들을/토해내야 할지도 모른다"는 것을 예상한다. 그런데 그 도래할 말들이 외계어나 인공어가 아닌 이상, 그것은 현존하는 말들 중에서 새롭고 독특한 질감을 가지게 될 말일 테다. "금세 가족이 되어 동화되는 말"은 독특함이 상실되는 말일 것이기에 도래할 말과는 거리가 멀다. 반면 시인이 「셔터가 내려진 말」에서 말한, "이리 목메"게 되는 "셔터라는 말 한 마디"의 독특함이 도래할 말의 독특함과 거리가 가까울지도 모른다. 하지만 그 미래로부터 도래할 말을, 과거의 체험에 의해 질감을 얻게 된 '고가'나 '셔터'와 같은 말과 동일시할 수는 없을 것이다. 여전히 도래할 말들은 아직 오지 않았고 그 말이 무엇일지 현재는 모른다.

허나 그 말들은, "돌아갈 곳 잃고 어느 셔터 앞에 앉아 마지막 술잔 나누곤 하던 희뿌연 새벽의 말들"이란 구절에서의 그 "희뿌연 새벽의 말들"이지 않겠는가? 그리고 그 희뿌연 새벽의 말들은, "돌아갈 곳 잃"었을 때 만난 '셔터'의 독특함 앞에서 희뿌옇게나마 형체를 드러내고 있는 것이다. 그렇다면 그 구절은, 저 흐르는 삶 속에서 겪었던 체험과 정서가 담겨 있는 말들이 새벽이 끌어당기고 있는 미래와 만나게 될 때, "아직 오지 않은 말들"이 희뿌옇게나마 도래할 수 있으리라는 의미를 담고 있다 하겠다. 억압받은 자들의 억압된 기억이 현재 시간 위로 솟아올라 역사라는 기관차를 정지시킬 때 혁명이 미래로부터 도래하게 되는 것(벤야민)처럼. 그렇기에 지금은 '없는 말'을 꿈꾸는 시인에게, '고가'나 '셔터'와 같은 말들이 깊이 품고 있는 기억들을 발굴하는 작업은 여전히 매우 유의미한 일일 테다. 그 작업은 말들의 독특한 질을 발견하는 일이고, 또한 '금세' 말을 동질화시키는 교환가치의 코드에서 말을 탈주시키는 일이다. 그 탈코드화 되어 독특한 질을 회복한 말과 미래를 향한 운동이 결합될 때, 아래의 시에서 말하는 "솟구치는 상상"이 가능하게 되면서 지금은 없는, 도래할 말을 찾아낼 수 있게 될지도 모른다.

문제는 불륜의 이불처럼
넓게 짜여진 공생의 네트워크가 아니라
그 그물망 위에서 텀블링 하는 아이처럼
솟구치는 상상이다 생산의 전원을 꺼라
인간은 섬유질 몇 그램의 총합만이 아니다
코드를 아는 건 중요하지만
중요한 것은 모두 코드 밖에 있다

—「뇌파」(II) 후반부

이 "솟구치는 상상"을 어떻게 가동할 수 있을 것인가. 그리고 그 가동을 위해 "중요한 것은 모두" 있는 "코드 밖"을 어떻게 탐색할 것인가. 송경동 시의 앞날엔 큰 과제가 놓여 있는 셈이다.

이성혁(李城赫)
문학평론가. 외대, 세명대 강사. 현 『시와 사람』, 『리토피아』 편집위원. 1999년 『문학과 창작』 평론부문 신인상, 2003년 『대한매일신문(현 서울신문)』 신춘문예 평론 부문 당선으로 등단. 저서: 『불꽃과 트임』 redland21@hanmail.net

우리 시대의 이론 읽기

수전 손택

타자의 고통에 대한 공감의 시학

/ 임옥희

타자의 고통에 대한 공감의 시학

임 옥 희

한국사회에서 수전 손택은 그녀의 저술활동보다는 사회활동으로 더 잘 알려진 것처럼 보인다. 문학평론가, 대중문화평론가, 영화감독, 사진작가, 소설가, 연극연출가 등. 문화예술 전반에 걸치지 않은 분야가 없을 정도로 그녀는 전방위적인 지식인, 예술가, 작가였다. 그럼에도 실천하는 지성으로 더 잘 알려진 것은 미국인인 그녀가 미국의 제국주의적인 행태를 마지막 순간(2004년 작고)까지 일관되게 비판해왔기 때문이다. 1960년대 후반 베트남 전쟁 반전운동에서부터 2001년 9.11 사태와 그 이후에 이르기까지 그녀는 미국의 제국주의 정책으로 인해 발생한 전쟁, 테러, 고문 등에 미국의 책임을 물으면서 일관되게 비판해온 것으로 유명하다. 많은 지식인들이 나이가 들면 비판의 칼날이 무뎌지거나 보수화되는 것과는 달리 그녀는 끝까지 비판적 이성의 끈을 놓치지 않았다. 9.11 테러가 문명, 자유세계, 인류에 대한 '비겁한 공격'이라는 우파들의 목소리를 '헛소리이자 노골적인 거짓말'(「9.11」에서)이라고 일축하면서 손택은 그런 테러가 '미국의 특정한 동맹관계와 행위에 의해 초래된 것'이라고 지적했다.

손택이 한국인들에게 친근하게 다가왔던 것은 그녀가 펜클럽미국지부 회장을 역임했던(1987~1989년) 1988년 서울을 방문하여 김남주와 같은 투옥문인들의 석방을 요구한 사실 때문이었다. 그뿐만 아니라 그녀는 살만 루슈디가『악마의 시』에서 이슬람 혁명과 코란에 바탕한 이슬람 근본주의를 조롱했다는 이유로 이란 법정의 결석재판에서 사형을 선고받은 것에 항의하기도 했다. 사라예보에서 내전이 발생했을 때 그녀는 전쟁 중인 그곳으로 날아가 사뮤엘 베케트의『고도를 기다리며』를 공연했다. 연극 공연뿐만 아니라 그녀의 인생 후반기의 동반자이자 예술적 동지이기도 했던 애니 레보비츠와 함께 그곳의 참상을 알리기 위한 다큐멘터리 사진을 찍기도 했다.

미국에서 손택만큼 대중적인 인기를 누린 여성 지식인은 드물 것이다. 그녀는 하나의 문화적 아이콘이자 유행 현상이었다. '뉴욕 지성계의 여왕'이라는 수식어가 보여주다시피 자신의 소설이나 저술보다는 그녀 자체가 문화적, 정치적 패션으로 소비되는 경향이 있었다. 그런 의미에서 그녀는 미국식 反지성주의의 예외적인 사례에 해당한다. 미국식 반-지성주의는 민주주의의 이상에 따라 고급문화보다는 '평등하고 자유롭게' 접근할 수 있는 대중성의 선호가 미국문화 전반의 특징이라는 뜻이다. 아카데미의 고급한 지적활동과 대중문화가 구분되어 있어서 미국의 학계 지식인들은 정치에 직접적인 발언을 하지 않는 것이 통상적인 분위기다. 강단의 학자들은 자신의 경계를 지키면서 대체로 저술 활동을 통해 말할 뿐 좀체 현실개입을 하지 않는다. 그런 미국의 지적 풍토에서 특이하게도 손택은 직설적인 사회비판을 줄기차게 해왔지만 그녀의 그런 활동조차 선택해볼만한 생활양식으로 대중들에게 수용될 정도였다.

하지만 손택이 경멸했던 비앙 팡상(bien pensant: 비판적으로 생각하여 받아들이는 것이 아니라 유행에 따라 정치적으로 올바르게 행동하는 것)으로 자신의 행위가 대중들에게 소비되었다는 것은 아이러니가 아닐 수 없다. 비앙 팡상은 시대적 분위기에 따라 반전반핵운동, 동물해방 생태운동, 채식주의, 모피반대운동, 그린피스운동하는 식으로 정치를 하나의 라이프스타일이자 유행현상으로 소비하고 선택하는 자들을 뜻한다.

손택은 난해한 지식을 생산하는 이론가가 아니라 새로운 감수성을 대변하는 문화활동가이자 휴머니스트였다. 휴머니스트이면서 反-페미니스트가 된다는 것 자체가 힘들겠지만 손택은 안나 반티, 콜레트, 한나 아렌트처럼 협소한 의미의 페미니스트이기를 거부했다. 한국사회에는 잘 알려지지 않은 이탈리아 여성작가인 안나 반티의 소설 『아르테미시아』를 분석한 손택의 문학평론이 「두 겹의 운명」이다. 손택이 말한 두 겹의 운명이란 안나 반티의 초고의 운명을 지칭하는 것이다. 1944년 무솔리니 정권이 몰락한 뒤 독일군은 피렌체를 점령하고 폭격을 퍼부었다. 그때 반티의 집도 붕괴되었다. 그녀의 원고 또한 무너진 집과 함께 불타버렸다. 그래서 '울지 마'로 시작되는 이 소설은 반티가 나중에 다시 쓰게 됨으로써 '잃어버렸다가 재창조되었다'는 점에서, '죽었다 살아났다'는 점에서, '썼다가 사라지고 다시 부활했다'는 점에서 두 겹의 운명이라고 손택은 지적했다. 다른 맥락에서 보자면 반티의 소설은 두 겹의 운명이 아니라 세 겹의 운명이라고 해야 할 것이다. 작가인 안나 반티가 자신의 심정을 젠틸레스키에게 투사하여 다시 쓴 『아르테미시아』라는 작품을 손택이 또 다시 읽어 내고 있기 때문이다. 『아르테미시아』는 이탈리아 르네상스 시기의 여성 화가였던 아르테미시아 젠틸레스키에 관한 역사소설이자 전기소설이다. 17세기였다. 십대의 어린 소녀였던 젠틸레스키는 자신을 강간한 타시라는 화가를 고발하고 처벌을 요구했다. 그 결과는 젠틸레스키가 거짓말을 하고 있는 것은 아닌가라는 의심으로 인해 법정은 그녀의 자백을 받아내려고 했다. 그녀는 혹독한 고문을 견뎌야 했다. 이 치욕스러운 사건으로 젠틸레스키는 더 이상 잃을 것이 없다는 점에서 자유를 얻었다. 그 시절 남자처럼 자유로워지려면 여성은 대가를 치러야 했다. 여성에게 그런 자유는 희생과 고통과 고독을 의미하는 것이었다. 젠틸레스키는 그림에 자신을 온전히 바치기 위해 여성적인 미덕, 딸의 사랑, 남편의 애정, 아버지의 인정, 세속적인 명예, 그 모든 것을 포기했다. 젠틸레스키는 '여성의 연약함, 의존성, 고독, 슬픔, 비탄을 인정하고 또 인정한다.' '여성이 된다는 것은 유폐되는 것임과 동시에 유폐에 저항하는 것'임과 동시에 '유폐를 갈망하는 것'이라고 반티는 통렬히 외친다. 젠틸레스키의 운명을 가장 잘 보여준 작품이 「수잔나와 늙은이들」, 「유디트와 하녀」다. 이들 작품은 그녀의 아버지인 오라치오 젠틸레스키가 그린 동명의 작품과 비교해볼 필요가 있을 것이다. 젠틸레스키가 보여준 수잔나의 고통과 절망, 유디트의 분노는 300년이 지난 지금의 관객들조차 전율하게 만든다. 안나 반티, 콜레트, 한나 아렌트, 모두 페미니스트라는 호칭을 혐오했지만, 손택은 자유롭고 독립적이고자 하는 영혼을 가진 모든 여자를 페미니스트라고 일컫는다면 그들 모두 페미니스트라고 말한다.

손택은 다방면에 걸쳐 창작과 저술활동을 했으므로 이 글에서는 그녀의 저서를 두 가지범주로 대별하여 살펴보고자 한다. 우선 그녀의 문학평론과 사회적인 에세이인『해석에 반대한다』,『질병으로서 은유』,『타인의 고통』,『사진에 관하여』에는 일관된 논지가 관통하고 있으므로 하나의 범주로 묶고자 한다. 둘째, 그녀의 소설, 희곡과 같은 작품을 중심으로 구분해볼 수 있겠다. 그녀에게 문학은 자유이자 구원이었다. 그녀의 책제목처럼(『문학은 자유다』).

1.『해석에 반대한다』?

『해석에 반대한다』(1966)는 손택이 발표했던 문학평론 모음집이다. 책제목이기도 한 「해석에 반대한다」는 짧은 문학평론이다. 21세기를 살아가는 독자들에게는 이 한 편의 평론이 한 시대의 '새로운 감수성'을 선도했다는 칭송받을 만큼 탁월했다는 말인가?라는 의구심이 들 수도 있을 것이다. 이 글에서 전개한 손택의 논지는 지금의 입장에서 돌이켜본다면 한마디로 소박하다. 말하자면 텍스트를 과도하게 해석함으로써 텍스트를 착취하지 말고 있는 그대로 볼 수 있는 '투명한' 감수성이 필요하다고 손택은 주장한다. 맑스는 세계를 단지 해석하지 말고 변혁하라고 했지만 손택은 과도한 해석마저 하지 말라고 강조한다. 그녀에 의하면 예술작품을 대상으로 할 때 해석은 작품을 착취하는 것이기 때문이다. '해석의 임무는 실질적으로는 일종의 번역 작업이다.' 해석학 자체는 성서를 현대적으로 이해할 필요에서 비롯된 학문이다. 손택이 보기에 과거의 해석은 텍스트에 대한 기본적인 예의를 갖추고 있었다면 현대의 해석은 텍스트의 베일을 찢고 꿰뚫고, 침투한다는 점에서 폭력적이다. 텍스트 이면에 있는 진실을 알아내기 위해 텍스트를 쥐어짜고 고문하여 과도한 해석을 내놓는 것이 생산적인 독서라고 오독한다.

이런 해석은 작품의 이해를 방해한다. 그것은 화석화된 텍스트에서 벗어나려는 해방의 몸짓으로서 번역이자 텍스트와 교감하는 대화가 아니라 텍스트에 기생하는 반역이자 훼방이다. 손택에게 "해석은 지식인이 예술에 가하는 복수다." 거기서 한걸음 더 나아가게 되면 해석은 대중들이 소화하기 쉽도록 텍스트를 순치시키는 것이다. 그래서 '해석은 예술을 다루기 쉽고 안락한 것으로' 만든다. 과도한 해석은 작품을 도식화한다. 카프카를 사회적 알레고리로 읽은 자들은 그의 작품을 현대 전체주의 국가에 만연된 관료주의적인 광기의 한 사례로 읽어낸다. 정신분석학으로 읽는 경우, 카프카의 소설은 부친에 대한 그의 공포, 거세불안이 된다. 종교적 알레고리로 읽어내자면 『성』에 등장하는 K는 천국에 도달하고자 안간힘을 쓰고, 『심판』의 요제프 K는 불가사의한 신의 정의에 따라 심판받는다. 이런 식의 과도한 해석은 텍스트가 정말로 보여주는 것을 정직하게 보지 못하고 텍스트로부터 점점 더 멀어지게 되면서, 해석자 자신이 원하는 것을 위해 텍스트를 곡해하게 된다. 이처럼 해석자들은 '각다귀 떼처럼 달라붙어서' 과도한 해석을 끊임없이 쏟아낸다. 그런 맥락에서 해석자들은 작품에 기생하는 해충들인 셈이다.

그녀에 따르면 예술작품의 내용이나 내러티브만으로 예술을 평가하는 천박한 해석에서 벗어나 예술작품이 어떻게 예술작품이 되는지 그 과정에 주목하는 것이야말로 예술을 진정으로 예술 자체로 보는 것이다. 그래서 "해석학 대신 예술의 성애학(erotics)"이 필요하며 텍스트를 과잉 해석할 것이 아니라 텍스트를 있는 그대로 보고 사물의 '반짝임'을 경험할 수 있는 감수성을 계발하는 것이 시대적 요청이라고 손택은 역설했다.

해체론, 포스트구조주의, 페미니즘, 탈식민주의와 같은 온갖 이즘들이 난무하는 지금의 시점에서 손택의 '해석에 반대한다'는 주장은 대단히 소박해 보인다. 언어에 의존할 수밖에 없는 인간이 어떻게 해석에서 벗어날 수 있는가? '해석에 반대한다'는 손택 자신의 주장 또한 또 다른 해석이라고 할 수밖에 없지 않겠는가? 바로 그 점을 보여준 것이 게오르그 루카치와 사르트르에 관한 그녀의 해석의 정치학이다. 두 사람을 대표적으로 선택한 이유는 그들이 한국에서도 잘 알려진 철학자이기 때문이다. 1980년대 한국사회에서 일군의 이론가들은 세계를 변혁시킬 수 있는 올바른 세계관이자 예술형식을 루카치의 비판적 리얼리즘에서 발견했다. 손택이 1960년대에 평가한 루카치와 한국의 이론가들이 1980년대에 평가한 루카치는 선명한 대비를 이룬다. 이 글에서는 바로 그 점을 보여주려고 루카치에 대한 그녀의 평론을 전략적으로 선택하고 배치하고자 한다.

「게오르그 루카치의 문학비평」에서 손택은 루카치의 『유럽의 리얼리즘 연구』와 같은 책들이 1930년대 러시아에서 저술되었으며 정치적 성격이 강한 몇몇 구절 속에서는 억압적인 시대의 흔적이 남아 있다고 지적한다. 『우리시대의 리얼리즘』은 1950년대에 씌여졌는데, 이전보다 루카치의 목소리는 더욱 더 단호해진다. 이 저서에서 루카치는 사회주의 리얼리즘, 모더니즘 둘 다 거부하고 제3의 대안으로 비판적 리얼리즘론을 주창한다. 헝가리 출신이면서도 오로지 19세기 리얼리즘 문학만을 선호(모더니즘은 퇴폐적이라는 이유로 배제)하고 독일어로 저술함으로써 루카치는 자신을 공산주의자이자, 유럽중심주의자이며, 휴머니스트로(민족주의 교조주의에 반대되는) 규정했다. 그런데 손택이 보기에 루카치의 후기 저서들이 미국에 소개된 것은 불행이었다. 루카치의 후기 저서들은 문학을 도덕 교과서로 다루고 있으며, "감수성의 총체적 부재"를 드러내고 있기 때문이다. 소설의 총체성에서 객관적 진리를 찾은 루카치가 '감수성의 총체적 부재'라고 비판받는 것 또한 아이러니가 아닐 수 없다. 루카치는 플라톤 이후로 서구의 조잡한 반영론에서 벗어나지 못하고 있다는 것이 손택의 혹독한 평가였다. 따라서 루카치를 제대로 알려면 초기 저술인 『영혼과 형식』, 『소설의 이론』, 『역사와 계급의식』이 번역되고 소개되어야 마땅하다는 것이다. 루카치에 대한 손택의 평론을 읽어보고 있노라면 한 시절 예술 형식으로서의 리얼리즘이 사회변혁을 가져다 줄 것으로 믿었던 한국의 이론가들은 문학의 힘을 진정 그토록 믿었을까, 라는 회의가 든다. 손택식으로 말하자면 이런 현상이야말로 문학의 도구화와 과잉해석으로 문학을 착취한 경우에 해당할 것이다.

「사르트르의『성 주네』에 관한 평론의 첫 문장은 이렇게 시작한다.『성 주네』는 '암적인 책이다.' 질병을 은유로 해석하지 말고 병 자체로 보자는 손택 자신의 호소에도 불구하고 이 구절은 그녀 또한 질병의 은유에 의존하지 않을 수 없음을 보여준다. 사르트르의 이 책은 분량이 불어나고 불어나서 마침내 600페이지가 넘는 지루한 철학적인 이론서가 되었다. 사르트르는 자신의 철학을 위해 주네를 동원했다. 그녀가 보기에 사르트르의 실존철학에 가장 부합하는 텍스트가 장 주네의 것이었다. 실존주의의 핵심개념이 자유다. 사르트르의 행동의 현상학에 따르면 행동하는 것이 세계를 변화시키는 것이다. 그런 맥락에서 보자면 도둑, 남창, 살인, 걸인 등 뭐든 행동하는 주네는 진정한 혁명가다. 사르트르에게(혹은 주네에게) 자유는 자유 그 자체를 위한 자유이기 때문이다.

2차 세계대전 이전에 발표한 사르트르의 소설『구토』에서 독자는 사르트르의 실존주의에 대한 실마리를 찾을 수 있다. 허무한 세계, 불쾌하고 구역질나는 세계는 변하지도 않고 늘 그렇게 저기 바깥에 있다. 바로 그런 세계에 우리가 동화될 수 있겠는가? 그것이 사르트르에게는 언제나 문제였다.『존재와 무』는 역겨움에 시달리는 의식을 어떻게 극복할 수 있는가를 질문한다. 역겨움과 물질적 과다와 도덕적 가치가 추락한 정신의 위기 상태에서 어떻게 실존의 회복이 가능한가. 이런 질문에 대한 사르트르의 해결책은 불손하다. 그는 '카니발리즘'을 통해 세계를 잡아먹는 철학적 의례를 제시한다. 말하자면 의식으로 세계를 먹어치우는 것이다. 사르트르에게 의식은 세계를 구성하는 동시에 세계를 집어삼키는 것으로 이해된다.『존재와 무』에서 가장 찬란한 대목인 성애적 관계는 의식 주체가 끊임없이 자신의 의식을 유지하기 위해 타자를 전유하는 폭력적인 관계로 그려진다. 이렇게 볼 때 성 주네에게 세계 창조는 세계 출산의 한 형태로서의 자위행위가 된다. 그래서 사르트르는 '주네는 우주와 더불어 자위행위를 한다.'고 토로한다.

수전 손택은 미국식 자아심리학을 정신분석학이라고 주장하는 것에 대단히 비판적인 입장이었다.「정신분석학과 노만 브라운의『죽음에 맞선 삶』」에서 보다시피 미국에서 정신분석학은 '미국의 중산층이 대학을 가는 것만큼이나 관례'가 되어 있고 '개인의 근심을 공식화 하고 개인의 공격성을 대변하는 일상적인 무기'가 되었다. 그 말은 정신분석의 역할이 개인의 불만을 해소시킴으로써 기존 질서와 체계에 순응하도록 만들고 사회에 도전하거나 문제를 일으키지 않고 잘 버티도록 해주는 것에 불과하다는 의미다. 정신과 상담치료를 통해 개인들을 다시 기존질서에서 복종하도록 공모하는 것이 미국식 자아심리라고 그녀는 통렬하게 비판한다.

텍스트와 정직하게 대면하면서 과잉해석을 하지 말라는 손택의 주장은『은유로서의 질병』에서도 되풀이된다. 이 저서에서 손택은 질병은 질병일 뿐이다. 그러니 병을 은유화 하지 말라고 당부한다. 우리는 병을 그냥 병으로 보지 않고 항상 은유화한다. 그래서 "질병이라는 왕국의 지형을 둘러싸고 날조되는 가혹하면서도 감상적인 환상"을 그녀는 문제 삼는다. 병을 은유로 동원하다보니 병에도 선망하는 병이 있고 악으로 규정되는 병이 있게 마련이다. 그 중에서도 결핵과 우울증은 낭만화 된다. 질병은 자아의 내면을 보여주는 하나의 현상처럼 간주되고 질병 자체가 자아와 인격을 드러내는 한 방식으로 전유된다. 옷과 패션이 우리의 외면적인 자아를 보여주는 것이라면, 질병은 우리의 내면적인 자아를 보여주는 한 형식이 된다. 폐결핵은 하얀 손수건에 각혈을 하는 고독한 시인, 창백한 소녀가 앓는 병이라는 이미지가 강하다. 그래서 뚱뚱하고 비만인 서정 시인을 상상하기 어렵다. 무릇 시인이라고 하면 멜랑콜리와 우울증쯤은 앓아줘야 될 것처럼 보인다. 폐결핵은 폐와 관련된 병이라는 점에서 공기의 정령이자 프쉬케의 숨결처럼 낭만화된다. 반면 생식기와 관련된 질병은 수치가 된다. 치질, 전립선암 등을 누가 자랑스럽게 여기겠는가. 거슬러 올라가 중세시대 나병은 천형으로 간주되었다. 나환자들은 단지 나병을 앓는 사람들이 아니라 천벌을 받은 것이므로 사회는 그들을 희생양으로 삼는 배제의 정치를 동원했다.

게다가 암은 거의 언제나 전쟁의 이미지와 연결된다. 암은 퇴치되어야 할 적이자, 정복 대상이다. 우리는 쉽게 암적인 존재라는 말을 은유적으로 사용하지만 정말로 암에 걸린 사람들은 이런 은유에 속수무책이다. 에이즈에 이르면 말할 필요조차 없어진다. 동성애 공포가 에이즈로 연결되면서 에이즈

환자는 이중고에 시달린다. 에이즈 환자들은 도덕적으로 타락하고 문란하고 부도덕한 성생활을 즐기다가 신의 형벌을 받은 것쯤으로 치부된다. 특히 보수적인 종교는 그와 같이 폭력적인 해석을 가함으로써 에이즈 환자들을 이중적으로 고문해왔다.

따라서 손택은 질병에 잔뜩 실려 있는 신화와 은유의 짐을 내려놓는 것이 중요하다고 역설한다. 질병 자체가 아니라 질병의 은유가 한 사회에서 호모 사커들을 만들어내고 대중의 공포를 자극한다. 질병에 덕지덕지 붙어 있는 은유들을 떼어낼 때 병 자체가 치료의 대상이 될 수 있다. 그럴 때라야만 질병으로 고통받고 죄악시하는 사회의 시선으로 고통받는 이중고에서 환자들이 벗어날 수 있을 것이라고 손택은 말한다. 질병에 덧씌워진 은유—수치, 타락, 문란, 천형, 재앙—는 해체시켜야 한다. 텍스트의 과잉해석이 텍스트 자체를 정직하게 보지 못하고 지적으로 왜곡시키는 것이나 마찬가지로, 질병을 은유화함으로써 질병을 병이 아니라 사회적인 추문과 추방으로 연결시켜버리는 해석의 은유가 질병에 대한 치유를 막고 공포를 확산시킨다. 그러니 질병의 은유에서 벗어나자는 것이 손택의 논지인 셈이다. 그런데 질병이든 해석이든 인간이 언어에서 벗어나지 못하는 한 은유에서도 벗어날 수 없을 것이다. 손택 스스로 미국을 암적인 존재로, 사르트르의 『성 주네』를 암적인 작품이라고 말함으로써 어쩔 수 없이 질병을 은유화하게 된다.

비록 우리가 질병의 은유에서 벗어날 수는 없더라도 타인의 고통에 공감할 수 있는 공감의 감수성은 적극적으로 계발해야 하지 않는가, 라는 것이 『타인의 고통』에서 손택이 주장하는 바이다. 『타인의 고통』에서 손택은 타인의 고통이 어떻게 우리의 존재와 별개의 것이 아닌지를 인식하는 것이 필수적이라고 강조한다. 타인의 고통을 거론하면서 그녀는 전쟁과 관련된 울프의 논의를 끌고 들어온다. 버지니아 울프는 『3기니』에 등장하는 반전 변호사가 호전적인 남성이 아니며 그의 반전 입장은 수상쩍은 것이 아님에도 불구하고 그는 "당신은 전쟁을 방지하려면 어떻게 해야 한다고 생각합니까?"로 물어보지 않고 당신의 견해로는 '우리'가 전쟁을 방지하려면 어떻게 해야 한다고 생각하십니까?"라고 물었다. 울프가 『3기니』 서두에서 문제 삼은 것은 바로 '우리'라는 대명사였다. 도대체 이 우리가 누구인가? 수전 손택은 타인의 고통에 눈을 돌리려면 더 이상 '우리'라는 말을 당연한 것으로 여겨서는 안된다고 주장한다. 그녀는 고통에 공감하는 상상력의 실패가 전쟁과 폭력을 끌어들인다고 주장한다. 전쟁, 기아, 질병의 참상을 전시하는 무수히 많은 사진들은 공감보다는 타인의 고통에 내성을 키우고 무감각하게 만들 수도 있다. 혹은 그들보다 나는 그래도 형편이 나은 편이라고 하면서 타인의 고통을 자기위안의 도구로 삼기도 한다. 그러므로 그녀에게는 고통과의 공감과 연대가 어떻게 '우리'를 구성할 수 있는지는 정치적 상상력의 관건이 된다.

9.11사태 이후 대중문화를 분석하는 손택의 탁월한 감수성을 드러낸 것이 『문학은 자유다』에 실려 있는 「타인의 고통에 관하여」다. 손택은 9.11 사태에서 미국의 야만성을 먼저 본다. 미국 내부에서 9.11을 보는 두 가지 입장이 있었다. ① 9.11을 기습공격에 의해 촉발된 전쟁으로 보는 입장이 그 하나다. 이것은 1941년 12월 7일 일본군이 하와이 진주만의 미해군 기지를 폭격한 것과 같이 하나의 전쟁으로 보는 입장이다. ② 경쟁적인 두 문명의 충돌로 보는 두 번째 입장이다. 이것은 미국으로 대변되는 생산적이고 자유롭고 관용적이며 비종교적인(혹은 기독교적인) 관점 대 퇴행적이고 편협하고 보복심에 불타는 종교적 근본주의 이슬람 문화와의 충돌이라는 관점이다. 손택은 두 가지 입장 모두 천박하고 위험하다고 비판한다. '우리는 지금 전쟁 중'이라는 모델과 '우리 문명이 저들보다 우월하다' 주장 둘 다 거부해야 한다. 이런 입장이야말로 9.11과 같은 범죄를 저지른 이슬람 세계의 근본주의자들과 정확히 똑같은 관점이다. 이슬람의 편에서도 우리는 저들(미국으로 대변되는 서구)과 전쟁 중이고 우리의 문명과 이슬람교가 서구의 기독교보다 우월하다고 주장한다. 이런 억지논리에 따라 미국이 어떤 한 나라(아프가니스탄, 이라크 식으로)를 테러의 배후로 지목하고 전면전을 벌인다면 고통받는 자들은 테러리스트들이 아니라 그 나라의 무고한 민간인들일 뿐이다. 뭉쳐서 적을 쳐부수자는 식의 애국심은 부시정권의 실책을 정당화하는 것에나 이용될 뿐이라고 손택은 「1년 뒤」에서 말한다.

관타나모에 억류되었거나 혹은 아부 그레이브에 수감된 포로들은 포로의 지위마저 인정받지 못한다. 그들은 비합법적 전투병이므로 제네바 협약에 따라 인권을 보호받지 못한다는 것이 럼스펠드 전 국방장관의 발언(2002년 1월)이었다. 인권의 사각지대에 억류되어 있는 이들은 고문하고 죽여도 상관없는 벌거벗은 생명이다. 그들은 죽여야 될 사람들이었지만 운좋게 살아남았으므로 그들을 고문해서 정보를 알아내거나 아니면 그만이라는 대접을 받는 자들이다. 전쟁포로는 국제법의 대상이 되지만 이들은 아감벤이 말한 벌거벗은 생명으로서 인권의 사각지대에 있는 호모 사커들이다. 아감벤이 말하는 호모 사커는 죽여도 아무도 상관하지 않는, 그래서 정치적으로는 죽은 목숨이나 다를 바 없는 산 생명을 말한다.

아부 그레이브 고문 사진을 보고 지젝은 미국 하위 대중문화의 외설적인 장면으로 분석한 바 있다. 이 고문 장면을 잔혹극과 같은 연극무대로 보는 지젝 또한 관음적이라는 점에서 외설적이기는 마찬가지다. 『시차적 관점』에서 지젝은 미군들이 벌거벗긴 이라크 포로들에게 검은 두건을 머리에 씌우고 사지에 전기줄을 연결시킨 것을 미국식 하위문화의 통과의례로 해석한다. 그것은 "로워 맨해튼에서 열린 최근의 행위예술 쇼의 한 장면"이자 죄수들의 자세와 의상 자체가 미국의 행위 예술이나 데이빗 린치의 영화를 모방한 것처럼 보인다는 것이다. 지젝은 이라크 포로들이 미국 하위 대중문화의 세례를 받음으로써 주체로 구성되는 것으로 본 셈이다.

지젝과는 다른 관점에서 이런 고통의 정치를 탁월하게 분석한 것이 「타인의 고통에 관하여」다. 타인의 고통이 드러난 사진들이 감상적으로 소비되거나 혹은 시간이 경과함에 따라 고통을 전시한 사진들이 미학적인 감상의 대상이 됨으로써 하나의 스펙터클로 소비되는 것은 거의 불가항력적이다. 아부 그레이브 고문 사진이야말로 고통 자체가 어떻게 소비되고 있는지에 손택은 주목한다. 이런 사진을 통해서 보자면 미군병사들은 마치 관광객처럼 사진을 찍어서 동영상으로 올리고 인터넷을 통해 전파하려고 혈안이 되어 있는 것처럼 보인다. 오늘날 미군병사들은 자신이 사진사가 되어 자신들이 참가한 전쟁을 재미와 포르노그래피로 만든다. 예전 같으면 수치스러워서 은폐하기에 급급했을 잔학행위를 기록하고 자기네들끼리 포르노그래피로 전유하고 교환하고 전 세계로 전송한다. 지젝도 언급한 바 있는 바로 그 고문 사진을 손택 역시 거론한다. 한 남자가 두건을 덮어쓰고 온몸에 전선을 감은 채로 상자 위에 벌거벗고 서 있다. 이 사진은 고문과 포르노그래피가 합해진 것처럼 보인다는 것이 손택의 분석이다. 그것은 일종의 성고문이었다. 그런 성고문 장면 사이, 사이에 미군들이 성관계를 하는 포르노 이미지가 교차 편집되어 있었다는 것이다. 미군들은 자신의 행위가 고문이자 잔혹행위라는 의식조차 없다. 타인의 고통에 대한 무감각과 내성(耐性)의 형성이 대중문화의 외설성과 서로 교직되어 있음에 손택은 주목한다. 수치를 모르는 미국 대중문화의 외설성으로 인해 타인의 고통을 나의 고통으로 공감하고 연대하는 것이 아니라 그것을 가학적으로 소비하고 재미로 삼는 공포스러운 사회가 되었다는 것이 손택의 통탄이었다.

2. 이런 암울한, 『미국에서』

그래도 손택은 자유와 구원의 가능성을 예술과 문학에서 찾는다. 그녀가 『화산의 연인』, 『미국에서』와 같은 장편소설 이외에도 많은 단편, 희곡들을 썼다는 사실은 그다지 많이 알려져 있지 않지만 사실 손택의 모든 저술이 한국어로 완역되어 있다.

『미국에서』는 1장 이전에 제로 장이 있어서 연극의 프롤로그처럼 구성되어 있다. 제로 장에서 화자는 손택의 페르소나처럼 보인다. '나'라는 화자에 대해 괄호로 묶어서 설명한다(화자는 열일곱 살 때 결혼했고 그 결혼은 씁쓸한 실패였다)고 부연 설명해줌으로써 화자와 손택의 자전적인 사실은 병치된다. 그뿐만 아니라 영웅적인 여주인공의 일대기에 손택의 나르시시즘이 과도하게 투영되어 부담스럽기조차 하다. 하지만 이 소설은 손택이 평생 비판해온 미국에 보내는 그녀의 사랑 고백과 다르지 않다는 점에서 살펴볼 필요가 있다.

인생은 입장과 퇴장이 있는 한 편의 연극이라는 표현이 있다. 『미국에서』는 분명 소설이다. 소설인가 하면 연극이다. 연극 안에서 전개되고 있는 소설처럼 읽히기도 한다. 1장 앞에 덧댄 제로 장과 마지막 장은 연극에서의 프롤로그와 에필로그처럼 전체 소설의 테두리를 구성한다. 21세기를 살고 있는 독자는 영문도 모른 채 19세기 중반의 어느 눈 내리고 추운 겨울 날 동유럽의 한 호텔 방으로 초대받는다. 느닷없는 화자의 초대에 과거로 거슬러 올라간 독자는 얼떨결에 이 대하드라마의 관객이 된다.

그 무대 위에서 전개되는 이야기는 이렇다. 19세기 중반이었던 그때 그 시절, 폴란드에는 유명한 여배우가 살았다. 그녀는 최고의 여배우일 뿐만 아니라 대단한 카리스마의 가모장(家母長)이었다. 폴란드의 자존심이자 국민배우였던 미라냐 잘렌조브스카(미국식으로 고친 이름은 마리나 잘렌스카이다. 그녀는 실존인물이기도 하다)는 어느 날 문뜩 그녀는 푸리에식의 유토피아를 꿈꾸면서 미국행을 결심한다. 그녀는 귀족인 남편, 연하의 애인, 전남편 사이에 난 어린 아들, 추종하는 친구들과 함께 캘리포니아 주 애너하임에 정착한다. 폴란드의 민족 여배우라는 칭송을 받으면서 성공의 절정에 달한 그녀가 무대와 고국을 버리고 무슨 연유로 미국행을 결심했을까. 폴란드에서 쌓았던 과거의 문화적(바르샤바 제국극장의 종신배우), 상징적(민족의 보물), 신분적(귀족 남편으로 인한 백작부인) 자산을 뒤로 한 채 그녀가 불확실한 미래를 향해 떠나고 싶었던 이유는 과거의 역사, 전통과 같은 무거운 짐을 부려놓고 '신천지'에서 새로운 삶을 시작하고 그 가능성을 실현하고 싶었기 때문이었다.

과거의 무거운 짐으로부터 자유로운 나라, 물려받은 인습이 없는 나라, 그런 나라로서의 미국이 실재하기는 했을까? 화자는 미국의 꿈이 살아있었던 황금시대가 도금시대(gilded age)로 넘어가기 직전으로 되돌아간다. 그곳은 지리적인 공간으로서의 미국이 아니라 짧았던 한 순간의 유토피아인 시간으로서의 미국은 아니었을까? 과거의 유산으로부터 벗어나 누구나 자유롭고 평등한 출발선상에서 다시 시작할 수 있다는 꿈이 있었던 그 시절 말이다. 과거가 버겁게 느껴지는 귀족은 신세계에서 농부를 꿈꿀 수 있었다. 가난에서 벗어날 수 없었던 구대륙 농부들은 신대륙에서 신분 상승을 갈망했다. 폴란드처럼 나라가 분할되어(러시아, 프러시아, 오스트리아) 지도상에서 아예 종적을 감춘 나라의 국민들은 고국에서 지녔던 민족적 양심이 미국에서는 부질없는 것임을 깨닫게 되었다. 폴란드에서는 폴란드어를 지키기 위해 침략국의 언어인 독일어(혹은 러시아어를 사용하지 않으려고 했던 퀴리부인의 어린 시절의 일화는 우리에게도 익히 알려져 있다)를 사용하지 않으려고 했지만 미국에 이주하는 즉시 영어가 자유롭지 않은 그들은 독일인 이주민들과 이웃하여 살면서 독일어로 대화하지 않을 수 없었다. 미국에서는 국가, 언어, 민족, 빈부, 귀천을 초월하여 '미국인'이 되는 경험을 하게 된다. (물론 그 시절에도 미국시민으로서 구성은 백인 유럽인들만의 경험이었다.)

그처럼 좋았던 그 시절, 미국에는 미국인이 없었다. 모두가 이민이었으므로. 좋았던 그 시절 미국의 언어는 영어가 아니었다. 이민자들은 자국어를 가지고 이민국을 통과했으므로. 좋았던 그 시절이라는 향수가 보여주다시피, 좋았던 그 시절의 미국은 더 이상 존재하지 않는다. 향수병이 더 이상 존재하지 않는 것처럼, 좋았던 그 시절의 미국은 어디에도 없다. 어디에도 없으므로 어디에나 편재하는 아메리카. 옛날옛날 한 옛날, 나뭇가지마다 황금사과가 주렁주렁 달렸던 '아메리카'에서, 국가를 초월하는 한 여성영웅이 있어 개인적 자율성과 '넌 할 수 있어'라는 아메리카의 신화를 실현하려고 했다면 과연 무슨 일이 일어나게 되었을까? 그런 미국에 대한 상상적인 서사시가 『미국에서』이다.

이제 손택은 가고 없다. 그녀가 추구했던 그런 미국은 먼 과거에도 없었고 아마도 먼 미래에도 없을 것이다. 『미국에서』보다시피 손택이 미국을 비판했던 것은 미국으로 상징되는 이상을 상실한 것에 대한 비판이자 애도였다. 미국에 대한 그녀의 비판은 그 어떤 애국주의자들보다 더한 절절한 사랑의 표현과 다르지 않았다. 그런 자신의 비판을 통해 미국의 이상이 실현되기를 꿈꾸었다는 점에서 그녀는 끝까지 낭만적인 휴머니스트였다.

임옥희
문화평론가. 1956년생. 여성문화이론연구소 공동 대표. 저서로 『채식주의자 뱀파이어』, 『주디스 버틀러 읽기: 철학의 우울과 젠더의 조롱』 등이 있고, 『블라인드 스팟』 등 다수의 번역서가 있음. okidoki00@naver.com

자생적 담론으로 유토피아를 지향하는 종합문예계간지
2001년 1월 18일 인천 바 01052 ISSN 1599-1660 02

2010년 여름호

38

리토피아

Literature Utopia

Special Edition

이십대의 발랄한 상상력들

이현호 단편선 이수빈 유승균 안은별 박연 전아름 노지연 박정선 김종소리 김초롱 이펭귄

신작단편 노재희 홍명진 이소망

집중조명 하두자 해설 백인덕

특별기고 강인섭 시인의 **통일시**

非·比·批 서경희 김승기

책[冊]크리틱 이훈 금은돌 강경희 조효원

흐름·진단 김동윤 장이지

신작시

장종권 장순금 구광렬 최종천 김주대 노혜봉 박해미 박무웅 박해림 정민나 안효희 이 안 장정자 이성렬 최정애 하재연 남태식 이제인 정현옥 임 윤 임효빈 이제니 김덕우 김영희 오명선 이현서

Atr·Artist 김남조 겔러리 송영미

Cover design by Backtan

http://www.litopia21.com

포커스

비인간의 세상, 끝나지 않은 기다림: 권여선의 소설에 기대어

/ 정홍수

비인간의 세상, 끝나지 않은 기다림

권여선의 소설에 기대어

정 홍 수

권여선의 단편소설 「약콩이 끓는 동안」(소설집 『분홍 리본의 시절』, 창비, 2007)에는 이상한 인물들이 들끓고 있다. 정년을 앞두고 사고로 하반신이 마비된 노년의 음대 교수를 가운데 두고, 대학원생 연락조교 윤서영, 마흔 가까운 교수의 두 아들, 가정부 순천댁, 그리고 남자 대학원생까지 모두 여섯 명의 인물이 등장하는 이 소설에서 우리가 보는 것은 하나같이 뒤틀리고 깨지고 오그라든 인간의 형상이다. 그것은 차라리 비인간의 풍경에 가깝다. 아니나 다를까, 작가는 노교수의 차남 상욱을 통해 그 '비인간'이라는 단어를 발설해놓기까지 한다.

> "상욱이 이제껏 지켜봐온 노인이나 폐인 들은 집요하게 현재적이었다. 죽음에 가까울수록 그들은 현재에만, 오직 찰나에만 집착했다. 그렇게 기억의 보따리가 지나치리만큼 가벼워져 거의 비인간에 가까워진 종족을 일컫는 이름을 상욱은 얼마전 책에서 발견했다. 그 이름은 보보끄 또는 보보보끄였다."(『분홍 리본의 시절』, 102~103쪽)

그러나 죽은 자의 의식이 문득문득 깨어나 부패된 시신의 자리에서 내뱉는다는 무의미한 소리 '보보끄, 보보보끄'(작가는 이를 "삶 너머에 있는, 아니 어쩌면 삶 내부에도 있을지 모를 처절한 무의미의 빈터"라고 부른다)의 세계는 "발정난 돼지" 같은 성욕 혹은 생명에의 벌거벗은 욕망만 남은 채 여자 제자를 학대하며 "반죽음의 시간"을 살고 있는 노교수에게만 해당되는 이야기는 아니다. 아버지의 집에 들어와 술에 절어 살며 개짖는 소리를 내는 상욱이나 그런 동생을 상대로 허접한 이야기를 늘어놓으며 동생마냥 대학원생 윤서영의 방문만 기다리고 있는 형 상섭 역시 비인간에 근접한 종족이기는 마찬가지다. 그리고 거의 자폐의 삶을 사는 윤서영에게 세상과의 통로로 마련된 유일한 일터라 할 수 있는 노교수의 집은 정확히 그녀의 삶 내부에 있는 '처절한 무의미의 빈터'에 다름 아니다. 그렇기에 노교수와 두 아들의 성적 모욕에 시달리다 아파트를 뛰쳐나온 그녀가 뺑소니 사고로 척추를 다쳐 노교수와 비슷한 육체적 곤경에 처하게 되는 것은 외부 없는 막다른 세계를 보여준다는 점에서 다분히 상징적이기도 하다. 내면이 깡그리 제거된 채 노교수의 명령을 기계처럼 주워섬기는 남학생 역시 "사내들이란 늙으나 젊으나 다람쥐 새끼 한가지"라는 순천댁의 말처럼 노교수와 "찍어낸 듯 비슷한" 종족일 뿐이다. 다만 노교수의 발정난 심화를 가라앉힐 작정으로 새벽이면 순천댁이 달여내는 약콩의 처방만이 이 우스꽝스러운 비인간의 풍경을 자연의 시선으로 바라보고 있다. 어쩌면 작품 전체가 인간이 삭제된 '처절한 무의미의 빈터', 인간—동물의 소실점을 향해 달려가고 있다고 보아도 무리가 없을 듯하다.

그런데 놀랍게도 이 비인간의 풍경은 상당한 소설적 실감을 준다. 말할 것도 없이 그 실감의 원천은 소설 속 비인간의 풍경이 환기하는 지금 우리 안의 어떤 지점일 것이다. 그러니까, 권여선의 「약콩이 끓는 동안」이 우리 앞에 대면시키는 이물스러운 타자는 어느 때든 '인간'의 경계를 침탈할 수 있는 인간—동물의 영역이랄 수 있겠는데, 그 앞에서 우리가 느끼는 현재적 무력감이야말로 문제의 핵심일지 모르겠다. 생각해보면 '인간'이라는 경계가 자명하게 주어진 때는 없었다. 인간의 역사는 인간 내부의 동물의 영역과의 투쟁의 역사였다. 헤겔에 기댄다면, 이 투쟁의 핵심은 부정성(否定性)이다. 이 부정성의 변증법이 창출해내는 공간만큼 인류는 인간의 영역을 확보해 왔고, 그 공간은 언제나 유동적일 수밖에 없었다. 좀더 엄밀히는, 부정성의 변증법이 작동하는 동안만 우리는 인간―동물의 영역을 넘어선다고 해야 하는지도 모른다. 이 경우 부정성은, 범박하게 말하면, 더 나은 삶 혹은 더 나은 사회에 대한 인간의 열망이며, 세계와 불화하는 의식일 것이다. 그 열망과 불화하는 의식이 사라진 세계가 곧 '보보끄, 보보보끄'의 세상, 그러니까 '처절한 무의미의 빈터'가 아니고 무엇이겠는가. 벌거벗은 자기보존의 막다른 강제만이 남은 세상 말이다.

우리는 언제 이 '보보끄'의 세상으로 내던져진 것일까. 헤겔의 사도인 알렉상드르 코제브는 20세기 중반 미국을 여행하며 헤겔적 의미의 역사가 끝난 세계를 보았고, 그 세계의 삶을 '동물적 삶'이라고 불렀다. 8년 뒤 일본 방문에서 그가 본 것은 또 다른 유형의 역사 이후의 삶, 곧 '속물'의 세계였다. 1980년대 후반 현실사회주의의 붕괴 이후 전지구적 차원에서 자본의 물신적 지배가 가속화하면서 코제브의 진단은 거부하기 힘든 예언적 지위에 오른 느낌이다. 자본의 지배를 부정하고 그 외부를 상상하는 길이 인간 개개인의 자유와 해방의 기획이자 동시에 공적 연대의 과제로 역사적 가능성의 지평 거놓여 있던 세계를 우리는 기억한다. 가깝게는 지난 80년대의 한국 사회가 그러하지 않았는가. 그런데 그 지평은 지금 잘 보이지 않는다. 사람들의 가슴을 뜨겁게 지피던 연대의 감정은 상당한 정도로 불씨를 잃었다. 물리적 고난과 마음의 가난을 껴안던 인간적 고양감이나 자존감은 속물적 생존의 냉소에 자리를 내준 지 오래다. 그것들은 다 어디로 사라졌는가.

최근 사회학자 김홍중은 '마음의 레짐(regime)'이라는 개념을 제안하면서 1980년 광주항쟁부터 87년 민주화대항쟁을 거쳐 97년 외환위기에 이르는 약 20년간의 한국 사회를 '진정성'이라는 마음의 체제가 지속적 헤게모니를 발휘한 시기로 호명한 바 있다(김홍중, 「진정성의 기원과 구조」, 『마음의 사회학』(문학동네, 2009), 22쪽). 그의 분석에 따르면 이 '진정성 체제'는 한국 사회가 신자유주의적 세계 질서에 전면적으로 노출된 외환위기 시기를 거치면서 급격하게 와해되었고, 그 과정에서 한국 사회는 '포스트―진정성 체제'로 진입했다는 것이다. 그리고 이 포스트―진정성 체제에서 진정성의 자리를 대신하며 새롭게 들어선 삶의 태도가 신자유주의적 '스노비즘'과 '동물성'이라는 게 그의 진단이다. 특히 포스트-진정성 체제에서 스노비즘의 대두, 스놉적 주체의 형식에 대한 비판적 성찰은 김홍중의 분석이 가장 공들이는 대목이기도 하다. (「스노비즘과 윤리」, 같은 책.)경제나 정치의 제도적 차원을 배제하지 않으면서 그러한 차원으로 단순하게 환원되지 않는 사회심리의 체제에 주목하고 있는 '마음의 체제론'은 무엇보다 지난 30년간 한국 사회가 겪은 심층적인 변화를 한국인 개개의 '주체'의 자리에서 반성적으로 살필 수 있는 근거를 마련하고 있다는 점에 각별한 의미가 있는 것 같다. 그리고 이러한 의미에서라면 '마음의 체제론'은 자아나 개인 주체에 대한 거의 전면적인 반성적 진술을 그 출발점으로 하고 있는 문학의 자리와 상당 부분 겹친다. 아마도 문학은 '마음의 체제론'이 탐사해야 할 가장 예민한 심성의 장소일 것이다.[1)]

물론 '마음의 체제론'과 문학은 겹치기만 하는 것은 아니다. 가령, 전자가 개인 주체를 말하되 결국에는 집합적으로 표상되는 마음의 좌표에 집중할 수밖에 없다면, 문학은 그 집합적 표상과 교섭하지 않는 것은 아니지만 결국 개인 주체의 자리로 돌아와야 한다. 사회적 층위에서 마음의 체제로서 진정성 에토스의 종언을 이야기할 수는 있지만, 문학이 감당하고 있는 개인 주체의 자리에서라면 진정성 에토스는 그 작동의 실효성 여부와 무관하게 일종의 '선험적' 지평에 남아 있을 공산이 크며, 또 남아 있어야 한다. 적어도 문학이 인간의 '자기-언급적(self-referential)' 장치로서 수행해온 근본적 역능에 최종적 마침점이 찍어질 때까지는 말이다. 주어진 세계의 실정성을 거절하고 삶의 가치와 의미를 스스로의 힘으로 구축해나가려는 자아 구성의 기획을 '진정성'의 그것이라고 할 때, 근대적 자아의 허구적 지위에 가해진 숱한 비판에도 불구하고 그 진정성의 기획을 폐기하기는 쉽지 않다. 우리 안의 숨겨진 진짜 타자가 속물이든 동물이든, 그것은 우리가 인간의 자리를 사유하고 상상하는 한에서 그러하기 때문이다. 분열된 주체의 자리에서든 욕망하는 기계로서든 우리는 어떻든 그 비인간을 응시하는 인간의 자리를 포기

---

1) 기실 『마음의 사회학』에 수록된 글들은 문학과 예술에 대한 담론을 주요한 자원으로 삼고 있기도 하거니와, 그 자체 뛰어난 문학비평이기도 하다.

하기 힘들다. 세계의 조건이 아무리 가혹하다 하더라도, 우리에겐 그러한 세계 말고는 달리 꿈꿀 곳이 없기에 더욱 그렇다. 비인간이 창궐하는 2000년대 한국문학의 자리 또한 그렇지 않겠는가.

권여선의 소설로 돌아가보자. 그녀의 소설이 문제적인 것은 당연히 비인간의 세계를 다룬다는 사실 때문이 아니다. 그러기로 한다면 권여선의 소설은 2000년대 한국 사회에 만연한 동물성이나 속물성의 사회학적 사례집 이상이기 힘들 것이다. 더욱이 '인간'의 위상학적 좌표에 미달하거나 그것을 초과하는 다양한 균열과 파탄의 인간 지리지는 2000년대 한국 소설의 보편적 징후라 할 만큼 특별히 어느 한 작가의 상상적 영토에 국한되지도 않는다. 우리가 권여선의 소설에서 놀라는 것은 그 비인간을 감각화하는 언어다. 인간과 세계에 대한 지독한 혐오감이 그 자체 하나의 물질로 감각되는 불쾌하고 외설스러운 언어들의 산포. 진물이 뚝뚝 떨어지는 추(醜)의 감각. 쩍쩍 입을 벌리고 있는 무의미의 크레바스. 물론 이 언어는 「약콩이 끓는 동안」을 예로 들면, "저분을 쪽쪽 빨고" "떼내버린 불알" "딱딱하게 굳은 변" "아랫도리" "추잡한 희열" "개소리" "입에서 사타구니까지를 단숨에 꼬치처럼 꿰어버리고 싶은 야만적인 충동" "입을 쫑긋거리며 동물의 앞발처럼 주름진 손" 등등 특정한 표현을 활용하지 않는 것은 아니지만, 전체적으로 세계를 응시하고 감각하는 소설 내부의 시선에 기입되어 있어 강렬함이 더하다. 그리고 그 강렬함은 수다스런 소설적 장치 없이 일상 언어의 낯선 제시와 배치에 집중하는 권여선 소설의 건조한 미학에 의해 다시 한번 증폭된다. 판타지나 엽기의 상상력이 배제된 곳에서 무의미의 빈터와 인간의 균열은 좀더 적나라한 실재에 다가간다. 권여선의 소설 언어는 세태나 인간 심리의 풍속도에 봉사하기를 거절하고 그 자체 하나의 증상으로 인간과 세계를 앓고 있다는 느낌을 준다. 그리고 거기 지독한 혐오의 정념이 불타고 있다.

그런데 이 황폐하기 그지없는 자연주의적 혐오의 시선–언어에는 우리 존재의 일관성에 심각한 균열을 야기할 수 있는 어떤 '앎'에의 초대가 있다. 그 앎은 인간이라는 실정성이 억압하고 있는 비인간의 영토를 드러낼 수밖에 없다는 점에서 다분히 외설적이다. 이때 이 외설적 앎 앞에서 당신은 어떤 태도를 취할 것인가. 권여선 소설이 우리에게 던지는 윤리적 질문은 정확히 이것이다.

「약콩이 끓는 동안」을 포함해 '혐오 3부작'이라고 불러도 좋을 만한 작품들이 같은 소설집에 수록된 「가을이 오면」과 「문상」이다. 두 작품의 여성 주인공 로라와 우정미는 세상에 대한 증오를 자기혐오와 자학으로 바꾸어 앓고 있는 병리적 인물들이다. 그 병리적 자학의 언어와 행동에는 통상의 인간적 균형감이 심각하게 결여되어 있어서 우리는 우스꽝스러운 부조리극의 인물들과 마주하고 있다는 당혹감을 느낀다. 로라의 경우 어머니의 위선적이고 뒤틀린 자식애가, 안정미의 경우 정치범으로 사형 당한 아버지의 죽음이 각각 병리의 외상적 기원으로 제시되어 있긴 하나 언제나 그렇듯 권여선의 소설은 세태에 저항하는 것만큼이나 정신분석적 환원에 굴복하지 않는다. 그녀들의 행동은 너무도 태연한데, 마치 처음부터 그러했던 자립적인 사물처럼 제시되어 있다. 거기에는 거의 변경 불가의 느낌이 있다. 그 느낌은 주체와 세계 양쪽 모두에서 완강하다. 희망의 원리가 삭제된 자리에 놓여 있는 것은 타는 듯한 증오와 자기혐오, 그리고 세계의 진부와 실패를 폐허의 잔해를 수집하듯 옮겨놓은 사물의 언어들이다.

뜨거운 여름 한낮 시장통 콘크리트 바닥에 쓰러진 「가을이 오면」의 로라는 "뜨거움과 조잡함이 우윳빛으로 뒤엉긴, 이를테면 순댓국 같은 풍경"을 보며 "이 여름의 언젠가부터 자신이 이 순간을 절실히 기다려왔다"고 생각한다. 알레르기 발진으로 붉게 뒤덮인 얼굴을 하고 시장통을 헤맨 이유가 오로지 시장 바닥에 쓰러져 "이글이글 노란 햇빛"을 받으며 "사방이 막힌 듯 조밀한 대기"에 스스로를 가두기 위한 것이었다고 고백할 때, 우리는 자신을 사물의 자리에서 느끼고 싶어하는 퇴행의 감각과 만난다. 인간과 세계의 실패를 증언하는 이 마비된 감각을 통해 로라는 모든 인간적 감각과 사회적 약속의 언어를 조롱한다. 그녀를 병원까지 업어다준 남자의 느닷없는 방문을 받고 펼쳐지는 옥탑방 김치볶음밥 오찬의 대화는 그 조롱의 절정에서 불가능한 사랑의 감각을 암시한다. "기름 없어. 기름?/네./참기름 들기름 식용유 다 없어?/네./김 없지?/네./깨도 없지?/네./계란도 없고, 응?/냉장고가 없어서……/흥! 겨울이면 있었을까?/남자의 가벼운 코웃음이라니. 집에 남자 없이 자란 그녀가 일찍이 들어본 적이 없는 경이로운 소리였다." 로라는 지금 스물일곱 해 인생에서 처음 '인간'을 느끼고 있다. "도대체 어떤 남자가 그녀에게 한대 피웁시다라든가, 통째로 놓고 다같이 먹는 거야라든가, 매우면 물 떠먹고 같은 경이로운 말을 할까." 그녀에게 사랑이란, 기만적인 '여성적 우아'를 강요한 어머니의 그것처럼, "사랑을 망치는 사랑"이며 "사랑이라는 베일 뒤에 가려진 살아 꿈틀거리는 해초의 흡반"이며 "우아하기 짝이 없는 고문"에 다름 아니었다. 그렇다면 '우아'를 던져버린 사내의 김치볶음밥과 거침없는 막말이 유일한 가능성인 것일까. 사실 인간적 '경이'에 대한 로라의 비상(非常)한 감각은 타자에 대한 치명적 불신이나 환멸과 다르지 않다. 사내는 결국 일개 노숙자일 것이며, 로라의 지갑에서 돈을 빼내간 인간일 것이다. 세상은 온통 그녀에게서 "몰래 무언가를 빼내갈 궁리만" 하고 있지 않던가. 그러니 "사람들은 어찌 감히 사랑 같은 것을 갈망할 수 있는가."

그렇게 해서 전철역 승강장에 혼자 남은 로라가 "조금만 더" 무언가를 기다려보기로 하는 이 소설의 마지막 대목은 최근 한국 소설이 도달한 가장 처절한 풍경 가운데 하나가 아닐 수 없다.

> "마지막으로 조금만 더 증오를 불태워보기로 했다. 아등바등 발버둥쳐봐야 어차피 늦었다. 그녀는 또 한번 버려졌고 그리하여 모든 것은 제자리를 찾았다. 황금이 녹아 끓을 만큼의 시간이 흘렀다. 세상을 천국으로 만드는 가장 좋은 방법은 그녀 내부를 불지옥으로 만드는 것이었다. 지옥의 눈으로 보면 세상은 그지없이 평온하고 아름다웠다. (…중략…) 그녀는 아픈 발목을 주무르며 조금만 더 기다려보기로 했다. 떠난 남자를, 끊어진 막차를, 등록도 못한 가을학기를, 그녀에게는 결코 주어지지 않을 여대생 기숙사 입주권을, 상상의 전령사가 보내올 또 다른 가공할 소식을, 조금만 더, 조금만 더."(40쪽)

우리는 안다. 이 기다림 뒤에 아무것도 도래하지 않을 것임을. 그녀는 다시 한번 버려지고, 세상은 또다시 제자리를 찾을 것이다. 상상의 전령사가 온들, 이 이상 가공할 소식이 달리 무엇이 있겠는가. '불지옥의 시선'과 '조금만 더'는 더없이 가슴 아픈 절망의 수사학이다. 그런데 이마와 뺨에서 터져 흐르는 진물처럼 일종의 '폐기물' 혹은 '비루한 것(the abject)'의 운명을 떠올리게 만드는 로라의 자기모멸적 형상에는 90년대 한국 소설에서 "비루한 영웅"들이 떠맡았던 "위반과 전복"(황종연, 「비루한 것의 카니발」, 『비루한 것의 카니발』(문학동네, 2001), 17쪽)의 활력이 없다. 하긴 그녀에겐 '아버지의 법'을 공격할 의지나 능력이 애초부터 없지 않았나. 그녀의 악다구니가 향하는 곳은 고작해야 '여성적 우아'의 불쌍한 자기기만을 가면처럼 덮어쓰고 살아온 어머니이며, 번듯한 생김새 말고는 손톱의 때조차 숨기지 못하는 하층의 사내며, 몸도 못 가누는 지하철 계단의 취객일 뿐이다. 직장생활을 하다 뒤늦게 전문대생이 된 스물일곱 살 여성 로라. 양철통 같은 옥탑방에 세들어 사는 밑바닥의 가난과 흉한 외모, 자폐와 자기모멸, 피해망상과 자학의 심성밖에 가진 것 없는 이 여성은 지금 자신의 내부를 불지옥으로 만들며 세상에 대한 증오를 불태우고 있지만, 정작 그 증오는 세상 어디 한군데도 무너뜨리지 못한다. 사내로부터 "학을 떼겠네"라는 반응을 받아낸 순간, "그녀는 자신의 스물일곱 해 인생이 남자를 이만큼이라도 미동시키기 위해 존재해온 것만 같은, 미칠 듯한 쾌감을 느꼈다"고 한 진술에 이 무능한 증오는 정확히 대응된다. 게다가 그녀의 증오는 '우아한 종족' '우아한 것들'이라는 호명 외에 자신의 대상을 모른다. 더 정확히, 그녀는 버려졌을 뿐 패배한 것도 아니다. 세계와의 싸움이 개시된 적도 없기 때문이다. 그녀는 자신의 자아를 거의 자멸의 형식으로 사용하고 있으며 세상으로부터의 방기를 자명한 것으로 받아들이고 있다.

2000년대 한국 소설의 "탈내면의 상상력"을 말하는 자리에서 김영찬이 "자기 자신의 현실적·정신적 무력함을 일종의 운명으로 내면화하고 있는 자아"나 "의지와는 상관없이 강제된 고단하고 주변부적인 삶의 횡포에 적극적으로 반발하기보다는 그것을 이미 주어진 변할 수 없는 것으로 감내하는 (…중략…) 빈곤하고 왜소한 주체"[2]에 대해 지적한 바 있기도 하거니와, 권여선

2) 김영찬, 「2000년대, 한국문학을 위한 비판적 단상」, 『비평극장의 유령들』, 창비, 2006, 73쪽.

이 제출해놓은 로라의 형상은 그 진단에 이어진다고도 할 수 있다. 그러나 권여선이 로라라는 인물을 통해 강렬하게 보여주는 증오의 무능은, 앞의 진단에서 그 '탈내면의 상상력'들이 현실의 압력을 처리해나간 주요한 방향, 그러니까 '분산' '일탈' '산포'의 그것과는 다른 듯하다. 로라의 무능은 처리의 방향을 알지 못하는 무능이며, 그런 의미에서 "행동과 감정의 불가능"으로서의 '멜랑콜리'[3]그 자체인지도 모른다. 여기서 상실의 대상을 경험적 지평에서 확인할 수 없는 선험적이고 항구적인 상실의 정조로 멜랑콜리를 이해한다면, 자기기만적 우아의 뒤틀린 사랑이 빼앗아갔다고 믿는 로라의 낙원은 처음부터 존재하지 않았던 것이라고 해야 옳다. 그렇다면 문제는 상실감 그 자체일 텐데, 앞서 거론했던 「약콩이 끓는 동안」을 비롯하여 「반죽의 형상」「분홍 리본의 시절」 등 권여선의 많은 작품에서 그 강도와 정황의 차이는 있지만 상실의 질병으로서 멜랑콜리를 앓고 있는 인물들을 만나는 것은 그리 어려운 일이 아니다. 이 말은 마치 선배의 어린 여자가 엉망으로 꽂아놓은 시집을 "내 관념의 질서에 맞게 다시 꽂"는 「분홍 리본의 시절」의 작중 화자 '나'처럼 그 인물들 각자에게는 헝클어짐을 견딜 수 없는 '관념의 질서'가 강박적으로 존재했다는 이야기이기도 하다. 그리고 그 관념의 질서란 어느 수준에서든 대타자와 상징계가 인간 주체의 형성에 관여했던 시절의 흔적일 것이다. 상실의 멜랑콜리는 결국 그 시절의 음화가 뒤늦게 도착한 것일 가능성이 높다. 그런 만큼 시대착오의 증오는 무능 말고는 자신의 거처를 알지 못한다. 로라에게 "앎이나 깨달음은 늘 그렇게, 한발짝 늦게" 찾아오고, "삶과 그녀의 박자도 그렇게 어긋"날 수밖에 없었던 것도 그러고보면 당연한 일이라 해야겠다.

창작교실의 강사인 소설화자 '그'와 가진 성교의 자리에서 "누구한테 배운 거죠? 그렇죠, 선배님?" 하고 집요하게 물어대는 「문상」의 우정미는 '비루한 것'이 유발하는 구토 그 자체인 인물이다. 그녀는 침대에 떨어진 두 사람의 음모로 "작고 흉측한 꽃다발"을 만들어 화해의 선물인 양 내민다. 그리고 다

---

3) 김홍중, 「멜랑콜리와 모더니티」, 위의 책, 215쪽.

시 묻는다. “기술이 좋으시던데요, 선배니임.” “어떤 여자한테 배웠어요?” ‘그’의 토사물이 그녀의 벌거벗은 하체로 쏟아져 내릴 때, ‘그’는 말없는 외침을 듣는다. “나를 봐요! 당신들의 죄가 만들어낸 이 괴물을 좀 보라고요! 사형당한 정치범의 딸인, 추악하고 막무가내인 노처녀의 오물 묻은 다리 사이에서 이런 외침이 진액처럼 쏟아져 내리는 것 같았다.” 어쩌면 우정미는 너무 노골적인 수준에서 그려진 우리 안의 근본적 결핍과 더러움의 환유인지 모른다. 우리가 여기서 환기하고 싶은 것은 이 외설적 거래에 작동하는 널리 알려진 공모의 정치가 아니다. 우정미의 상가(喪家)에는 아무도 가지 않을 것이고, 영안실에서의 그녀의 기다림은 로라의 그것처럼 또다시 헛되이 끝날 것이다. 우리는 그 점을 잘 알고 있다. 구역질나는 그녀의 증오 역시 무능하다.

그런데 로라와 우정미는 그 증오의 무능, 바닥 모를 상실의 멜랑콜리를 통해 한 세계의 끝장을 지연시키고 있는 것은 아닌가. 테리 이글턴은 성 바울을 인용하며 히브리 기록들이 ‘아나빔(anawim)’이라고 부르는 빈곤한 추방자들의 이야기를 전한다.[4] 성 바울이 “지상의 오물”이라고 부른 아나빔은 사회의 찌꺼기이자 쓰레기, 비극적 속죄양이라는 것이다. “그들은 역사에서 표류해 나온 잡동사니로서 이미 자신을 상실한 존재들이기 때문에 갱신을 위해 자신을 포기할 필요도 없다.” 로라와 우정미가 우리 시대의 비극적 속죄양인지는 분명치 않으나, 그들이 ‘이미 자신을 상실한 존재들이고 갱신을 위해 자신을 포기할 필요도 없다’는 것은 어느 정도 사실일 것이다. 적어도 우리가 보기에 그들은 ‘역사에서 표류해’ 나왔다. 「문상」의 화자는 소설 속 그의 행실로 보아 그다지 믿음이 가지 않는 소리이긴 하지만, 우정미를 향해 마음속으로 뇌까린다. “그녀는 그가 건너야 할 늪이고 품어야 할 빛이다. 그가 씻어야 할 죄이며 얻어야 할 구원이다.” 정말 그럴까. 알 수 없는 이야기다. 그러나 로라와 우정미가 ‘역사의 종언’과 ‘비인간의 시대’의 전면적 도래 사이에 끼여 있는 불편하고 기괴한(uncanny) ‘반죽음’의 형상인 것은 분명한 것 같다. 테리 이글턴의 이야기는 계속된다. “속죄양은 너무 낯설어도 안 되고 너

4) 테리 이글턴, 이현석 옮김, 『우리 시대의 비극론』, 경성대학교 출판부, 2006, 478쪽.

무 친숙해도 곤란하다. 그것은 라캉의 용어로 '내부와 외부 사이에 존재하는' 것이어야 한다. (…중략…) '파르마코스'에 대한 동정은 그것과 하나가 되는 것, 그래서 그것을 문제시하는 것이 아니라 그것이 상징하는 사회 체제의 실패를 문제시하는 것이다. 이 경우 말과 사회성을 초월한 존재인 속죄양은 그 존재 자체가 기존 체제에 대한 비판이 된다. 속죄양은 기존 체제가 배제하는 것을 대표하며, 그 체제가 독처럼 기피하며 추방하고자 하는 인간들의 상징이 된다. 이런 의미에서 속죄양의 수동성 자체가 혁명적 행위의 씨앗이 된다고 할 수 있다. (…중략…) 속죄양의 침묵만이 총체적 문제 제기를 감당할 수 있다."[5] 우리 시대에 누가 '혁명'을 말하겠는가. 다만 로라와 우정미의 무능이 세계의 실패를 감당하는 '속죄양의 침묵'일 수 있다면, 혹 그럴 수 있다면, 하고 바랄 수는 있지 않을까. 만일 그렇다면, 세계는 아직 끝나지 않았고, 로라와 우정미의 기다림도 아직 끝나지 않았을지도 모른다. 그러니 조금만 더 기다려보기로 하자. "상상의 전령사가 보내올 또 다른 가공할 소식을, 조금만 더, 조금만 더."

---

5) 위의 책, 482쪽.

정홍수
1963년생. 1995년 『문학사상』 평론부문 신인상으로 등단. 평론집 『소설의 고독』이 있음. myosu02@hanmail.net

정기구독 신청 안내

정기구독은

2년을 기준으로 48,000원입니다.

정기구독을 신청하시는 분께는

저희 (주)글로벌콘텐츠출판그룹(글로벌콘텐츠, 세림출판, 도서출판 경진, 컴원미디어, 글모아출판, 한국행정DB센타 등)에서 발행하는 전 도서를 25% 할인해드립니다.

정기구독 신청은

《작가와비평》 홈페이지(http://user.chol.com/~writercritic) 정기구독 신청란을 이용하시거나, 전화번호 02-488-3280으로 하시면 됩니다. 받으실 분의 이름과 연락처 구독기간을 이메일이나 전화로 알려주시기 바랍니다. 입금할 금액과 입금계좌 등은 전화나 홈페이지를 통해 알 수 있습니다.

입금계좌 799501-04-111142(국민은행, 예금주: 홍정표)
주 소 134-010 서울시 강동구 길동 349-6 정일빌딩 401호
전 화 02-488-3280 **팩 스** 02-488-3281
이 메 일 wekorea@paran.com(양정섭)

작가와 비평

통권 제11호(2010년 상반기)

인쇄일 ‖ 2010년 6월 15일
발행일 ‖ 2010년 6월 30일

발행처 ‖ 글로벌콘텐츠
발행인 ‖ 홍 정 표
주소 ‖ 서울시 강동구 길동 349-6 정일빌딩 401호
전화 ‖ 02-488-3280
팩스 ‖ 02-488-3281
전자우편 ‖ wekorea@paran.com

편집 ‖ 양 정 섭
편집동인 ‖ 고봉준 최강민 이경수 정은경 김미정 김정남 이선우
전자우편 ‖ writercritic@chol.com
홈페이지 ‖ http://user.chollian.net/~writercritic

값 15,000원
ISSN 2005-3754 11

e Multiculturalisme

다문화주의

:인문학을 통한 다문화주의의 비판적 해석

Andrea Semprini 지음 | 이산호·김휘택 옮김

발행일 2010.03.31 | 10,000원 | 4×6판 양장 | 224쪽

다문화 시대에 알맞은
새로운 인문학 정신과
그 이론적 요구를 눈여겨 볼
필요가 있다.

다문화주의 시대를 맞이하는 것은 근대성에 차이와 차별의 문제를 제기하고,
각 국가의 개별적 특성을 뛰어넘는 현대문명에 대한 놀랄 만한 도전을 시작하는 것이다.

문화콘텐츠기술연구원 다문화콘텐츠연구사업단

펴낸곳 도서출판 경진 | **등록** 제2010-000004호 | **주소** 경기도 광명시 소하동 1272번지 우림필유 101-212
블로그 http://kyungjinmunhwa.tistory.com | **이메일** wekorea@paran.com
공급처 (주)글로벌콘텐츠출판그룹 | **주소** 서울특별시 강동구 길동 349-6 정일빌딩 401호 | **전화** 02-488-3280 | **팩스** 02-488-3281

시를 주제로 한 여행에세이

커피 마니아들이 카페 투어를 하듯 한 손에는 카메라, 한 손에는 시집을 들고 시인의 과거로 떠난다. 시인의 생가와 고향의 정취, 이 시대가 재현해 낸 시인들의 발자취가 녹아들어 사진 하나하나에 뜨거운 숨결이 느껴진다. 교사와 연구자라는 지위를 벗어던지고 시와 독자를 행복하게 만나도록 해주는 중매인이라 자칭한 그들의 여행이야기가 시작된다.

도서출판 경진

펴낸곳 도서출판 경진 | **등록** 제2010-000004호 | **주소** 경기도 광명시 소하동 1272번지 우림필유 101-212
블로그 http://kyungjinmunhwa.tistory.com | **이메일** wekorea@paran.com
공급처 (주)글로벌콘텐츠출판그룹 | **주소** 서울특별시 강동구 길동 349-6 정일빌딩 401호 | **전화** 02-488-3280 | **팩스** 02-488-3281